LOU, O MELHOR CÃO DO MUNDO

STEVE DUNO

LOU, O MELHOR CÃO DO MUNDO

A história extraordinária do anti-Marley que transformou a vida de centenas de cães e pessoas

Tradução
Gilson César Cardoso de Sousa

Editora
Cultrix
SÃO PAULO

Título original: *Last Dog on the Hill*.

Copyright © 2010 Steve Duno

Copyright da edição brasileira © 2011 Editora Pensamento-Cultrix Ltda.

Publicado mediante acordo com St. Martin's Press, 175 Fifth Avenue, New York, N.Y. 10010.

Texto de acordo com as novas regras ortográficas da língua portuguesa.

1ª edição 2012.

Todos os direitos reservados. Nenhuma parte deste livro pode ser reproduzida ou usada de qualquer forma ou por qualquer meio, eletrônico ou mecânico, inclusive fotocópias, gravações ou sistema de armazenamento em banco de dados, sem permissão por escrito, exceto nos casos de trechos curtos citados em resenhas críticas ou artigos de revistas.

A Editora Cultrix não se responsabiliza por eventuais mudanças ocorridas nos endereços convencionais ou eletrônicos citados neste livro.

Coordenação Editorial: Denise de C. Rocha Delela e Roseli de S. Ferraz
Preparação de originais: Marta Almeida de Sá
Revisão: Claudete Agua de Melo
Diagramação: Fama Editoração Eletrônica

Dados Internacionais de Catalogação na Publicação (CIP)
(Câmara Brasileira do Livro, SP, Brasil)

Duno, Steve
  Lou, o melhor cão do mundo: a história extraordinária do anti-Marley que transformou a vida de centenas de cães e pessoas / Steve Duno; tradução Gilson César Cardoso de Sousa. — São Paulo : Cultrix, 2011.

  Título original: Last dog on the hill: the extraordinary life of Lou.
  ISBN 978-85-316-1163-6

  1. Cães — Biografia I. Título.

11-12225   CDD-636.7527092

Índices para catálogo sistemático:
1. Cães : Biografia 636.7527092

Direitos de tradução para o Brasil
adquiridos com exclusividade pela
EDITORA PENSAMENTO-CULTRIX LTDA.
Rua Dr. Mário Vicente, 368 — 04270-000 — São Paulo, SP
Fone: 2066-9000 — Fax: 2066-9008
E-mail: atendimento@editoracultrix.com.br
http://www.editoracultrix.com.br
que se reserva a propriedade literária desta tradução.
Foi feito o depósito legal.

Para WTC, para #93, para D. C.

"Que Enkidu caminhe à tua frente:
ele sabe o caminho para a Floresta de Cedros..."

— A Epopeia de Gilgamesh
(Placa III)

Introdução

A última refeição de Lou foi um pedaço de carne servido no dia de sua morte. Já não conseguia andar, mas ainda podia comer, aquele cão de coração imenso, e o bife lhe pendia da boca como se fosse um tesouro sangrento. A santidade do alimento: comer mesmo em meio à dor, eis a lei dos cães.

Em seus dezesseis anos de vida, ele lutou com coiotes e ladrões, encantou bebês, consolou velhos e doentes. Surpreendeu estupradores, impediu assaltos, ornou a capa de um livro, ensinou a linguagem dos sinais a crianças, fez xixi nas pernas de cavaleiros de armaduras brilhantes. O intelecto e as habilidades de Lou me valeram um emprego que mudou minha vida, motivo pelo qual aqui estou a escrever sobre *ele*. Lou dançou com lobos, pastoreou ovelhas, encantou serpentes e celebridades, venceu concursos, escalou montanhas, foi sequestrado e dominou um vocabulário mais extenso do que o de muitas pessoas que conheço. Lou redefiniu o que significa ser um grande cão e um herói de boa-fé. Quatro anos depois, ainda sinto o seu cheiro, ouço o sininho de sua coleira, vejo sua cara de galã de cinema voltada para mim. Lou bem merecia aquele pedaço de carne e muito mais. A saudade que tenho dele não cabe em palavras.

Em meus vinte anos como adestrador e especialista no comportamento de cães, conheci milhares deles. Labradores que traziam nos olhos a doçura dos campos, *terriers* com alguma coisa para provar, galgos italianos de pernas de caniço. Cãezinhos de colo, atentos cães de caça, covardes, glutões, barulhentos, heroicos, atléticos, preguiçosos — conheci muitos. Mas, entre todos, quem tinha a alma mais grandiosa era Lou.

Ele veio do mato, onde — como os cães primitivos — aprendeu o significado real da subsistência. Muitas vezes, pensei que Lou desprezava secretamente todos os cães "domésticos" de seu círculo — bichinhos de estimação tolos e egocêntricos, que nunca passaram por um dia de dificuldade, que nunca precisaram mostrar autoconfiança e que nunca tiveram a chance de provar seu valor. Mas, se é verdade que ele os desprezava mesmo, era educado demais para demonstrar.

Tirei-o de sua família e de seu primeiro lar; entretanto, embora soubesse que era a coisa certa a fazer, não posso deixar de pensar, às vezes, que ele sentia muita falta deles e que se deixou levar pelo amor desmedido, como eu próprio me deixei.

Mas sua perda foi nosso lucro redobrado. Consulte qualquer um que o conheceu por não mais de vinte segundos: ele lhe dirá que gostaria de ficar com Lou e contemplar seus olhos de Greta Garbo. Você deve imaginá-lo como um bichinho vindo de Nárnia, não um cão sarnento vagando pelas estradas rurais da Califórnia.

Embora eu seja conhecido por meus manuais de veterinária, pousei minha caneta prescritiva para redigir este livro, um livro sobre um cão excepcional que influenciou muitas vidas, um Rin Tin Tin de carne e osso. Ele era um amigo extraordinário que me possibilitou publicar dezoito livros, além de séries de artigos na internet e em revistas. Lou — um cachorro que foi tão longe e se revelou tão bom em tantas coisas — comportava-se com elegância, brilhantismo e *savoir-faire*. Ao observá-lo, percebíamos que ele estava ruminando coisas, ponderando, decidindo. Lou era um pensador — o tipo de cão com o qual os adestradores adoram trabalhar. Poderia ter sido astro de cinema, soldado, técnico de futebol, juiz, o que quisesse — bastaria ter nascido com menos pernas e mais dedos. Mas ele era o que era e, com isso, mudou minha vida e a de outras pessoas. Esta é a história dele e a minha. A história de um legítimo herói americano.

1

Rottweilers, bichos atropelados e cartel canino

Os pelos pretos das costas e os tufos de penugem da barriga jaziam nos cantos da casa como fantasmas. Os pelos pretos não tinham mais cheiro, mas os tufos, sim; quando eu os aproximava do nariz, imediatamente era remetido às montanhas com Lou, ouvindo corujas e coiotes ou ratos deslizando pela barraca. Ao morrer, falou-me de um modo que sabia que eu apreciaria bastante. O cheiro dele, ainda no tapete, desviava-se de meu cérebro e ia direto ao coração, onde se alojam as lembranças.

O grande crime cometido contra todos os donos de cachorros nasce do amor que temos por eles, que — como o amor que sentimos pelos filhos — é profundo. Nenhum pai deveria sepultar o filho, dizem; mas isso é o que os donos de cachorros têm de fazer, não uma vez, mas várias, durante a vida inteira. Enquanto permanecemos os mesmos a seus olhos, eles correm do berço ao túmulo num instante, segundo nossa medida do tempo. Consomem-se como gravetos ao fogo; e, como nunca substituiremos um cão por outro, continuamos tentando, na esperança de reviver fragmentos de um grande cão que se foi. Não, eles não são filhos que sepultamos. Mas cães como Lou chegam bem perto disso. Bem perto mesmo.

A Rodovia 101 serpenteia para o norte, rumo à cidadezinha de Willits, no condado de Mendocino, na Califórnia, portão de entrada do país das sequoias, lar de vinhedos e rios velozes e local de repouso do grande cavalo de corrida Seabiscuit. Foi ali que encontrei Lou, o melhor de todos os cães que conheci.

Em 1986, com o diploma de professor na mão, carreguei a bagagem no meu Civic e deixei a modéstia do Queens pelo espalhafato de Los Angeles. Ao chegar, renovei minha velha fascinação pelos cães, que nutria desde a infância. Morando num cubículo de um quarto em Nova York com meus pais e meu irmão, pedi um cachorro, mas só ganhei um periquito azul-claro de nome Chipper, um pássaro tristonho que entortava as grades da gaiola e escapava para bicar nossa cabeça e gritar seu descontentamento.

Em Los Angeles, li montes de livros e revistas sobre cuidados e adestramento de animais, até me julgar uma "autoridade" nessa área. Pensei que estivesse pronto para o cachorro de minha escolha. Mas o acaso mudou o curso de minha vida e de muitas outras.

Minha namorada Nancy e eu tiramos alguns dias de folga em dezembro, pegamos o carro e, tomando a Rodovia 101, rumamos para o norte da Califórnia. O clima estava ótimo em toda a Costa Oeste; aproveitamos bastante, desviando-nos de vez em quando pelo caminho da praia para apreciar a paisagem.

Ao norte de Ukiah, no condado de Mendocino, a estrada corre em zigue-zague pelo campo. Junto a uma encosta íngreme, avistamos formas peludas galgando o terreno coberto de grama na direção de uma fileira de árvores, lá em cima.

— Filhotinhos de cachorro! — exclamou Nancy.

Encostamos o carro e saltamos.

Na crista do morro, cerca de meia dúzia de cães descansava à sombra das árvores; vira-latas de tamanho médio, pelo escuro, ar tranquilo, com línguas penduradas e dentes brilhando ao sol.

— Devem ter entre 5 e 6 meses — eu disse, percebendo de repente que havia uma criatura bem maior estirada logo adiante, no acostamento, meio oculta pela relva.

O enorme *rottweiler* aquecia-se ao sol como um búfalo de Dakota; seu pelo marrom-escuro estava muito sujo. Na boca, restos flácidos de um gamo atropelado na estrada.

— Fique longe dele! — avisei.

Os ossos do gamo estalavam como cenouras entre as mandíbulas do animal.

— Nem precisava dizer — retrucou Nancy, que estava mais interessada nos filhotes, acompanhados de uma figura preta e ágil, talvez sua mãe.

O *rottweiler* engoliu um pedaço de carne e olhou para nós.

Seguindo sua mãe assustada até a linha das árvores, os filhotes já estavam quase fora de vista. Emiti um breve assobio, só para ver o que aconteceria; todos fugiram, menos um. Ele parou, voltou os olhos para a estrada e disparou encosta abaixo em nossa direção, como se houvesse reconhecido alguém.

Preto e castanho, ele parecia mais um *rottweiler* em miniatura do que os outros. Como um personagem de Looney Tunes, o ágil cãozinho parou bem à nossa frente, sentou-se ereto como um soldado e fitou-me como se eu fosse jurado de um programa de calouros. Era Lou.

As pessoas que tiveram a sorte de conhecer Lou ficavam encantadas com seu olhar expressivo, sua aparência nobre e seu jeito amistoso. Ninguém se cansava dele. Mas o cão sentado educadamente diante de mim, naquele dia, era tudo, menos encantador. Com no máximo 6 meses de idade, tinha um corte infeccionado no pescoço e carrapatos grudados pelo corpo todo. Os gordos bichinhos pendiam como bolas de árvore de Natal até dos cantos dos olhos e da boca, não poupando sequer suas orelhas e seu focinho.

— Está infestado de bicho — murmurei. — E olhe só esta ferida!

— Mas veja que olhos! — riu Nancy. — Ele é maravilhoso!

Lou fitou-me, intrigado.

— A ferida está infeccionada. E não sabemos nada sobre ele.

— Mas *olhe* pra ele — insistiu Nancy. — Veja esses olhos!

Senti o hálito quente de Lou em minha mão. O som que seu pai provocava mastigando o gamo se entremeava com o barulho dos carros que passavam pela estrada.

Acariciei-o. Ele me olhou como se eu fosse Madre Teresa. Pulgas saltavam da sua cabeça como bolhas de um líquido efervescente e ricocheteavam na palma da minha mão.

Enquanto eu permanecia ali, sem saber o que fazer, um caminhão carregado de madeira freou e parou no acostamento. Dele saltou um sujeitinho de calça Levi's e camiseta branca muito suja. Atravessou a pista como se tivesse grilhões nos pés.

— O grandão é de vocês? — perguntou, apontando para o *rottweiler*, com um cigarro na mão trêmula. Parecia que estava "viajando" havia uma semana.

— Grandão? — estranhei.

— O grandão ali, mastigando o gamo — explicou ele, pulando de um pé para outro. Com o focinho do gamo preso firmemente na boca, o *rottweiler* olhou para o caminhoneiro. Estava distraído e calmo — primeiro indício, talvez, do que seu filho viria a ser. Lembro-me de ter pensado que aquele bicho poderia nos matar com a maior facilidade e depois voltar para seu *sashimi* de carne. Não fez isso, é claro; apenas mediu o caminhoneiro com os olhos por um instante e continuou a mastigar.

— Faz parte de uma matilha que acaba de subir a encosta — disse eu.

— Estou procurando um companheiro de viagem.

— Não sei, não... — respondi, imaginando o caminhoneiro atravessado na boca do enorme cão.

— Acho que vou ficar com ele.

— Eu não faria isso — ponderou Nancy.

— Sei lidar com cachorros.

Antes que o caminhoneiro cometesse suicídio nos dentes do *rottweiler*, uma caminhonete da guarda florestal estacionou no acostamento e um rapaz com cara de menino desceu, depois de colocar seu chapéu.

— Olá, pessoal — cumprimentou, de olho no *rottweiler* e na carne.

— Você vai atirar nele? — perguntou o caminhoneiro.

O cão largou a carne, a baba escorria de seus beiços negros.

— Não. Se tivesse matado o gamo, precisaríamos dar um jeito nele. Mas esse gamo foi atropelado ontem à noite. Eu o vi à beira da estrada, ao entardecer.

Lou rosnou.

— Vocês matam os cães que caçam? — perguntei.

— Cães soltos que caçam são sacrificados. — O rapazola parecia bonzinho demais para matar um cachorro.

— Quem é o dono? — perguntou o caminhoneiro, arrastando suas botas de *cowboy* pelo pó e aproximando-se do *rottweiler*.

— Este grandalhão e a cadela lá no alto são cães de guarda de uma plantação de maconha do outro lado do morro. Nesta época do ano, não há muito o que proteger e eles ficam perambulando por aí, atrás de comida.

— Plantação de maconha?! — espantou-se Nancy.

— Isso mesmo. Há várias nesta região; a maioria, em reservas florestais. Bastante lucrativas. Não há muito mais a fazer por aqui.

Lou começou a se coçar e me olhou com doçura, ao mesmo tempo calmo e impaciente, como se já tivesse formado uma opinião sobre nós e esperasse o mesmo da nossa parte.

— Acho que este filhote e os outros no morro são do grandalhão — disse o guarda. — O papai e filhinho, aqui, parecem sociáveis, mas o resto é selvagem. Um grupo de resgate local tentou apanhá-los na semana passada, mas são muito ariscos.

— Gostei do grandalhão — intrometeu-se o caminhoneiro, esfregando o pescoço peludo e rindo como um garoto.

— Eu pensaria duas vezes — aconselhou o guarda. — Não é à toa que ele não está nem assustado.

— E quanto a este? — perguntei, acariciando a cabeça cheia de pulgas de Lou.

— Mansinho, né? Fique com ele. Está um pouco magro, é verdade. E deve ter se ferido numa cerca de arame farpado.

— Dá-se um jeito — disse Nancy, que a essa altura já era grande aliada de Lou.

— Estamos a mais de seiscentos quilômetros de casa — ponderei. — O bicho está cheio de pulgas e precisa de um veterinário.

Eu havia imaginado o seguinte: procurar um bom criador, escolher um filhotinho perfeito e saudável, emoldurar o *pedigree* e viver feliz para sempre. Não tinha planejado tomar uma decisão precipitada à beira de uma rodovia, junto de cães enormes e carcaças de bichos atropelados, caminhoneiros cheios de cafeína e plantações de maconha, guardas com cara de menino e olhos doces e faceiros pousados em mim, perguntando quando iríamos para casa.

— Se você não quiser, eu levo — disse o caminhoneiro, rindo de maneira esquisita, como se pretendesse fazer churrasco de Lou na próxima parada.

Nancy sorriu. Sabia como me manipular.

O grande *rottweiler* lançou um forte jato de urina no asfalto e depois esticou alternadamente as pernas traseiras. Perguntei-me se Lou iria ficar daquele tamanho.

— Tem um veterinário em Willits, na entrada da cidade — informou o guarda. Era um sujeito calmo e reservado. Imaginei que tivesse sua própria plantaçãozinha secreta de maconha. — Mas, é domingo de manhã, talvez vocês precisem tirá-lo da cama.

O *rottweiler* agarrou sua refeição pelo pescoço e arrastou-a morro acima até um bosque de pinheiros; seus músculos se retesavam como cordas sob o pelo brilhante. Lou observou o pai se afastando.

— Droga!

— Ele poderia ter acabado com você — disse eu.

— Vai levar o pequenininho ou não?

— Você disse que queria um cachorro — atiçou Nancy. — Acredite em mim. É este!

Eu me senti como se estivesse ao telefone com um vendedor de telemarketing, prestes a fechar uma compra.

— Podemos abrir um espaço no banco traseiro — disse eu, rendido. — E pôr a lona da barraca no banco.

— Isso! — gritou Nancy, saltando de alegria. — Agora vamos procurar o veterinário.

— A casa dele é à direita de quem entra na cidade — esclareceu o guarda. — Há uma placa grande ao lado da estrada: "Willits Animal Hospital" ou algo assim.

O caminhoneiro jogou fora o cigarro e aproximou-se de Lou.

— Bom amiguinho — murmurou suavemente, espantando uma pulga e acariciando as orelhas de Lou. Por um momento, pareceu um sujeito quase normal, quase sóbrio. — Não se esqueça de dar a ele fígados de galinha! — disparou, já de volta à anormalidade. Deu uma olhada no trânsito e, arrastando os pés, atravessou a pista rumo ao seu caminhão.

Lembrei-me desse caminhoneiro por muito tempo. Ambos queríamos um amigo: ele, um copiloto, e eu, um vira-lata para espantar porcos-do-mato e me fazer rir — alguém com quem pudesse contar, como um companheiro de boleia, uma sentinela. O caminhoneiro continuaria procurando, mas, graças à Nancy, a minha busca havia terminado.

A providência, a ocasião ou a pura sorte — não importa o nome — me recompensava pela primeira vez na vida na forma de um vira-lata de Mendocino, cheio de pulgas. Seu digno pai, mais sábio e afetuoso do que eu imaginara, ficou observando das árvores enquanto eu pegava seu filhote sarnento e o colocava no banco de trás do carro; pulgas se projetavam dele como estrelas cadentes. Eu havia encontrado meu companheiro.

Pulgas são uma amolação. Nosso carro se tornou um verdadeiro circo de pulgas, situação que perdurou até a volta para Los Angeles, onde pulverizei cada canto do Civic com aerossol, exterminando a praga, queimando as lâmpadas internas e deixando ali um mau cheiro que durou um ano ou mais. Aprendi muito sobre pulgas durante essa viagem — como são esquisitas, invulneráveis, prolíficas, incrivelmente chatas e perversas. E como é bom ter unhas compridas para rachar ao meio essas bastardas de armadura.

Lou se acomodou confortavelmente no banco de trás, entre as roupas e os apetrechos de *camping* agora infestados. Deu uma lambida em Nancy e ficou olhando a paisagem desfilar — aquele jardim de infância ao ar livre que nunca mais iria rever.

— Ele gosta das suas meias — observou Nancy.

Olhei Lou pelo retrovisor. Ele estava com o focinho metido em uma de minhas meias de lã, que eu usava para caminhadas.

— Bom conhecedor de queijos — disse eu.

Lou, embora estivesse curioso, parecia estranhamente calmo para um cachorro abandonado. Devia ter sido sempre assim: sereno, interessado, ativo. Comer lixo e escapar de carros na estrada ou viver num apartamento do centro da cidade, vendo coisas indo embora pelo tubo de descarga, tudo era a mesma coisa para Lou. No mato, tinha aprendido a pensar, adaptar-se e agir como um lobo. Essa foi a chave de seu sucesso mais tarde.

Um homem alto, de cabelos grisalhos e vestindo um roupão abriu a porta. Limpou a boca com um guardanapo e nos mediu de alto a baixo. O cheiro de café se espalhava pela velha casa. Usando uma corda como coleira, deixei que Lou se aproximasse do homem, que lhe fez um afago enquanto me observava.

— Achou-o na estrada, não foi? — perguntou

— É, a uns cinco quilômetros daqui.

— Sou o doutor Smith. Leve-o para o consultório. Eu já volto.

Reapareceu com um jaleco branco e um estetoscópio enrolado no pescoço. Lou passeava pela sala, sentindo o cheiro dos bichos que tinham estado ali recentemente.

— Pese-o e ponha-o na mesa — disse o homem, apontando para uma balança no canto. Era educado, mas totalmente profissional, e provavelmente queria voltar logo ao seu café.

Não seria o último doutor Smith na vida de Lou. Um ano depois, fez amizade com Jonathan Harris, o ator que desempenhou o papel de doutor Smith na série de televisão *Perdidos no Espaço*. Eu deixava Lou preso do lado de fora do clube enquanto jogava raquetebol, e Harris lhe fazia carinho — Lou estava agora crescido e parecia um astro de Hollywood.

— Exatamente cinco quilos e meio — disse eu, erguendo Lou da balança e colocando-o na mesa de exames. Ele se agitou, mas eu o segurei.

— Ele deve ter uns seis meses — informou o veterinário, examinando a boca de Lou e seus dentes brancos como marfim. — Há um fiapo aqui.

— Andou comendo uma meia — expliquei.

— O guarda nos contou que seus pais eram cães de guarda de uma plantação de maconha — disse Nancy, orgulhosa da ficha criminal de Lou.

O doutor Smith auscultou o coração e os pulmões do animal.

— Um pouco dilatado. Tem um leve sopro cardíaco.

— E isso é ruim? — perguntou Nancy, tirando um carrapato que havia grudado na orelha de Lou.

— A maconha?

— Não, o sopro.

— Muitos cães com esse problema têm vida normal. Este aqui está infestado de pulgas e carrapatos, e a ferida infeccionou.

Espremeu um pus amarelado do corte e limpou-o com gaze.

— Nojento... — disse eu, olhando o sorriso de Nancy, que sempre gostou de pus.

O veterinário irrigou a ferida com antisséptico e aplicou em Lou uma anestesia local, para fazer a sutura. Trabalhava como um relojoeiro, examinando os tecidos, removendo pele morta e limpando o local. Lou se agitava um pouco, mas parecia não se importar — sacudia a cauda quando eu lhe oferecia pedacinhos de queijo, que ele apanhava com elegância.

Lou tinha a boca "macia", como os labradores: sempre pegava as coisas delicadamente, e isso o ajudava a se relacionar bem com as crianças e a levantar objetos do chão sem danificá-los. Certa vez, ensinei-o a carregar um ovo de galinha, espécie de prelúdio para o adestramento de cães de serviço, que têm que ter delicadeza suficiente para apanhar óculos caídos ou frascos de remédio, além de tirar comida da geladeira ou do armário. Praticar essas artes com Lou ajudou no meu preparo para a tarefa de verdade. E, é claro, depois eu sempre deixava que ele comesse o ovo.

— Mas, antes da sutura, ele precisa de um banho para tirar as pulgas e os carrapatos — avisou o doutor Smith. — Senão, esses bichinhos vão se enfiar dentro da ferida antes que eu a feche.

— Podemos ajudar? — perguntei, vendo-o cobrir o corte com algo que parecia gelatina de petróleo. Lou emitiu um breve ganido, sua maneira de perguntar: "Isto é mesmo necessário?".

— Levem-no para o chuveiro e abram a torneira. Vou lhes dar o xampu. Evitem molhar a ferida.

A água que escorria dele era escura por causa da enorme quantidade de sujeira e insetos mortos e quase entupiu o ralo. Lou não era muito chegado a banhos, característica que permaneceu com ele a vida inteira.

— Que nojeira! — exclamou Nancy, esfregando as palmas das mãos para se livrar das pulgas mortas e tirando outras de Lou. A água saturada de pulgas e espuma espirrava para todos os lados.

— Pus não é nojento, mas isto é? — brinquei, arrancando outra pulga.

Os carrapatos tiveram de ser tirados, quase todos, um a um, mais tarde — tarefa que levou semanas.

Enquanto lavávamos Lou, o doutor Smith desapareceu, provavelmente para falar com a esposa sobre nós. Voltou quando já estávamos enxugando o cãozinho.

— Parece outro cachorro, agora. Vai precisar de duas refeições por dia durante algum tempo — disse ele, apalpando as costelas de Lou. — Ele está uns sete quilos abaixo do peso normal para um mestiço de *rottweiler* e pastor de sua idade.

— Acha que ele é isso? — perguntei, recolocando Lou na mesa.

— Sem dúvida. Vamos virá-lo de lado.

O doutor Smith limpou a gelatina de petróleo e fez rapidamente a sutura, com pontos que lembravam os de uma bola de beisebol. Lou tinha um "olhar de baleia", aquela mirada lateral, de olhos muito abertos, dos cães que procuram apoio e confiança. Pela primeira vez na vida, eu me senti responsável por um cachorro.

— Bom rapaz, esse Lou — eu disse.

— Lou? — interveio o doutor Smith, colocando um tubo de borracha na base da ferida.

— Ele tem cara de Lou.

— Concordo — ele retrucou, quase sorrindo. — Estou colocando um dreno na ferida para evitar que ela se feche e impeça a saída do pus. Senão, a sutura pode se romper com a pressão.

— Então, ele vai ficar com esse tubo pendurado no pescoço? — perguntou Nancy.

— Seu veterinário o removerá dentro de uma semana, mais ou menos.

— Nosso veterinário? — estranhei, voltando-me para Nancy. — E por acaso temos veterinário?

— Há um perto de seu apartamento.

— Como você sabe?

— No começo da rua. Mar Vista Animal Hospital.

— Vocês terão de examinar sempre o dreno para que ele não o arranque nem o suje — advertiu o doutor Smith, para terminar. — Acho que ele nem precisará de um cone.

— Cone?

— Uma espécie de coleira parecida com um abajur. Evita que o animal lamba a ferida. Mas ele não conseguiria encostar a boca nessa parte do corpo.

— Que alívio! — desabafei, imaginando o quanto Lou arrancaria depressa um abajur da cabeça.

— E agora vamos tirar um pouco desses carrapatos.

Deve ter tirado uns cinquenta. Estavam por toda parte — nas orelhas, nos cantos dos olhos, até nas narinas e no ânus. Arrancou os bastardos gordos e mergulhou-os num pequeno copo de álcool. Lou choramingou e lançou-me de novo seu olhar de baleia. O álcool, no copo já pela metade, ficou cor-de-rosa com o sangue de Lou.

— Eles espalham a febre maculosa das Montanhas Rochosas, a doença de Lyme, a erliquiose, o tifo... São uns bandidos. Vou tirar a maior quantidade possível, mas vocês precisam continuar tirando. Vou dar a vocês um pouco de álcool e uma pinça.

— Muito obrigado.

Para alguém com cara de amuado, ele até que era um bom sujeito.

— Vou vaciná-lo e vermifugá-lo. Também passar alguns remédios, inclusive antibióticos. E não se esqueçam de observar bem essa perna manca.

— Perna manca?

— Ele está poupando a perna esquerda dianteira.

— É mesmo?

— É.

— Tudo bem — disse eu, enquanto ele arrancava um enorme carrapato do meio dos dedos de Lou. — Está tudo bem, amigão.

— Ele já fez cocô?

— Ainda não.

— Fiquem de olho em vermes e coisas desse tipo. Com cães abandonados, nunca se sabe. Mas vai ser divertido, garanto.

Ele nos conduziu ao escritório, na frente da casa, e deu-nos uma guia barata, uma coleira, álcool e pinças. A coleira, folgada, envolvia a parte inferior do pescoço, abaixo da ferida, e não iria irritá-la.

— Não ponham uma coleira normal nele até a ferida cicatrizar. Isso vai demorar talvez umas três semanas. Levem-no a um veterinário para tirar os pontos e fazer a drenagem, daqui a uns sete dias.

— Muito obrigada — disse Nancy.

— Quanto lhe devemos? — perguntei, tirando do bolso o cartão de crédito.

— Não têm dinheiro?

Abrimos nossas carteiras.

— Não o suficiente — disse eu.

— Vinte dólares.

— Vinte? — admirei-me, rindo.

— Vejam... Andei ajudando, há pouco tempo, um grupo de resgate da região a socorrer a matilha deste cachorro. Vocês também ajudaram. E, verdade seja dita, ele estaria morto em um mês.

— Nem sei o que dizer — murmurou Nancy. Lou cheirou a perna de sua calça e ganiu. Já havia recebido atenção médica suficiente e queria dar o fora.

Passei ao doutor uma nota de 20 dólares.

— Obrigado. O senhor salva vidas.

— E vocês também. Só espero que estejam à altura da tarefa. E agora vão, pois quero ler meu jornal.

— Certo — concordei, conduzindo Lou até a porta.

Como não estava acostumado a ficar na ponta de uma guia, ele rosnou um pouquinho, mas logo se descontraiu ao perceber que estávamos indo todos na mesma direção.

— Mais uma coisinha... — acrescentou o doutor Smith, quando já estávamos do lado de fora. — Ele vai ser um cão danado de bom. Apenas tenham paciência.

— Não foi o que *eu* disse? — sorriu Nancy, dando um puxãozinho em minha manga.

Lou respirou profundamente o ar fresco da manhã e ficou observando os veículos que passavam.

— Vinte pratas — murmurei, perguntando-me o que o veterinário queria dizer com "à altura da tarefa".

Viramos para o sul e tomamos o caminho de casa. Imediatamente nos vimos reinfestados de pulgas, que haviam estabelecido residência no Civic. Durante toda a viagem de volta, Lou apareceu com ossos de esquilos, seixos, meias, folhas de alumínio e caixas de chiclete; e sumiu por algum tempo no mato quando paramos perto do Sequoia National Park, para ressurgir com o que parecia um emaranhado de tripas na boca. Eu não sabia disto na ocasião, mas havia feito a melhor escolha de minha vida. E a vida não seria a mesma nem para Lou nem para mim.

2

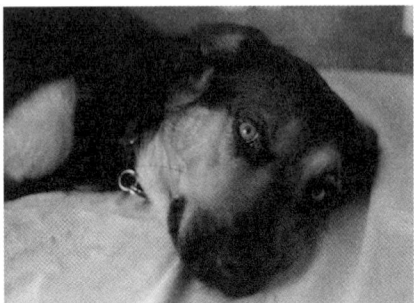

Doce Lou: um cachorro que vale por uma equipe de demolição

Lou tinha crescido comendo esquilos, lixo e borracha, saltando cercas e assistindo às guerras do tráfico de maconha. Habitar um apartamento na zona oeste de Los Angeles não podia ser comparado a isso. Onde estavam os agentes que combatiam as drogas? E os bichos atropelados na estrada?

Lou não conseguia se acostumar a uma vida em duas dimensões. Como um gato, saltava para cima das mesas, dos televisores, dos armários de cozinha e tetos de automóveis: queria ver tudo do alto.

Aluguei um apartamento ensolarado de um quarto perto de Culver City, um bairro operário seguro durante o dia, mas problemático à noite.

Os tiroteios à distância não me tiravam o sono, e Lou também parecia não se importar.

Um restaurante de comida mexicana, três quarteirões à frente, na esquina da Sepulveda com a Washington, fazia o melhor *burrito* ao estilo Mission da cidade, de modo que Lou e eu passamos a almoçar lá todos os dias. Membros da gangue mexicana Culver City Boyz frequentavam o local; ter Lou comigo era ao mesmo tempo uma garantia e uma atração. Os rapazes mais jovens chamavam-no de "Guapo" e em diversas ocasiões ofereceram dinheiro ou drogas em troca de meu belo companheiro. Recusei delicadamente as ofertas, mas deixei que lhe dessem batatas fritas e até *enchiladas* de queijo, o petisco mexicano favorito de Lou. Esse se tornou meu passe livre pelo território das gangues.

Uma semana depois de voltarmos, começamos a correr pela ciclovia de Ballona Creek, uma trilha de concreto de doze quilômetros que vai de Culver City, em direção oeste, até Marina del Rey, onde se conecta com a ciclovia costeira. Achei que o esforço faria Lou dormir melhor, algo a que ele ainda não havia se habituado "em cativeiro". Viver como Mogli pelos seis primeiros meses de vida deixa qualquer um assim.

A pista ladeava o mal-afamado projeto imobiliário Mar Vista Gardens, verdadeiro paraíso de gangues onde os Crips e os Culver City Boyz mantinham uma trégua instável. A menos de dois quilômetros do meu apartamento, aquele não era um lugar para se ficar por muito tempo; até os caminhões do correio às vezes se recusavam a fazer entregas ali. Ciclistas e pedestres eram assaltados à luz do dia, perdendo carteiras, bicicletas e às vezes a vida para gatunos adolescentes em busca de presa fácil. Eu chamava Ballona Creek de "corredor polonês da realidade", pois, para muitos moradores de Los Angeles de classe média, a experiência muitas vezes deixava de ser exercício e passava a ser uma fuga para não morrer.

Num domingo de sol, Lou e eu fomos para a pista próxima à avenida Slauson. Grupos de ciclistas e pessoas que faziam caminhada aproveitavam o bom tempo. Eu estava ensinando Lou a correr da maneira certa ao meu lado e, atento a ele, ignorava as pessoas à minha volta.

Nas imediações do bulevar Inglewood, três garotos mexicanos, com um carrinho de compras enferrujado, saíram de uma das moitas que ladeiam a pista. Pretendiam usar o carrinho como um aríete e eram, sem dúvida, experientes em derrubar ciclistas ou corredores para roubá-los — e dessa vez seríamos eu e meu bonito cãozinho.

Lou refreou o passo e encarou os garotos. Por um instante, pensei que iria fazer da vida deles um inferno, e isso não estava em meus planos. Então, o rabo de Lou começou a se agitar lentamente.

— Olá, Guapo! — gritou um dos garotos, correndo para Lou e voltando a ser um bom menino. Ele havia entupido Lou de batatas fritas e uma *enchilada* na véspera.

Meu pequeno apartamento no segundo andar tinha uma larga janela e uma ótima vista da zona oeste de Los Angeles. Lou, estirado sob a mesa ao sol, contemplava as pessoas e os veículos que passavam, lançando olhares também para os pombos encarapitados no telhado sujo de uma oficina próxima. Ele gostaria de saboreá-los, sem dúvida, mas nunca fez alarde disso.

O síndico do prédio me deu uma má notícia, algumas semanas depois de eu trazer Lou para casa. Ele era um afro-americano chamado John, forte, boa gente e com uma esposa inválida para cuidar. Ele e eu às vezes nos sentávamos na varanda de seu apartamento para beber cerveja e tagarelar sobre esportes; ele jogava amendoins com casca e salgadinhos para Lou, contando-me sobre os cães de caça que tivera no Mississippi. John foi o primeiro que ensinou Lou a "pegar" objetos no ar.

— É um bom cão, mas o proprietário quer que ele vá embora.

— Como é?

— Foi o que o homem disse.

— Mas a senhora francesa do apartamento de baixo tem dois gatos!

— Eles nunca saem de casa. E, além disso, essa senhora é francesa.

— Como assim?

— Veja bem, meu filho, Lou é mesmo um bom cão. Eu disse isso ao proprietário, mas ele nem quis ouvir.

— Gosto daqui.

— E nós queremos que você fique. Você paga o aluguel direitinho, todos os meses... Mas, sabe como é... O proprietário é muito burro. Disse que, se deixar seu cão ficar, logo todos vão querer ter um cachorro.

— Lou nem costuma latir!

Era verdade. Lou foi um dos cães mais silenciosos que já vi. Tive de ensiná-lo a ladrar ao meu comando para que se comunicasse. Ele rosnava ou algo assim e, ao ficar aborrecido, emitia um som ocasional, mas só latia quando era solicitado. Outro resquício de sua vida secreta como auxiliar de traficantes de drogas em Mendocino.

— Nunca ouvimos sua voz.
— Talvez, se o proprietário conhecesse Lou...
— Ele mora em Rancho Cucamonga. Nunca vem aqui.
— Então, como sabe da existência de Lou?
— O jardineiro deu com a língua nos dentes.
— Mas Lou gosta dele também.
— Não posso fazer nada, meu caro. Mas vou ajudá-lo a encontrar um lugar.

Eu gostava daquele lugar. Era barato, pequeno, limpo. Gozava de imunidade junto aos Culver City Boyz e Lou tinha suas *enchiladas* de graça, além do *show* diário dos pombos.

— Vou buscar cerveja pra nós — disse John.

Ele entrou. Eu o ouvi conversando com a esposa, que estava nas primeiras etapas do mal de Alzheimer. Ela ficava sentada no sofá, às escuras, praticamente o dia inteiro, vendo novelas; mas se animava sempre que eu aparecia com Lou. Ele se mostrava carinhoso com a pobre senhora, parecia que já se conheciam havia muito tempo. Lou tinha o hábito dos *rottweilers* de encostar-se à pessoa e pousar-lhe uma pata suavemente no pé; ela sorria e acariciava sua cabeça, dizendo em longas frases como ele era bonito e falando sobre o que havia cozinhado para o jantar. Este era um dos grandes dons que Lou demonstrou ter desde o começo: ele conseguia dissipar a névoa em que a pobrezinha vivia mergulhada, nem que fosse por alguns minutos a cada dia.

John passou-me uma lata de cerveja. Eu a abri e despejei um pouquinho na tigela de Lou. Ele gostava de cerveja.

— Minha mulher vai sentir falta dele — disse John, olhando para mim e balançando a cabeça.

— Posso trazê-lo aqui.

— Com ele, ela fica mais lúcida. Como se apertasse um botão. E ela continua assim por algum tempo, depois que ele vai embora.

— Voltamos no dia do jogo dos Dodgers e dos Mets.

— Tome.

Lou cutucou-me pedindo mais cerveja, mas aceitou o amendoim que John lhe atirou, saltando bem alto. Acompanhou-o com os olhos, como DiMaggio, apanhou-o no ar e pôs-se a mastigá-lo.

— Boa pegada, Lou — cumprimentei-o.

— Dane-se o proprietário — disse Joe, tocando minha latinha com a sua.

Respondi ao anúncio de uma casa com garagem e quintal na avenida Castle Heights, a três quilômetros de distância. O anúncio dizia "aceita-se cão pequeno". Ponderei que "pequeno" era um termo relativo e que havia pelo mundo muitos bichos de estimação maiores que Lou. Enormes dinamarqueses, *appaloosas*, alpacas, jiboias — bem mais formidáveis que meu pequeno Lou, que só tinha engordado uns cinco quilos desde que eu o trouxera.

Os proprietários tinham se mudado para Palm Desert depois que o marido fora assaltado a um quarteirão de distância do local onde moravam havia quarenta anos. Ainda assim, continuaram afeiçoados à sua querida casinha na zona oeste de Los Angeles, só alugando-a a pessoas de confiança. Vinham à cidade todos os fins de semana para o marido cuidar das árvores frutíferas que havia plantado ao longo de décadas — ameixeiras italianas, figueiras, limoeiros e pereiras. Eles chegavam ao amanhecer; ele trabalhava no pomar enquanto ela ficava sentada, tricotando.

Precisei convencê-los de que Lou protegeria o local que tanto amavam, de que seu *lar, doce lar* não seria atormentado por um bicho feroz com insônia e tendência a invadir armários de cozinha. Mas, primeiro, tive de convencer a mim mesmo.

A casa, perto da esquina da Castle Heights com a National, parecia uma réplica de Rockwell. Antes que eu batesse à porta, um velho forte, de macacão e empunhando uma tesoura de jardinagem como se fosse uma arma, veio caminhando do quintal em minha direção.

— Steve? — perguntou, com o suor escorrendo do rosto bronzeado.

— Senhor Zagalia?

— Lou.

— Prazer em conhecê-lo, Lou. — *Deve* estar brincando, pensei.

— Aquele no carro é o seu cachorro?

O homem não perdia nada.

— É. E, acredite ou não, chama-se Lou.

— Parece um bom cachorro. Vamos lhe dar um alô.

E, sem mais, dirigiu-se até lá.

A marca do nariz de Lou enfeitava o vidro traseiro do carro. Ele iniciou sua alegre marcha no lugar, o que sempre fazia para dar sinal de aprovação.

Lou Zagalia, rindo como um menino, pôs a tesoura no bolso enquanto eu abria o carro. O velhote até esfregava as mãos de contentamento.

— Lou, este é o Lou.

— Olá, amigão — disse o homem, acariciando alegremente as orelhas e a cabeça de Lou com a segurança de alguém que já teve muitos cães na vida. Lou adorou a atenção e emitiu um latido de felicidade.

— Ele gosta de todo mundo — expliquei.

— Já tive um cão desses, há algum tempo — contou o homem, mostrando a pequena placa em que estava escrito "Travessia de Cães" ainda dependurada no bem cuidado jardim. — Mestiço de pastor... Espertíssimo.

— Lou também é esperto. Você acha que ele é grande demais?

— Como assim?

— Seu anúncio dizia "aceita-se cão pequeno".

— Já tive um maior — disse ele, piscando para mim. — Só precisamos convencer minha esposa.

Deixei Lou sair e, com a guia, levei-o para o quintal, onde a senhora Zagalia estava sentada, tricotando ao sol. Enrolada num cobertor azul-marinho e com um lenço vermelho na cabeça, parecia a rainha-mãe.

Lou fez um esforço para se aproximar dela. Mais alguém para seduzir.

— Ele me lembra o Duke — observou ela, coçando-lhe a orelha. — Os mesmos olhos enormes.

Sim, sim, ele lembra o Duke... É o próprio Duke reencarnado, pensei. *Você precisa do Duke trazido de volta à vida aqui nesta casinha aconchegante, para não esquecê-lo, para que ele vigie o pomar. Seja um bom menino, Lou.* Enquanto eu pensava essas coisas, Lou lançou-lhe seu olhar Madre Teresa e tocou-lhe suavemente o pé com a pata. *Ah, sim, você é um bom menino!*

O novelo de lã azul da senhora Zagalia escorregou-lhe do colo e caiu no chão. Lou apanhou-o e depositou-o no colo dela gentilmente. *Caramba!*

— Vamos ver a casa — convidou o senhor Zagalia.
Bom menino.

A casa tinha cheiro de revistas velhas, molho de tomate suculento e tapete mofado. Gostei daquilo. Lou e Gemma Zagalia haviam criado filhos ali; eu criaria um cachorro.

Assinei contrato de um ano e fiz um generoso depósito de garantia para o caso de Lou bagunçar o local. O aluguel era duzentos dólares mais caro que o de minha última residência, mas tinha quintal, garagem e frutas à vontade.

Lou não parecia muito impressionado. Desde o começo, creio que sentiu falta do velho apartamento: ia e vinha, procurando pelos cantos como se houvesse perdido alguma coisa. A princípio, eu não imaginava o que o aborrecia. Havia se adaptado bem ao velho apartamento; por que o novo local não lhe agradava?

Entendi tudo na manhã seguinte, depois de ele não ter me deixado dormir, andando e se lamuriando a noite inteira. Ao entrar na cozinha para preparar o chá, eu o vi sentado no tampo da mesa espiando pela janela com um olhar distante. Ao longo dos anos, pude reconhecer esse olhar como se fosse de "recordação" — triste e com saudade da família perdida e dos montes onde nascera. Lou podia entrar em transe a qualquer momento, como um sufi em busca de inspiração. Era curioso, mas um tanto enervante ver um cão fazendo isso.

No antigo apartamento, ele se esticava embaixo da mesa e ficava observando pela janela os veículos, os transeuntes e os pombos — lá de cima, podiam-se ver quilômetros da zona oeste de Los Angeles. Palmeiras substituíram as sequoias, os pinheiros e os medronheiros de sua infância, e a vista lhe agradava. Agora estava em uma casa térrea com novos cheiros e vista nenhuma.

Lou sentia falta das *enchiladas*, dos amendoins na sacada e das corridas pela Ballona Creek. Eu havia aprendido minha primeira lição como adestrador de cães: cachorros perdidos se apegam firmemente não só às pessoas que os resgataram, mas também ao seu primeiro lar, ainda que seja uma caixa de sapatos jogada na rua.

A destruição começou aos poucos. Roupas, pentes, pratos, canetas, relógios de pulso, escovas de dentes (sim, ele conseguia alcançá-las, não sei como) — tudo que entrava em contato comigo se tornava objeto para mastigar, pisotear, consumir. Brinquedos, mordedores e pedaços de couro eram desprezados quando Lou estava sozinho; tinha de ser algo *meu*.

Ele devorou dois controles remotos, um binóculo, uma bola de beisebol que eu guardava com carinho desde os tempos de colégio, dois cintos, um mouse e um teclado de computador, um par de óculos Ray-Ban e inúmeros sapatos. Até as maçanetas do Civic foram vítimas de seus dentes. Tudo que eu pegava acabava se tornando comida de cachorro.

Comida, biscoito, ração, petisco e jantar se tornaram palavras sagradas no vocabulário de Lou. As refeições eram rituais místicos — sem brigas, sem caçadas, sem humanos raivosos expulsando-o das latas de lixo ou dos viveiros de galinhas. O duradouro amor dickensiano de Lou pela comida foi um dos instrumentos que usei para aprimorar sua capacidade de aprender tanta coisa em tão pouco tempo.

Certa noite, eu tentei apanhar a tigela que ele ainda estava lambendo. Lou rosnou como certamente fizera centenas de vezes para outros cachorros por causa de algumas vísceras de ratos ou crostas de pizza. Eu era agora um desses cachorros e por nada no mundo iria retirar aquela tigela mágica antes que cada átomo de comida fosse cirurgicamente removido do fundo.

Ainda sem saber bem como lidar com conflitos desse tipo, agarrei-o pelo cangote e o repreendi. Tive sorte: Lou era manso e jovem e perdidamente apaixonado por mim, seu salvador. Nunca mais se estressou quando eu lhe arrancava a tigela ou qualquer outra coisa. Se eu houvesse aplicado esse método violento com alguns dos *rottweilers* ou pastores que vim a adestrar, estaria hoje cantando em falsete num coro de meninos.

O adestramento doméstico era — por si só — uma aventura. Lou tinha o hábito de fazer cocô e xixi onde quisesse e quando sentisse vontade, até na perna de alguma velhinha sonolenta no parque (ela nem percebia e eu não dizia nada). Ao contrário de outros problemas comportamentais que iam aparecendo, esse não tinha sido dos piores no antigo apartamento: ali, ele nunca "pisava na bola". Mas, na casa nova, ele urinava nas plantas, fazia cocô atrás do sofá e vomitava no tapete do banheiro. Felizmente, a menos que estivesse misturado com canetas Bic ou coisa parecida, o vômito era engolido de novo. Já o cocô ficava para mim.

As gafes de Lou ocorriam quase sempre à noite. Eu tinha de deixá-lo fora do quarto por causa de suas insônias e comprei-lhe uma almofada confortável, que deixei num canto quente da sala, embaixo de minha comprida mesa de trabalho. Na manhã seguinte, deparei com as entranhas da almofada espalhadas pela casa toda, como confetes, e a capa que imitava pelo de ovelha espalhada artisticamente sobre o tampo da mesa, como se ele tivesse dormido ali.

Certa madrugada, eram mais ou menos 3 horas, eu me levantei e me surpreendi ao encontrá-lo mastigando outro controle remoto de TV que eu havia escondido em uma estante a uns *dois metros* do chão. Aquele ruído me lembrou o som de seu pai trincando a carcaça do gamo.

A despeito desses massacres, Lou se mostrava lúcido, sensível e responsável quando estava comigo. Não tinha manias nem exibicionismos e não vivia correndo de lá para cá como um furão destrambelhado. Apenas sentia saudade das montanhas e não tolerava ficar sozinho. Às vezes, parecia encabulado por causa das bobagens que cometia, como um sonâmbulo que desperta em plena Penn Station. Se um cachorro podia ficar encabulado, era ele.

Antes de dormir, sentávamos no meio da sala, à meia-luz, olhos nos olhos, como dois irmãos brincando de ver quem pisca primeiro. Quando um dos dois piscava, ríamos, festejávamos ou lambíamos um ao outro para depois nos entregarmos a um jogo que eu chamava de "cachorro louco", no qual Lou era um assassino temível e eu um assustado trapaceiro da cidade perdido no mato. Lou rosnava contente, esfregava o focinho em minha barriga e saltava pela sala como um cavalo selvagem. Em seguida, voltava e se fazia de "cachorro louco" outra vez; eu tentava escapar para o quarto, mas não conseguia, e era de novo estripado. Então parávamos, eu o acariciava e lhe dava biscoitos, pedindo-lhe que não destruísse nada naquela noite. Às vezes, ele ouvia, mas quase sempre alguma coisa se estragava de maneira irremediável.

Então chegou o dia fatídico.

Eu queria uma cerveja. Foi meu erro. Precisei de cinco minutos para atravessar a rua até uma loja de conveniência. Cinco minutos.

— Vou deixar você sozinho na casa por *cinco* minutos — informei, atirando-lhe um brinquedo oco, cheio de cream cheese até as bordas. — Você ficará bonzinho e vigiará o lugar para mim?

Ele agarrou o brinquedo e esticou-se no tapete. Segurando-o firmemente entre as patas, pôs-se a comer.

— Você é um bom menino, Lou. Volto num instante.

Eu vinha estimulando aos poucos sua tolerância a ficar sozinho em casa. Dava uma escapada rápida para a garagem — nenhum dano na volta. Corria ao jardim para fechar o irrigador — nada destruído. Ia até o carro para buscar um livro — tudo em ordem. Ele esperava na porta com seu ar de maquinista de trem até eu voltar, e a estratégia, de um modo geral, parecia estar funcionando. Pensei então que um pulinho à loja de conveniência para pegar uma cerveja não traria consequências.

Por segurança, resolvi trancar Lou no corredor que ligava o quarto à sala, fechando as portas dos dois cômodos. Além do brinquedo com cream cheese, deixei outros brinquedos e liguei o som da sala para dar a ele a ilusão de que tinha companhia.

— Nada de travessuras, Lou, seja um *bom* menino — adverti, mirando bem seus olhos expressivos. — Falo sério. — Fechei a porta do corredor, saí e corri como um fugitivo para a loja de conveniência.

Ao voltar, tudo parecia em ordem. Sem vazamentos, fogo ou policiais. Esperava que Lou me recebesse alegremente, com o brinquedo na boca.

Ele estava sentado calmamente no meio da sala, com sangue escorrendo do focinho. Cerca de setenta metros quadrados de carpete e acolchoado que cobriam de parede a parede o chão da sala e do escritório haviam sido arrancados e *enrolados* — sim, *enrolados* — num canto, expondo o piso duro e empoeirado de madeira por baixo. A porta do corredor, estilhaçada, jazia contra a parede a dois metros de distância, como se o Incrível Hulk a tivesse atravessado. Os batentes, aos pedaços, tinham sido quase arrancados. No corredor, uma longa faixa de rodapé tinha sido puxada e mastigada até ficar reduzida a polpa, com um buraco do tamanho de um pé aberto na divisória perto do banheiro, como se ele houvesse metido a cabeça ali para me procurar.

A cozinha apresentava um cenário ainda mais espantoso. A janela por onde Lou ficava espiando de cima da mesa tinha sido arremessada *para fora* e caiu na calçada sob o peitoril — uma queda de quase dois metros até o concreto embaixo. Evidentemente, após remover o carpete e a porta, Lou decidira saltar *através* da vidraça até a calçada e cortou o nariz na aventura. Em seguida, de algum modo, *voltou* de fora para a cozinha, executando um salto vertical de dois metros. Só por milagre teve apenas aquele ferimento no nariz.

Eu tinha ficado fora por cinco minutos. Sentei-me e bebi a cerveja.

3

Adestrando Lou

Para isso servem os cartões de crédito — disse Chet.
— Mas é muito.
— Não vou poder consertar apenas a parte que ele arrancou. O trecho vai de parede a parede até o escritório. Para ficar como estava, vai ser preciso substituir tudo.
— Dois mil e setecentos dólares é *muito* dinheiro.
— Você quer que eu deixe as coisas como estavam antes, não quer? É como quando uma criança rabisca a parede: é preciso pintá-la toda.
— Uma lata de tinta custa dez pratas.
— Meu preço inclui instalação e garantia vitalícia contra manchas.
Lou farejou a perna de Chet e lançou-lhe seu olhar Madre Teresa.

— Garantia contra manchas?

— Sim. Não inclui, é claro, manchas de cachorro.

— Sem dúvida.

— Foi mesmo *este* cão que fez todo o estrago? — perguntou ele, hipnotizado pelo olhar de Lou. — Parece tão... sensível.

— Em cinco minutos.

— Tão doce... — murmurou Chet, acariciando a cabeça e as orelhas de Lou. — Caramba, ele remove carpetes melhor que meu pessoal. Eu devia contratá-lo.

Pus tudo no cartão de crédito: o conserto da janela, dos batentes e da divisória, além da instalação de uma nova porta e da pintura do corredor inteiro. Que mais podia fazer? E a coisa precisava ficar pronta antes de Lou e Gemma aparecerem no fim de semana para jardinar e tricotar.

Eu tinha de expulsar logo os demônios de Lou; do contrário, ele estouraria meus cartões de crédito e me levaria ao olho da rua, o que em Los Angeles é bastante problemático. Sem dúvida, tê-lo comigo garantiria imunidade e *enchiladas* de graça dos Culver City Boyz, mas essa lista de vantagens era irrisória. Adestrá-lo seria a melhor solução. Assim, chamei Dean.

Velho amigo de New Jersey, Dean criava *corgis*, raça de pastor esperta e ativa que pode causar problemas caso não seja devidamente adestrada desde cedo. Lou não era de modo algum um *corgi*, mas provocava confusões do mesmo jeito. Se alguém poderia ajudar, seria Dean.

— Ora, compre uma gaiola para cães.

— Já pensei nisso.

— E então?

— Colocá-lo numa caixa pode deixá-lo maluco.

— Mas ele está deixando *você* maluco, não é? Além disso, cachorros gostam de gaiolas, que parecem pequenos bangalôs onde eles têm toda a privacidade. Tranquilos e aconchegantes — explicou ele. — Simplesmente alimente-o ali dentro todos os dias. E, pelo amor de Deus!, leia um livro sobre como adestrá-lo para se adaptar.

Parecia bom demais para ser verdade, mas eu faria qualquer coisa, inclusive meter Lou numa caixa à prova de fuga durante a noite.

— Entretanto, se ele estiver numa gaiola quando eu sair, não protegerá a casa.

— O cachorro já lhe custou quatro mil dólares. Você não tem mais esse dinheiro para ser roubado.

— Muito bem lembrado.

— Compre uma gaiola, seu trouxa. Veja, é fácil: alimente-o e deixe-o dormir lá dentro. Ponha-o lá sempre que precisar deixá-lo sozinho em casa. Depois de seis meses, ele estará com você ou na gaiola. Fim de papo.

— Que mais?

— Faça um curso de adestramento. Esconda tudo que não queira ver destruído. Baixe sempre a persiana da janela da cozinha. E sempre que puder levá-lo com você a algum lugar, leve-o. A gaiola deve ser de barras de plástico, não de arame. O arame machuca.

— Só isso?

— Só. Até mais.

E lá se foi ele. Esse era Dean.

Os manuais de adestramento diziam que os cães são animais retraídos, que gostam de pequenos espaços. Uma gaiola também ajudaria a adestrar Lou em casa, pois ela estimula o instinto dos cães de não sujar o local onde dormem.

— Ninguém quer dormir em cima de cocô, não é, Lou? — disse eu, pegando as chaves do carro. Ele balançou a cabeça, riu e se meteu pelo corredor, reaparecendo um instante depois com minha escova de dentes na boca.

— Vamos ao *pet shop*, Lou.

O vendedor desceu uma gaiola de cães da prateleira. Ela não parecia grande o suficiente, de modo que enfiei a parte superior do meu corpo dentro para ter uma ideia. Lou me acompanhou.

Eu podia ver as pernas do vendedor pela janelinha de tela. Lou lambeu meu rosto. Estávamos engaiolados numa caixa de plástico.

— Bem resistente, não é? — disse o vendedor, chutando a gaiola como se ela fosse um pneu novo.

— Confortável. Que acha, Lou? — Soprei-lhe as narinas para que ele latisse. Ele espirrou e me olhou feio: *Por favor, não faça isso de novo.*

— Esse é o tamanho grande. Há o extragrande, caso vocês planejem passar algum tempo juntos lá dentro.

— Isso seria ótimo — disse eu, enroscado em Lou. Ele se aconchegou a mim, perguntando-se que diabo de jogo era aquele. Era divertido ficarmos ali, como dois garotos brincando de fortaleza dentro de uma embalagem de geladeira.

— Vou levá-la.

Li *How to Be Your Dog's Best Friend*, dos Monges de New Skete, em duas noites. Esses religiosos criavam e adestravam pastores alemães num mosteiro no interior do Estado de Nova York e, pelo que eu soube, fabricavam também uma ótima cerveja trapista.

Lou era meio pastor. Enquanto eu lia o livro, podia vê-lo claramente em cada página. Esperto e adaptável, ele tinha grande habilidade em reconhecer emoções e intenções. Era também insaciavelmente farejador, curioso e leal — entre outras tantas características dos pastores.

Criados para ser verdadeiros supercães, os pastores alemães são muito inteligentes e adaptáveis, com habilidades inatas mais numerosas, talvez, que qualquer outra raça. Podem pastorear, rastrear, guardar e caçar, mostrando-se sempre inflexivelmente leais às suas famílias. Embora sejam sociáveis, sabem muito bem quando algo está errado e agem de acordo. Não é por acaso que as forças policiais e militares usam quase exclusivamente pastores. Lou era o meu decatleta bravio.

Mas era também filhote de um *rottweiler*. Como os pastores, os *rottweilers* são sagazes e prestativos, porém mais fortes e mais apegados ao território. Lou nunca pesou mais que 33 quilos, mas 33 quilos de músculos sólidos. Quando se encostava em alguém, a pessoa podia sentir o aço em seu corpo. Parecia um labrador criado com esteroides e adestrado por forças de segurança especiais.

O livro dos monges me abriu os olhos. Li sobre comportamento destrutivo em cães jovens e percebi que as atitudes de Lou refletiam seu medo de ficar sozinho à noite. Ele passava 24 horas por dia junto de um bando de marginais antes de entrar em minha vida. Eu tinha me tornado o substituto único daquela péssima companhia e ainda não era capaz de estar à altura do papel.

Coloquei a gaiola nova de Lou junto à minha mesa de trabalho, bem no lugar onde estava a almofada que ele havia despedaçado. Com um punhado de petiscos na mão, entrei e fiquei só com as pernas de fora. Lou também se esgueirou para dentro e se deitou ao meu lado, feliz por retomar a brincadeira das sardinhas. Eu o alimentei, o massageei e comuniquei-lhe que as coisas agora seriam diferentes: ele iria comer e dormir na gaiola, pois seus dias de bagunça haviam terminado. Lou riu, lambeu meu pescoço e me deu alguns tapinhas condescendentes na cabeça.

O primeiro "adestrador de cães" que chamei apareceu com uma hora de atraso numa picape Ford cinza onde três furiosos pitbulls, na carroceria fechada, pareciam loucos para saltar fora e devorar alguma coisa. Pior propaganda para um adestrador de cães, impossível.

Um careca musculoso, de camiseta listrada e calças jeans, desceu da picape, que ostentava o letreiro "Adestramento de Obediência de Yuri" na porta, em letras vermelhas. Um pitbull de asas, tatuado em seu pescoço, exibia um bode ensanguentado na boca, um rabo terminando em ponta de flecha e chifres de capeta.

— Então este é o rapazinho que está arruinando você! — gritou ele, com um forte sotaque russo. Cheirava a sopa de tomate e urina de cachorro.

— Sim, este é o Lou.

— Yuri Primakov — ele se apresentou com um aperto de mão tão forte que o anel em meu dedo deixou uma marca na pele por um dia inteiro. — Vamos entrar e ver o que se passa.

Tive a premonição de que Lou e eu estávamos prestes a ser mortos por um *serial killer*. Fechei a porta de tela, mas deixei a da frente aberta por segurança. *Mais um ex-stalinista sociopata que abraçou o capitalismo*, pensei, imaginando que os pitbulls iriam desempenhar um papel de destaque na chacina.

— Bom lugar. O carpete tem cheiro de novo. E lá está uma bela gaiola de cães no canto — observou ele, abrindo a porta de tela da gaiola com a ponta da bota.

Yuri percorreu a casa. Lou encostou o focinho na perna da calça do enorme russo e memorizou o cheiro de pitbull. Anos depois, mais forte e amadurecido, iria ter a oportunidade de senti-lo de novo.

Yuri tirou uma guia de couro do bolso traseiro e prendeu-a a coleira de Lou.

— É obediente? — quis saber, passeando com Lou pela sala.

— Um pouco. Ainda não fica quieto ou deitado quando mando. Mas o pior problema é a destruição — confessei.

Lou me dirigiu um olhar de *Por que isso, Judas?* Exceto Nancy, ninguém antes o havia segurado pela guia.

— É tudo uma questão de controle e atitude, meu caro. Você precisa mostrar a ele *quem é o chefe*. Os lobos agem assim — explicou, saracoteando pelo recinto como Khrushchev. — Um lobo forte fará outro em pedaços só por causa de um olhar atravessado.

— Sério?

— Sério! Já vi isso com os meus próprios olhos. Morei na Sibéria por muitos anos.

Imaginei-o de casacão cinza, com cristais de gelo pendendo do nariz e uma perna de javali na mão.

— Você tem de ser forte. Do contrário, será o caos, o caos completo. Não vai querer virar namorada de seu cão, vai?

Yuri arrastava Lou pela sala como se fosse um peixe. O cão emitiu um gemido queixoso e, mirando Yuri, freou, tirando facilmente a cabeça da coleira. O russo ainda quis agarrá-lo, mas Lou saltou graciosamente por cima de seus poderosos braços e lançou-se *através* da porta de tela fechada.

— Santo Deus! — exclamou Yuri.

— Ele não é um cão comum.

Lou sentou-se no teto da carroceria da caminhonete de Yuri e ficou lambendo as patas como um puma. Os pitbulls davam cabeçadas no teto sem parar e Lou balançava a cada golpe. O russo correu em volta do carro com as mãos na cabeça, ao ver as protuberâncias se formando na chapa de alumínio.

— Não vou aguentar! — gemeu ele.

— Lou, *casa*! — gritei, abrindo a porta de tela. Lou saltou para a capota e depois para o chão, agitando a cauda enquanto três caras ferozes de pitbull se comprimiam contra o para-brisa como garotos apinhados numa cabine telefônica. Lou entrou saltitante em casa e foi direto para a gaiola, a que chamávamos de "seu lar". Fechei a porta da gaiola para o caso de Yuri resolver soltar suas feras, mas, quando voltei à rua, ele já havia ligado o Ford. Eu o vi partir com aqueles cães endiabrados saltando uns sobre os outros e o teto da carroceria abaulado como um chapéu-coco.

— Adestradores assim deveriam estar atrás das grades — disse ela, sentando-se de pernas cruzadas no carpete e dando um pedaço de peru ao Lou. Ele se acomodou a seu lado, atraído pela comida de graça. Chandra ("deusa", segundo ela) adestrava cães havia muitos anos e era adepta da escola "positiva". Eu nunca tinha visto mulher tão grande: uns 120 quilos distribuídos por cerca de um metro e noventa. Tudo grande. Lou não despregava os olhos dela.

— Você não deve usar métodos estressantes com seu cão. Pense no modo como se treinam orcas: não é *possível* discipliná-las, apenas jogar-lhes peixes na hora certa.

— Quer chá? — perguntei, pensando que, se alguém pudesse disciplinar uma orca, seria ela.

— Tem *chai*?

— Não sei o que é isso.

— Um chá indiano com especiarias. Muito bom.

A boca e o focinho de Lou brilhavam de gordura. Empanturrado de carne, ele estava sorridente e alegre. Eu não me lembrava de ter lido, nos manuais de adestramento, nada sobre enfrentar comportamentos destrutivos com doses maciças de triptofano.

— Preciso experimentar isso — disse eu. — Só tenho Lipton.

— Ah, não, obrigada.

— Você falava sobre orcas...

— Sim. Com elas só funcionam os métodos positivos. Não se pode castigá-las de maneira nenhuma.

— Talvez porque elas sejam baleias assassinas.

— Isso não vem ao caso. Lou é um belo cãozinho meio confuso quanto ao que se espera dele. No mato, provavelmente mastigava de tudo... Gravetos, cascas, pedras, o que quer que fosse. Nada era proibido. Mas agora está numa casa com todos esses... pertences — completou ela, abarcando com um gesto desdenhoso de mão os móveis à sua volta.

— Então, como posso impedir que ele coma minhas coisas?

— Primeiro, pare de pensar nessas coisas como "suas". Pertencem a ele também.

— É mesmo?

— Claro. Os cães são, por natureza, comunistas.

Uma conexão com Yuri.

— São?

— Sem dúvida. Os lobos, por exemplo, partilham tudo.

Outra conexão com Yuri. Comunistas e pagãos estavam querendo aliciar a mim e ao meu cachorro.

— Então, se eu parar de pensar nessas coisas como minhas, ele vai parar de comê-las?

— Lou perceberá que você está renunciando à sua natureza possessiva e passará também a dar menos valor aos objetos materiais, perdendo consequentemente o interesse por eles. Junte a isso alguma distração, e o mau comportamento desaparecerá.

— E como posso distraí-lo?

— Venho fazendo isso nos últimos vinte minutos.

— Basta dar-lhe carne de peru?

— Ou qualquer outra coisa de que ele goste. Depois, substitua o mau pelo bom comportamento. Estimule-o a mastigar ossos de plástico ou brinquedos de corda.

— O único plástico que ele mastiga são os controles remotos de televisão.

— Você precisa estimulá-lo.

Lou achava os brinquedos e mastigadores que eu lhe dava diversões idiotas. Podia ver isso em seus olhos quando eu mesmo fingia mastigar um brinquedo e o entregava depois a ele como se fosse um grande sacrifício. Lou me lançava um olhar de condescendência, como se dissesse: *Eu pareço por acaso um labrador, sua besta?* Já aos 7 meses mostrava um gosto mais refinado que esse.

Chandra deve ter dado a ele meio quilo de carne de peru antes de começar a se pôr em pé lentamente.

— Vê como ele presta atenção? — disse ela, procurando atrair Lou para um assento a seu lado. Ele parecia um atacante da NBA na pré-escola. — Nem vai precisar de guia se tiver sempre carne de peru à mão.

Chandra. Adestradora wiccana pelo método da carne de peru. Fiquei curioso para saber se os seguidores da religião Wicca eram vegetarianos também, com todos aqueles rituais, legumes em conserva etc. Alguém daquele tamanho devia comer carne.

— Então, devo ter sempre carne de peru em casa?

— É.

— Mas à noite ele tem de dormir na gaiola?

— Oh, céus, não! Gaiolas são um castigo. Lembre-se das orcas.

— Certo. Não se pode engaiolar uma orca.

— Lou tem que dormir com você, assim como os lobos, lembra-se?

Pelo visto, era possível justificar tudo evocando algo que os lobos faziam ou deixavam de fazer. Assassinato, incesto, nudez em público, tirania — acrescente-se uma boa dose de carne de peru, e tudo estará bem.

— Na cama?

— Todos os meus cães dormem comigo.

— Quantos são?

— Seis galgos resgatados do abrigo.

Santo Deus!

— Todos na cama?

— Argent, Arwen e Blade, sempre. Lilith e Mysteria, às vezes. Já Saffron prefere o sofá.

Esperto esse Saffron! O espectro de Chandra e seus cachorros pagãos ressonando num leito fétido e emporcalhado me deu náuseas.

— Tudo bem — disse eu, estendendo-lhe a mão. Eu me senti como o cientista condenado no velho episódio "To Serve Man", de *Além da Imaginação*, em que aparecem os gigantescos alienígenas devoradores de homens. Os dedos engordurados de Chandra engolfaram os meus. Lou riu e saltou para a mesa da cozinha a fim de olhar pela janela nova os garotos da vizinhança.

— Você também precisa estimulá-lo a fazer exercícios — acrescentou ela.

— Obrigado, Chandra. Eu te ligo.

— Até breve, Lou.

Passei a ela um cheque de quarenta dólares e percebi que ela abaixou a cabeça para não batê-la no portal.

— E mande consertar esta porta de tela.

O adestramento de cães não é exatamente uma profissão regulamentada. Exigem-se dos praticantes tantas credenciais quanto das cartomantes e dos corretores de imóveis. Saia da cadeia, distribua cartões e — *voilà* — você é uma autoridade. Picaretas russos, pagãs gigantescas, indivíduos obsessivo-compulsivos, xenófobos, inválidos — vi de tudo nesta vida.

Gosto de imaginar Yuri e Chandra se encontrando um dia numa convenção de adestradores, num hospício ou numa penitenciária, apaixonando-se e indo para Las Vegas a fim de apresentar um espetáculo de pitbulls. Entretanto, me fizeram um grande favor naquela semana: desisti de qualquer ajuda externa e fiquei convencido de que seria melhor cuidar sozinho de Lou. Em retrospecto, foi isso provavelmente que fez dele o cão mais extraordinário que já conheci.

Dei ouvidos a Dean, usei a gaiola, li livros e levei Lou comigo para todos os lugares. Tornamo-nos inseparáveis, aprendendo por tentativa e erro. Pisei na bola com ele algumas vezes, mas, afinal, se tratava de... *Lou*. A gaiola me ajudou a deixar intacta a casa sagrada dos Zagalia, permitindo que Lou e eu tivéssemos uma noite de sono decente. O aprendizado avançava.

Íamos frequentemente à praia, lugar perfeito para Lou correr e socializar-se sem que eu me preocupasse com seu paradeiro. Aliás, aonde ele iria? A Catalina, com o Pacífico de um lado e Santa Monica de outro, no meio de todas aquelas pessoas, cachorros, montes de areia e bicicletas?

Tínhamos uma bola. Eu procurava aperfeiçoar sua resposta ao meu chamado todos os dias. E Chandra — Deus abençoe sua alma pagã — estava certa: Lou caminharia sobre as águas por um pedaço de carne de peru. Não importava o quanto estivesse longe ou contente na companhia de outro cachorro, quando eu soava meu apito ele vinha correndo atrás de seu bocado de peru pagão.

Numa manhã fresca e ensolarada de sábado, Nancy e eu levamos Lou para a praia. Passeadores de cães e corredores perambulavam por ali. Lou brincava na areia e perseguia gaivotas na arrebentação. Só uma vez bebeu água do mar, uma semana antes, e pagou por isso com uma maratona de vômitos. Dessa vez, apenas cheirou a água e, ao lembrar, sacudiu a cabeça.

Um filhote de pastor veio correndo pela praia na direção de Lou. Embora fosse mais jovem, tinha quase o seu tamanho, com orelhas compridas e pontudas e dentes muito brancos. Preto e amarelo, ele fazia um belo contraste com a areia brilhante.

Lou estava disposto a brincar. Quando o filhote ensaiou o pulo, Lou ganhou os ares como uma raposa do Ártico desentocando ratos da neve. Cruzou *por cima* do filhote, girou no ar e pousou atrás de seu confuso companheiro de brincadeiras.

— Aprendeu alguns malabarismos — disse eu a Nancy, enquanto os dois cachorros disparavam pela praia atrás de dois surfistas que saíam da água.

— Ele é o Selvagem de Willits — declarou ela.

Soei o apito. Como por mágica, Lou estacou e voltou na maior velocidade — o filhote de pastor não era páreo para ele na corrida.

— Meu Deus, como *corre*! — exclamei, apanhando um pedaço de carne de peru.

— Corre demais — concordou Nancy, afastando-se para dar passagem a Lou, que chegava lançando sobre nós uma nuvem de areia.

Veloz ele era, principalmente quando novo. As únicas corridas que perdeu, entretanto, foram para cães de caça, de uma liga de velocistas especial. Mas nenhum outro cachorro — fosse *border collie*, *vizsla*, *dobermann*, dálmata ou *husky* — jamais o superou. Num estacionamento vazio perto de Redondo Beach, acompanhei-o certa vez de carro a quase 60 quilômetros por hora por aproximadamente 500 metros. Isso é ser *veloz*.

Lou deu a volta por trás e sentou-se à minha frente imóvel, esperando sua recompensa, que eu imediatamente lhe dei. O filhote de pastor chegou ofegante, perguntando-se o que estaria acontecendo.

— Seu cachorro é bem rápido — comentou o dono do filhote, aproximando-se. Lou e o amiguinho saudaram o rapaz, que logo atrelou seu cão.
— De que raça é?

— Uma mistura de *rottweiler* com pastor — respondi.

— É uma fera — disse Nancy, orgulhosa. Ela gostava disso.

— Quer dizer "selvagem"?

— Veio do mato há mais ou menos um mês.

— Mas é tão amigável! — reconheceu o rapaz, enquanto seu cão se esforçava para chegar perto de Lou, que cutucava o focinho do outro como se o convidasse a brincar de pega-pega.

O pequeno pastor latia de frustração.

— Pode soltá-lo — disse eu.

O rapaz desatrelou-o e os dois cachorros voaram pela praia. Lou atiçava o pastor, estacando, girando em volta dele, saltando-lhe por cima e erguendo-se nas patas traseiras em posição de boxeador. Pela primeira vez, víamos o quanto Lou era ágil e esperto. Movia-se como um praticante de artes marciais desviando-se de um bêbado.

— Você devia colocá-lo no *agility* — recomendou o jovem. — Ele parece um artista de circo.

Dois anos depois, passei a dar aulas de *agility* e Lou bateu um recorde extraoficial ao completar a prova mais rápido que qualquer outro cachorro, independentemente do tamanho.

Ele se acostumou à gaiola sem grandes problemas. Nada atrapalhava nossa rotina. Dormíamos em paz. A casa dos Zagalia estava salva.

Lou e eu nos tornamos irmãos. Ele ia comigo para o trabalho. Brincávamos de piscar e de "cachorro louco", corríamos na praia e aprendíamos a reconhecer um no outro a disponibilidade, a linguagem corporal e as intenções. Explorávamos as sutilezas, as inflexões, o tom. Sabíamos o que o outro queria dizer só por um olhar, uma atitude, um murmúrio. Às vezes, eu o surpreendia me observando, não como costumam fazer os cães quando querem alguma coisa, mas de uma maneira mais estudada, como se precisasse saber se o seu sacrifício tinha valido a pena.

Eu o amava, embora não como um pai ama o filho. Não se tratava dessa afeição melosa, postiça, desse mimo que aprisiona, embaraça e por isso estraga os cães. Considerava-me antes um irmão mais velho, a quem cabia ensinar-lhe as manhas.

Sentia-me motivado por ele. Eu era o aprendiz de violinista que encontra, por acaso, um Stradivarius empoeirado numa loja de penhores. Lou era meu Enkidu, meu vínculo com a selva, e eu o amava por isso — por me testar e testar-se a si mesmo, por melhorar a cada dia. Invejava-o por seu talento de conquistar corações e por sua maneira de mirar o vazio, saudoso da família como o imigrante que foi longe demais para um dia poder voltar.

4

Um cachorro no galpão de carga e descarga

Lou sentou-se na cama e ficou me olhando.

— Que foi? — perguntei. Eu o havia soltado uma hora antes e tinha me deitado para curtir uma sesta. — Não é hora de sair nem de comer. Portanto, não me encha.

Mas ele continuou me olhando. Era bonito de ver; no entanto, quando grudava na pessoa, parecia estar prestes a dilacerar-lhe a carótida.

— Não vou me levantar. São 3h45 da tarde.

Ele se virou para a porta aberta do banheiro, fixou os olhos em mim novamente e de novo voltou os olhos para o banheiro.

— Que aconteceu?

Ele saiu do quarto e regressou logo depois.

— *Rour.*

— Não está de novo com diarreia, está?

Então, o tinido começou. Minha cabeça enevoada não decifrou aquele barulho. Eu não tinha sininhos, pandeiros ou pratos de bateria em casa. O colar de identificação de Lou fazia um som característico. Os caminhões de sorvete da vizinhança tocavam musiquinhas para atrair as crianças. Não... Esse tinido era um som diferente.

Lou correu outra vez para o banheiro. Fui atrás e vi: cabides de metal se entrechocando e fazendo uma música alegre, como sinos de um templo budista.

Minha gravura de Clara Bow escorregou da parede. Lou quase a apanhou com a boca. Estávamos tendo nosso primeiro terremoto juntos e ele o percebeu um minuto antes de mim.

O quarto balançava como um vagão de trem. Lou saiu, voltou com uma bola, saiu de novo, voltou com uma almofada de sofá e, depois, com uma panela.

Eu surfava pelo quarto. Lou saltou para a cama e ganiu animado.

Li certa vez que, segundo historiadores gregos, os ratos, as cobras e as doninhas deixaram a cidade de Hélice em bandos, antes que um gigantesco terremoto arrasasse o local. Aquilo deve ter sido um grande espetáculo, por isso olhei pela janela — curioso —, mas não notei nenhum êxodo em massa de animais.

Os cabides encerraram suas bênçãos budistas tão depressa quanto haviam começado. Caminhei pela casa agora imóvel, sem saber o que fazer, enquanto Lou inspecionava os fragmentos que haviam caído ao chão durante o sismo de 5,2 graus — forte o bastante para me impressionar, mas de que os habitantes locais mal tiveram notícia.

— Bem-vindo a Tinseltown, Lou. — Ele lambeu meu rosto e foi buscar meu boné caído sobre o carpete. — Obrigado. — Em seguida, desapareceu para voltar com sua guia. — Por que não?

Exploramos juntos as imediações. Lou tinha aprendido a trotar ao meu lado em vez de andar na minha frente. Após alguns giros e meias-voltas propositais de minha parte, em poucos dias ele concluiu que prestar atenção aos meus movimentos tornava a caminhada mais divertida para ambos. Quase todos os cães que aprendem a seguir o dono só se submetem após semanas de luta, mas Lou parecia gostar daquilo: adorava andar ao meu lado.

Cães e donos passavam por nós como estreantes embriagados da corrida de trenós do Alasca. Como mímicos numa tempestade, os donos mal conseguiam permanecer em pé e nem pareciam saber para onde seus cães os estavam levando naquela manhã. *Quem está levando quem?* — perguntei-me.

Quando um desses desorientados cruzava conosco, o cão quase sempre saltava na direção de Lou, que apreciava amizades e atenções. Mas, se o cão queria brigar, um lado diferente de Lou se manifestava: em vez de usar a força e a velocidade para se defender, assumia uma atitude mais ponderada, mais diplomática. Estudava os movimentos do outro e reagia destramente, como Jackie Chan esquivando-se dos golpes do vilão pateta até ele se cansar e desistir.

Em retrospecto, concluo que essa artimanha, como muitos outros comportamentos, foi adquirida em sua existência no mato: crescer na floresta fez com que ele aprendesse a diplomacia dos lobos, que agora aplicava aos "cães de petshop" da cidade. Lou saltava, boxeava, girava, rolava, ria — fazia o que era necessário para frustrar, cansar e acalmar o adversário.

Eu largava a guia e deixava Lou ir sozinho, enquanto o outro dono mantinha a sua firme por amor à vida. O tempo todo, Lou esboçava um sorriso de gato de Alice. Na época, eu não sabia, mas esse lado "tático" de sua personalidade logo seria usado por mim (e por ele) a fim de salvar centenas de cães da morte implacável.

Lou ainda era um filhote, curioso e em busca de afeto. Ignorava que nem toda pessoa ou todo cão que encontrasse o acharia absolutamente adorável e simpático. No futuro, descobriria uma maneira de lidar com as agressões mais violentas; mas, por enquanto, contentava-se com seu entusiasmo juvenil.

Éramos sem dúvida apaixonados um pelo outro. Ele literalmente pularia no fogo por mim (e de fato fez isso numa ocasião). E eu estava amarrado a um *cachorro*. O amor por Lassie e Timmy que eu tinha sufocado na infância, agora vinha à tona — e, confesso, parecia um tanto estranho para um homem na casa dos 30 anos. O que eu não podia saber quando criança era que Lou seria um belo páreo para aquele *collie* da ficção.

Ao longo de quase toda a minha carreira, sempre ironizei os donos que elevavam seus cães a objeto de culto. O cão não deve ser o centro das atenções, apenas mais um membro da família, com regras e responsabilidades a cumprir. Trate-o como um astro do rock, e ele colocará seu mundo de cabeça para baixo.

No caso de Lou, nossa relação era diferente. Ele não tardou a descobrir quem era. Depois de seu período de transição, adotou uma atitude de comedimento e autocontrole que me deixou livre para evoluir como adestrador. Pude me concentrar sem demora no lado positivo e aprender até onde um cachorro podia ir. Questionava-o e tinha confiança em suas respostas. Na mente de Lou, ele não era o centro de minhas atenções; eu, sim, era o centro das suas, o que fazia toda a diferença do mundo.

De manhã, íamos, muitas vezes, até um pequeno parque mais ou menos na hora em que as crianças saíam para ir à escola. Eu fazia isso de propósito, a fim de que Lou tivesse contato regular com elas. Cheguei mesmo a dar a alguns alunos das vizinhanças saquinhos de comida de cachorro para que levassem na mochila e oferecessem a Lou sempre que aparecêssemos.

Aquilo se tornou a cerimônia favorita de Lou e dos garotos: rabo e língua balançando, sorrisos, crianças garantindo que o bonito cachorro preto e marrom, de olhos humanos, ouvisse as recém-chegadas receosas ou as felizes com a situação; Lou todo atencioso, risonho e afável com os meninos e meninas, farejando-os como se fossem seus velhos companheiros de traquinagem.

Lou havia ganhado dez quilos em dois meses. Parecia seu garboso pai em miniatura — ombros, coxas, peito e costas bem-definidos e fortes. As pernas dianteiras lembravam as dos halterofilistas que víamos no Rose Café, perto do Gold's Gym. Às vezes, íamos ali durante o dia e ficávamos sentados do lado de fora, ao sol; eu trabalhava enquanto Lou, encostado à cerca perto da entrada dos fundos, se deixava admirar pelos passantes.

Patrocinadores de celebridades faziam-lhe festas, impressionados com sua desenvoltura e boa aparência. Brutamontes ameaçadores do Gold's Gym, tão musculosos que mal podiam inclinar-se, o acariciavam como se fossem crianças. Em dois meses, Lou havia se transformado de feroz comedor de esquilos em cidadão de Los Angeles.

Mas nem por isso ele deixava de trabalhar duro. Apaixonados pelo adestramento, aprendíamos rápido. Ele logo dominou os comportamentos básicos e não escondia que desejava mais.

Certa vez, quando descíamos a rua de casa, percebi que a guia estava frouxa e não era mais necessária. Soltei-a sobre as costas de Lou e continuei andando e conversando com ele, tocando-lhe de leve o alto da cabeça. Ele olhou para mim e sorriu. Lá ia Lou, bem solto. Senti-me um pai largando o assento traseiro da bicicleta do filho e deixando-o ir sozinho em sua primeira volta triunfante sobre duas rodas.

Quando eu apressava o passo, ele apressava; quando eu diminuía, ele diminuía. Se eu parava, ele parava também e ficava sentado. Elogiei-o, mas não muito; queria que Lou achasse aquilo normal. Mas, por dentro, estava orgulhoso tanto dele quanto de mim.

Executei giros e movimentos imprevisíveis. Ensaiava uma corrida, e ele me seguia. Estacava de repente, e ele fazia o mesmo, recuando um ou dois passos para se emparelhar comigo. Isso eu não havia lhe ensinado — aprendeu por si mesmo.

Em todas as tentativas caprichosas que arrisquei para surpreendê-lo, ele se saiu bem, fitando-me com aquele olhar risonho que estampava quando sabia que estava evoluindo em algum ponto. Para ele, era um jogo. Mirava em mim seus grandes olhos castanhos, ria e pensava: *Vamos lá, amigão. Andando!*

Enquanto eu adestrava o melhor cão que já conheci, na mesma rua, Earl Woods educava o maior golfista que o mundo já viu: seu filho Tiger Woods. Abençoado por Deus com um enorme talento, Tiger, com apenas 14 anos na ocasião, logo iniciaria sua renomada carreira. Assim, apliquei em Lou um dos truques que Earl usava com Tiger.

Tiger tinha de concentrar-se em seu talento sob pressão e jogar inteiramente alheio a quaisquer emoções que procurassem afetá-lo. Para conseguir isso de Tiger, Earl empregava a técnica da distração, muito comum tanto nos esportes quanto na instrução militar, bem como no adestramento de animais. Quando Tiger se preparava para um *swing*, Earl fazia moedas tilintarem em seu bolso, atirava bolas de golfe ou areia no rapaz, tossia, gritava — qualquer coisa que pudesse abalar Tiger. Aos poucos, o filho foi aprendendo a jogar bem em quaisquer circunstâncias e a permanecer concentrado não importava qual fosse a distração.

Não bastava que Lou me obedecesse apenas numa sala tranquila, num quintal ou numa esquina pouco movimentada: deveria agir assim em todas as situações, fossem quais fossem. Seu potencial era muito grande para não ser devidamente testado em condições reais.

Perto do cruzamento da Lincoln e da Venice Boulevards havia um grande parque industrial com um galpão de carga e descarga de caminhões muito movimentado e uma área verde para o lazer dos funcionários na hora do almoço. Uma estreita faixa de grama separava as movimentadas pistas que levavam ao galpão, permitindo um tráfego regular nos dois sentidos. Caminhões do país inteiro carregavam e descarregavam o que parecia ser peças de máquinas e outros bens manufaturados. Tudo ali era barulho, correria, imprevisibilidade — o lugar perfeito para Lou ser submetido a um teste.

Eu usava as terças e quintas-feiras, antes de minhas aulas da tarde na faculdade, para ensinar Lou a andar solto no parque industrial. Passeava com ele primeiro, deixando que brincasse com os empregados e caminhoneiros em sua hora de almoço, acostumando-o assim ao ritmo de atividade local.

Aquilo, aos olhos de Lou, era pura Disneylândia. Nunca fugia da bagunça: para ele, onde havia barulho havia diversão.

Trabalhamos duro para aperfeiçoar seus movimentos de sentar-se ou deitar-se e ficar quieto, até que consegui fazê-lo manter a posição por um bom tempo. Isso agora já acontecia em casa e na rua; para aumentar a pressão, visitamos o armazém. Levando-o para a estreita faixa de grama (não mais de 3 metros de largura) comprimida entre as pistas de trânsito agitado, mandei-o sentar-se e assim permanecer, empregando um gesto de mão e um comando verbal. Em seguida, desatei a guia e comecei a me afastar.

Sentei-me a uma mesa no início da pista, a uns quinze metros de Lou, bebericando um Snapple e observando. Ele parecia uma esfinge e só virava ligeiramente a cabeça para ver os caminhões que passavam a três metros de distância. Guia, jamantas de trinta toneladas quase o tocando — e Lou sentado ali, como um membro da Guarda da Rainha.

Um homem saiu do prédio dos escritórios e sentou-se para almoçar. Cumprimentamo-nos. Enquanto tirava o invólucro de plástico de seu sanduíche, avistou Lou.

— Olhe aquilo — disse, apontando para Lou com o sanduíche.

— Está orientando o trânsito — esclareci, terminando meu chá gelado.

— É mesmo? Para a transportadora?

— Sim. Agora estão usando cachorros para essa tarefa.

— E ele nem se mexe! Meu cão morreria de medo.

— De que raça é?

— Um dálmata.

— Dálmatas gostam de cavalos.

— É o que dizem — concordou ele.

Lou ergueu os olhos para um caminhoneiro que tinha parado a fim de lhe dizer alguma coisa. Não consegui ouvir, mas parece que Lou respondeu com um de seus latidos.

— E costumam ter problemas de audição.

— Também é verdade. Você entende muito de cães?

— Li bastante sobre o assunto quando era garoto.

— Então, gosta deles?

— Ah, sim, gosto!

Joguei fora a garrafa e aproximei-me de Lou, que balançou o rabo e executou sua alegre marcha estacionária. Não parou nem mesmo quando um caminhoneiro, passando, buzinou e lhe fez sinal de "positivo".

— Muito bem, Lou! — gritei em meio ao barulho. — Dei-lhe um abraço e um biscoito. — Ok. — era o comando para ficar à vontade. Ele lambeu meu rosto e deu uma pirueta. — Bela pirueta! — cumprimentei-o, sabendo que, se nomeasse e reforçasse um comportamento cativante e espontâneo um número suficiente de vezes, ele acabaria por reproduzi-lo ao meu comando. Tomei nota mentalmente de seu gosto pelas alegres piruetas, atei-lhe a guia e levei-o até o dono do dálmata a fim de confessar que estava brincando.

John tinha acostumado Lou a pegar amendoins e salgadinhos. Foi preciso uma taiwanesa irritadiça para lhe ensinar o "dá a pata" numa tarde fatídica.

Os pais de Nancy moravam em La Crescenta, cidade ao norte de Los Angeles, perto da orla sul da Angeles National Forest. O mais surpreendente naquele lugar eram os pavões silvestres que se empoleiravam despreocupadamente em cima de casas e carros. Embora fossem magníficas, essas aves iridescentes do tamanho de perus eram odiadas pelos moradores locais por causa da gritaria que faziam à noite a fim de atrair parceiros e dos montes enormes de fezes que iam deixando em toda parte.

Ninguém sabe ao certo quando nem como esses nativos da Índia vieram se estabelecer nas colinas de Los Angeles. Para muitos, eram uma dor de cabeça. Além dos gritos e do cocô, essas aves onívoras destruíam a vegetação e dizimavam a pequena fauna local.

Esse bando de psicopatas esgoelava para nós do alto dos tetos emporcalhados de casas e automóveis enquanto percorríamos as imediações. Apesar de ser um acrobata por natureza, Lou tinha de ser mantido na guia; do contrário, o massacre seria inevitável. Ele odiava pavões e eu não podia censurá-lo por isso.

— Podem ir. Eu tomo conta de Louie — disse a mãe de Nancy.

Nancy e eu precisávamos de algum tempo "sem cachorro", e a velha senhora estava disposta a ser babá de cachorro por uma tarde.

— Tem certeza? — perguntei. Até o momento, só eu cuidara de Lou e não sabia qual poderia ser sua reação. Talvez ele saltasse uma cerca, voasse por uma porta ou janela; era um verdadeiro artista em matéria de fugas e, se ficasse solto em La Crescenta, a lista de baixas entre os pavões atingiria um recorde histórico.

— Gosto de Louie. Podem ir. Vou preparar alguma coisa para ele comer e talvez até lhe ensine alguma coisa.

Eu não estava muito certo de que a senhora Banks sabia o que era ter um cachorro, mas, sem dúvida, ela gostava de Lou. Foi também a primeira pessoa a empregar o diminutivo "Louie", que acabou sendo o nome pelo qual todos se referiam a ele. Quanto a mim, embora às vezes o usasse, preferia chamá-lo simplesmente de Lou.

O senhor e a senhora Banks haviam se conhecido na década de 1960, quando ele trabalhava em Taiwan. Ela caiu de amores pelo sossegado mecânico americano e ele pela bonita e extrovertida taiwanesa que compensava o inglês precário com muita personalidade e determinação. Os dois se equilibravam: ele era introspectivo e meticuloso, ela se mostrava sempre amigável e resoluta. Tiveram um filho e uma filha. Agradeço-lhes pela jovem que, forte como a mãe, conseguiu me persuadir naquele dia, em Willits, a adotar um vira-lata coberto de carrapatos.

Imaginei quanto dano Lou poderia causar à casa impecável dos Banks. Os móveis chineses caros e cheios de arabescos, que enchiam a casa, seriam reduzidos a pó pelas mandíbulas de Lou. Entretanto, eles tinham uma cerca alta em torno da propriedade e a senhora Banks parecia mais do que capaz de controlar um cão.

Deixamos Lou com a mãe de Nancy nas proximidades dos pavões gritadores e passamos o dia explorando a Velha Pasadena, centro histórico da cidade. Divertimo-nos muito ao sol primaveril, vendo vitrines e almoçando numa lanchonete ao ar livre da avenida Fair Oaks. Sem querer abusar do privilégio que a senhora Banks nos concedera, voltamos em poucas horas, curiosos para saber como ela havia se saído.

Nós a encontramos correndo pelo meio da rua, a um quarteirão de sua casa.

— Oh-ohou! — gritou Nancy.

— Pois é, ele fugiu — suspirei, baixando o vidro.

Ela se aproximou.

— Deixei-o no quintal para fazer cocô. Ele saltou a cerca e fugiu.

— Quando? — perguntei, com o coração desfalecendo. Numa fração de segundo, calculei a distância a que ele poderia estar naquele momento, o rumo mais provável, suas motivações, o que de melhor ou pior poderia ter acontecido, a força dos ventos, os parques mais próximos — qualquer atrativo num raio de oito quilômetros.

— Há uns dois ou três minutos — respondeu ela, com os olhos úmidos.

Era a primeira vez que eu a via emocionada.

— Acho que sei para onde ele foi, senhora Banks — tranquilizei-a. Nem Lou podia ter ido muito longe em tão pouco tempo. — Fique aqui para o caso de ele voltar.

Dois quarteirões acima, avistamos sua silhueta elegante patrulhando um prédio em cujo telhado um pavão, como não poderia deixar de ser, emitia seu grito apocalíptico de acasalamento. Respirei com alívio e percebi que ele procurava uma maneira de chegar lá em cima para silenciar a ignóbil criatura: subiu à sacada, chegou ao depósito de ferramentas, farejou, mergulhou numa lata de lixo, colocou uma pata sobre o peitoril, esticou o pescoço e latiu. Estava fissurado pela ave desprezível. Suspirei, sabendo bem que ele voltaria tão logo eu o chamasse.

— Ele está caçando — expliquei à Nancy enquanto ela me massageava a nuca. Senti que o sangue já corria mais devagar pelo meu corpo.

— Os vizinhos deveriam contratá-lo.

— O "exterminador de aves".

Lou ergueu os olhos para o pavão, que abria em leque a cauda espalhafatosa.

— Lou! — gritei pela janela aberta. O cão virou a cabeça em minha direção, viu o carro e veio correndo. Abri a porta e ele saltou para o banco traseiro. — Entre, Bozo.

Ele chicoteou o interior do Civic com o rabo, alegre como um garoto no último dia de aula. De volta à casa dos Banks, avistamos a mãe de Nancy andando na frente do jardim, de braços cruzados.

— Cachorro malvado! — repreendeu ela, ao ver Lou trotando em sua direção. Pôs-lhe um dedo na cara, que ele cheirou e lambeu. A senhora Banks sacudiu a cabeça. — Você me assustou!

— Estava caçando pavões no fim da rua — contou Nancy. — Sinto muito, mamãe.

— Esperem! Vou lhes mostrar o que ele aprendeu — emendou a senhora Banks, enxugando os olhos com uma luva. Tirou algo comestível do bolso e mostrou-o a Lou, que imediatamente se sentou e ficou olhando ansioso para ela. — Está bem, Louie, dá a pata, dá a pata — ordenou, dando tapinhas nas costas de seu pulso direito. A pata de Lou se ergueu. — Muito bem, Louie! — ela festejou, atirando-lhe o petisco.

— Uau! — exclamei. — Quanto tempo levou isso?

— Dois, três minutos. Mas é porque ele usa muito as patas, de qualquer maneira.

Lou ficou com a pata erguida mesmo depois que os misteriosos petiscos acabaram. A senhora Banks deu uma gargalhada e continuou sacudindo a pata de Lou e repreendendo-o pela fuga. Ele não sossegava, alternando as patas e farejando-lhe os bolsos à procura de mais bolinhos ou qualquer outra coisa. Quando lançou à senhora Banks seu olhar de Madre Teresa, ela se curvou para abraçá-lo.

A senhora Banks e eu aumentamos a altura da cerca no trecho baixo que Lou saltara para gozar a liberdade. Eu sabia que talvez ele escapasse de novo, mas não disse nada a ela. Lou não fez isso; o cheiro de bolinhos, frango xadrez, carne marinada e macarrão com ostras ao molho de peixe, enchendo a casa, era tentador demais para ele. A caça aos pavões ficou em segundo plano, depois que ele descobriu que preferia comida chinesa e o afeto da mãe de Nancy.

Fomos passear um pouco antes de dormir. A rua estava deserta. Eu podia sentir o aroma das glicínias de meu vizinho, com suas flores azuis de doce perfume. Lou sentiu também o aroma e continuou andando ao meu lado sem a guia, que eu havia enrolado em meu pescoço.

Nossas caminhadas noturnas agora não tinham mais guia; lá íamos nós, ouvindo o chiado dos pneus na rodovia e, vez ou outra, o latido de cães de quintal querendo entrar em casa.

Na esquina, Lou se meteu numa moita de hera onde havia sido fincada, bem no centro, uma placa de sinalização. Aquele se tornara seu lugar preferido de exploração desde que ele avistara um rato se esgueirando por ali, algumas noites antes. Desapontado ao constatar que no momento não havia nenhum bicho escondido no local, urinou na placa e defecou à vontade. Embora eu geralmente recolhesse as fezes, naquela noite não o fiz — em parte, pela dificuldade de pegá-las, mas principalmente por saber que ratos são atraídos por elas. Queria que Lou tivesse suas aventuras, e os ratos poderiam proporcionar-lhe isso ocasionalmente.

Ele esfregou as pernas traseiras, uma por vez, na moita, a fim de demarcar aquele território fértil de roedores: outra lembrança de seus dias de Tarzan. Lou demarcava árvores, hidrantes, cães, moitas — o que quer que eu lhe permitisse demarcar. No mato, ele e sua matilha provavelmente passavam o dia em torneios de xixi; achei que o cheiro de rato e de milhares de cães naquela moita lhe evocava velhas recordações.

Sentei-me no meio-fio. Ele se postou ao meu lado. Estava na altura certa para eu o abraçar — e eu o abracei. Ficamos ouvindo os grilos no parque. Eu sentia o ritmo da respiração e o calor do corpo de Lou. Ele farejou meu pescoço. Eu havia me safado de uma boa naquele dia. Quase o perdera por causa de um pavão.

5

Serpentes, estrelas e assaltos

Ele se deu bem no ambiente doméstico. Contudo, Lou agora me levaria às florestas do sul da Califórnia, ao mundo onde nascera. Eram colinas diferentes das de Mendocino, sem dúvida; mas, ainda assim, colinas — sem cercas, sem portas, sem ruas pavimentadas. Um mundo de relva, árvores, vales, terra, trilhas de caça, guaxinins hirsutos e coiotes uivando para a cidade lá embaixo. Milhares de bichos vagando pelas colinas, atraindo Lou para esconderijos secretos, cantinhos para dormir, filhotes na toca, excrementos, fome, fogueiras de acampamento extintas, morte e nascimento.

Percorremos as veredas como se ambos fôssemos cães e subimos as encostas ressequidas para que eu, como andarilho, reaprendesse aquilo que a meu ver conhecia tão bem. Dessa vez, eu era guiado pelos sentidos de um *connoisseur*, um cão selvagem cuja paixão nascera da vida real, semelhante a um salmão com a carne marcada não por pintas rosadas, mas pelas cicatrizes adquiridas numa corrida de milhares de quilômetros fugindo de ursos, baleias e focas esfomeadas. Lou estava em seu elemento, e isso era maravilhoso.

Saímos várias vezes para ir aos bosques e às colinas. Nancy aparecia só aos domingos porque, ao contrário de meu ofício como professor particular, o trabalho dela mantinha-a presa na agência de seguros durante a semana. A pouca afluência nos dias úteis tornava as explorações com Lou mais fáceis e divertidas; pelo menos uma vez por semana percorríamos os campos a poucos quilômetros da cidade.

Os parques Will Rogers e Topanga State ficavam próximos; andávamos um pouco e voltávamos para o carro, regressando a tempo de eu dar minhas aulas na zona oeste de Los Angeles, Beverly Hills, Bel-Air ou chegar a qualquer outro lugar onde tivesse compromissos. Quando eu estava em cima da hora e não podia deixar Lou em casa, ele ia comigo — ficava no carro ou, se era convidado, entrava na residência do aluno. A essa altura, Lou já se mostrava obediente o bastante para eu saber que, caso o mandasse ficar sentado ao lado da mesa, ele ficaria — exceto se aparecesse um gato ou outro bicho de estimação.

Às vezes, íamos mais longe, até a área do monte Wilson, na Angeles National Forest, a Malibu Creek, os Point Mugu State Parks e mesmo a San Bernardino National Forest, perto de Big Bear e do lago Arrowhead. Em alguns fins de semana arriscávamo-nos até o Kings Cannyon e os Sequoia National Parks, Joshua Tree e — por que não? — o Yosemite. Embora, por lei, Lou tivesse de permanecer na guia em todos os parques nacionais, com frequência ele se via livre ou preso a uma guia retrátil bem comprida. Um agravante para infratores que ficam ainda mais ousados na companhia de cães espertos.

Numa manhã ensolarada, subimos até Topanga, na Backbone Trail, um emaranhado de estradas, trilhas de caça e velhas pontes de madeira que cruzam as montanhas de Santa Mônica desde o Will Rogers State Park, a leste, até o Point Mugu State Park, a oeste. Hoje, cães não entram na Backbone, mas em 1990 não existia a proibição e nós tirávamos toda a vantagem possível disso.

A trilha entre as serras subia passando por bosques de carvalho e pradarias costeiras até chegar a um espesso chaparral bem no alto, cortando fendas e vales, moitas de sálvia brava, maciços de carvalho e iúca e espinheiros tão densos que um coelho não conseguiria atravessá-los.

Gosto de plantas e animais que suportam bem a seca, o fogo, o frio e o calor — uma tenacidade que muitas coisas desprezadas acabam por desenvolver por questão de sobrevivência. Todos eles têm uma beleza especial, um distanciamento elegante e uma força que se deve respeitar, como o sabor de um vinho fino nascido de uvas torturadas.

Não faltavam por ali flores silvestres, pássaros e insetos atarefados. Sempre depois de já termos descido um bom trecho da trilha, eu soltava Lou e deixava-o perambular. Ele demarcava carvalhos com seu cheiro territorial, mastigava folhas secas de sálvia e saltava atrás dos beija-flores de cabeça vermelha — corria alegremente, com uma espontaneidade que muitos cães jamais imaginariam que fosse possível.

Lou era da velha guarda — igual a um cão de fazenda experiente, que caça, pastoreia e dorme ao sol, de quem o dono gosta, mas sem grandes exageros sentimentais. Lou tinha a postura de um cachorro ativo, inteligente e sempre interessado no modo como as coisas funcionam. Fazendo truques para um grupo de meninos de escola ou guiando-me por uma mina de prata abandonada, ele sempre encarava as coisas com o espírito de um artesão. Ainda no primeiro ano de vida, era inteiramente digno de confiança, pois fazia de tudo para merecê-la.

Nas matas, caminhava como um batedor do exército, mas permanecia à distância de um grito, com sua independência limitada por nossos vínculos estreitos. A cada momento parava e se virava para confirmar se eu estava bem e se o seguia. A ânsia de liberdade de Lou equiparava-se à sua paixão e o temor absurdo de que eu pudesse desaparecer nas montanhas.

Eu queria — de algum modo — controlar um pouco mais sua personalidade indomável a fim de aperfeiçoar seu adestramento e melhorar seu desempenho. Assim, comecei a brincar de esconde-esconde com ele nas colinas para reforçar o comando de "venha" e seu faro de rastreador. Mas não se tratava da versão humana dessa velha brincadeira de crianças: era um esconde-esconde sério e de longo alcance para *cães*, como se minha vida dependesse disso. Desejava, a todo custo, elevar suas habilidades ao próximo nível.

Quando ele estava inteiramente absorvido no rastreamento de algum bicho, eu escapava por um caminho lateral e me escondia em alguma moita ou caverna, quando não subia em um rochedo ou uma árvore. Ficava o mais longe possível, de preferência contra o vento e fora da trilha. Em questão de segundos eu o ouvia voltando velozmente, emitindo seu *rower* e ganindo aquilo que devia ser meu nome em língua canina.

Lou sempre me achava. Esconder-se dele era o mesmo que fugir dos pingos da chuva. O objetivo não era confundi-lo, mas estimulá-lo. Essa experiência de chamamento/rastreamento se diferenciava pelo fato de eu não o chamar, mas me *esconder*; ele estava, de fato, aprimorando seu próprio comando de chamamento.

Cada vez eu me escondia mais longe para despistá-lo. Acabei tendo de lhe dar o comando "ficar" para que pudesse me afastar o suficiente, pois ele havia percebido o embuste e não queria me largar. Aquilo em geral só me dava uns três ou quatro minutos para encontrar um esconderijo antes que ele dissesse "dane-se" e corresse atrás de mim. Eu confundia seu faro colocando peças de roupa em árvores e debaixo de pedras ou enfiando saquinhos de sanduíche nas moitas. Sentia-me como Cool Hand Luke, tentando ficar um passo à frente dos cães do xerife.

Lou sempre me encontrava. Emitia então o seu *rower* e se empinava orgulhoso da façanha — e com razão. Eu também ficava orgulhoso, pois havia criado um sistema absolutamente seguro graças ao qual ele nunca mais escaparia — qualquer que fosse o atrativo.

Depois que Lou aprendeu a obedecer às ordens de sentar-se ou deitar--se, ensinei-lhe a "esperar". Ao contrário do comando "ficar", o de "esperar" exige do cão apenas que ele respeite uma linha ou área limítrofe por um curto período de tempo. O cão pode aprender a esperar diante de uma porta, um portão ou uma entrada para um quarto, sobre um tapete ou acolchoado e mesmo dentro de uma gaiola ou casinha de cachorro, até ser chamado.

Lou precisou de um dia para aprender o comando básico de "esperar". Comecei ensinando-o a permanecer na porta da casa antes de entrar ou sair. Depois, a "ir para o tapete", um comando prático que imobiliza o cão e tira-o do caminho quando necessário. Depois que Lou aprendeu a ir para seu tapete peludo (graças ao uso de petiscos, elogios, movimentos de guia e postura corporal), ensinei-o a esperar por períodos cada vez maiores de tempo, até isso se tornar sua segunda natureza. Por fim, conseguia mandá-lo para o tapete de qualquer ponto da casa.

Comecei então a versão "andar-parar" do comando de espera em campos, estacionamentos e parques locais. Ordenava-lhe que se sentasse e em seguida que esperasse, empregando o comando verbal e um aceno de mão com a palma na vertical, o mesmo que usava para "ficar" (exceto que, nesse último caso, a palma virava para o lado). Depois, eu me distanciava uns trinta metros, mirava-o, esperava alguns segundos e gritava: "Vem!". Depois de ele já ter percorrido metade do trajeto (isso, para Lou, era questão de um ou dois segundos), eu erguia as duas mãos e disparava: "Espera!". Ele estacava e permanecia no lugar à espera de um novo comando.

Fui aumentando mais e mais a distância entre nós, o que me fazia gritar o comando de espera várias vezes para cada corrida. Lou avançava dez metros e parava; mais cinco e parava; outros vinte e parava — chegando cada vez mais perto. Logo eu conseguia fazê-lo correr e parar como na brincadeira infantil de "luz verde, luz vermelha", omitindo o comando verbal e usando apenas o gesto de parar com a mão. Na época, eu não sabia, mas esse indulgente joguinho de espera que lhe ensinei iria — no devido tempo — salvar sua vida na Backbone Trail.

Do alto de uma colina arredondada a leste do pico Sandstone, contemplei o Pacífico estendendo-se diante de nós, as ilhas Channel perfeitamente visíveis a noroeste e a quase indistinta Catalina, bem ao sul. Uma brisa quente e suave espalhava os aromas de sálvia, *manzanita* e outras plantas de crescimento rápido que desafiam o poder das queimadas de verão, eterna ameaça para essas colinas.

Lou, explorando o alto do morro, levantava poeira na trilha e brincava de pega-pega com uma mamangaba. Pus no chão sua tigela com um pouco de água. "Água!", bradei.

Ele se aproximou, bebeu uns goles e — arreganhando os dentes — derramou o resto em meu colo. Tirei a poeira de seu traseiro, brinquei de pega-pega com ele por alguns instantes e acocorei-me para o joguinho do "cachorro louco" no chão frio e avermelhado.

Lou farejou alguma coisa e foi rastreando-a até uma elevação próxima, a uns cinquenta metros de distância. Estendi-me de costas sobre uma pedra para descansar enquanto ele vagava por ali, escarafunchando moitas e fendas.

Um falcão de cauda vermelha descrevia círculos no céu, talvez procurando a mesma coisa que Lou. *Seus olhos contra o faro de Lou*, brinquei comigo mesmo, observando os movimentos do cachorro. Devia ter avistado ou farejado algo, pois mudou claramente de velocidade e intenção; começou a se agitar, então achei melhor ir até lá.

Lou corria em direção a um montículo de terra ensolarada, numa curva da trilha. No meio do montículo estava uma vara retorcida, ressecada pelo sol, talvez uma bengala improvisada, ali esquecida por outro andarilho. Lou, intrigado com aquilo, deteve-se e farejou o ar.

Então a vara se moveu.

Gritei "Espera!" o mais alto que pude. Ele me lançou um olhar perplexo, como se perguntasse: "E desde quando varas se mexem?".

Ergui as mãos e fiz o gesto de parar. Ele estacou e virou-se de novo para a cascavel, que ainda não sabia o que fazer.

Lá estava ela ao sol da manhã, aquecendo seu corpo lerdo e de sangue frio. Embora Lou se achasse a pouco mais de um metro de distância de sua boca, ela ainda não havia começado a agitar o guizo.

A ausência de medo dava a entender que Lou nunca havia cruzado com uma cascavel em seus primeiros seis meses de vida ao ar livre. Como eu sabia que meu grito não o impediria por muito tempo de farejar mais de perto aquela vara retorcida, concluí que precisava agir rápido. Não iria perder o meu cão para um réptil descuidado.

— Lou, garoto! — gritei ao ver a cascavel se mover. Nesse momento, ela produzia com o guizo um som de maracá cubano. Desci rapidamente a trilha, chamando Lou para o jogo do "venha me pegar se puder".

Ele balançou o rabo. Percebi, pelo seu jeito, que me pegar havia se tornado uma opção mais atraente para ele do que examinar a criatura escorregadia agora postada entre nós. *Seja esperto, Lou, seja esperto!*, pensei, batendo palmas para afugentá-la trilha abaixo.

A cobra girou em espiral, preparando-se para atacar. Lou fungou, ergueu-se nas patas traseiras como um garanhão e, em vez de contornar a maldita víbora, saltou alegremente *sobre* ela, a aproximadamente um metro. A cobra tentou alcançá-lo, porém, embora nem tenha se aproximado, quase desfaleci ao visualizar o bote.

Lou logo estava ao meu lado. Peguei-o no colo e abracei-o forte. Ele riu e lambeu meu pescoço. Gostava muito que eu o envolvesse com os meus braços, apertando-o firmemente. Eu sentia a vida nele e seu carinho por mim.

Lou ergueu uma das patas dianteiras e pousou-a no meu ombro, para completar o abraço. Fiquei preso a ele por algum tempo.

— Exibido — murmurei-lhe ao ouvido.

— *Rour.*

— É — concordei. — *Rour.*

Ele urinou numa moita e apanhou do chão um galho fino de carvalho.

— Bom cajado — disse eu, agitando o galho. Lou gostava de mastigar madeira, outra lembrança dos velhos bons tempos em que vivia em meio às árvores. — Mas, antes, olhe bem para ver se o galho não está se mexendo.

Encostei-me em um carvalho e pus-me a comer uma barra de cereais. Ele se estirou ao meu lado, ainda mastigando o galho.

— Aqui — disse eu, oferecendo-lhe um pedaço do biscoito. Lou abandonou o galho e abocanhou o petisco com um movimento ágil das mandíbulas. Em seguida, voltou ao galho, arrancando tiras de casca para chegar à madeira, que se pôs a mastigar.

O galho era comprido demais para que ele pudesse segurá-lo confortavelmente com as patas.

— Me dê isso aqui — apanhei o galho, quebrei-o e dei a ele a metade. — Melhor agora, né?

Ele pegou o galho e retomou a tarefa. Tirei a casca da metade que havia ficado comigo e mordisquei-a. Lou pareceu surpreso, como se eu tivesse descoberto algum segredo maçônico.

— Tem gosto de bosta — resmunguei, cuspindo, pois o travo amargo da madeira lembrava chá verde fervido demais.

Tirei do bolso o canivete e comecei a aparar a minha metade do galho. Ele se aconchegou a mim e lá ficamos descansando por algum tempo, cada um trabalhando sua metade do galho, pensando em cobras e um no outro.

O telefone tocou e era Phyllis, da agência de empregos:

— Tenho um aluno pra você.

— Quem?

— Esse é *VIP*.

— Xeique ou político?

— Celebridade.

— Nada de novo — esnobei.

— Esse é.

Atravessando o portão de segurança e subindo pela pista sinuosa de pedra, olhei Lou pelo retrovisor.

— Comporte-se bem, rapazinho — adverti, atirando-lhe um biscoito. Ele o apanhou no ar e lambeu os beiços. — Boa pegada! Você terá de ficar no carro, ao menos por enquanto.

Lou contemplou a bela mansão de Bel-Air, deixando marcas do focinho por todo o vidro. Manobrei lentamente pela pista circular, estacionei no lado mais distante e desci do carro. Eu estava nervoso.

— Fique aqui. Bonzinho e *quieto*.

À esquerda da entrada estendia-se um minicampo de golfe bem cuidado, com uma leve inclinação e bandeirolas ao lado de dois buracos. Um afro-americano de aparência afável, trajando *smoking* vermelho, estava lá empunhando um taco — tinha aos seus pés várias bolas de golfe.

Ele golpeou uma delas, que foi cair suavemente no buraco mais próximo. Então se empertigou, segurando com leveza o taco.

— Posso ajudar? — perguntou.

— Olá, senhor. Sou Steve Duno, o novo professor de Anika.

— Como vai, filho? — cumprimentou o cavalheiro gentilmente. Seus olhos, como os das águias, não piscavam. — Trate desse assunto com minha esposa, Joanna. Pode entrar.

— Obrigado, senhor.

— Seja muito bem-vindo.

Não pude deixar de pensar que — naqueles poucos segundos — ele me avaliara por inteiro. A criança em mim queria fazer mil perguntas — "Gostaria de conhecer meu cão?" ou "Então, senhor Poitier, qual é a sua melhor jogada?". Idiotices, sem dúvida, mas aquele era *Virgil Tibbs*, do filme *O Calor da Noite*, pelo amor de Deus!

O homem tinha muita gente como eu à sua volta, de quem gostava e a quem tratava com delicadeza. Mas devíamos todos ficar em sua órbita sem nos aproximar muito, como a lua. A fama o isolava, como facilmente se percebia; e ele aceitava isso. Mas entrar na casa de Sidney Poitier duas vezes por semana era, para dizer o mínimo, um acontecimento extraordinário em minha vida.

Lou achou tudo aquilo muito normal. Enquanto eu adestrava Anika lá dentro, ele descansava no carro observando o senhor Poitier jogar seu golfe. Nos dias quentes, eu o levava para perto de um chafariz, onde ele ficava, de bom humor, analisando silenciosamente a técnica do senhor Poitier.

Ninguém da família parecia notar a presença de Lou. É que, a maior parte do tempo, ele permanecia dentro do carro ou na calçada, me esperando e admirando o mais reverenciado ator do país golpear suas bolinhas de golfe.

Pelo que sei, os dois ícones jamais se cumprimentaram. Era como se, para o senhor Poitier, Lou não existisse. Talvez eu não tenha prestado muita atenção; quem sabe eles tenham passado momentos sossegados juntos enquanto eu trabalhava lá dentro... Perguntarei isso ao senhor Poitier se algum dia eu tiver a oportunidade. Mas, olhando para trás, a lembrança do melhor cão do mundo contemplando pacientemente o melhor dos atores praticar seu golfe merece ser cultivada.

Encontrei Lou em dezembro, quando ele tinha quase seis meses de idade, o que me fez deduzir que seu nascimento teria sido por volta de junho de 1989. Designei o dia 6 desse mês como o dia de seu aniversário oficial: o dia D ou, mais precisamente, o Dia da Decisão, aquele em que o deixei colocar seu deplorável traseiro infestado de pulgas no banco traseiro de meu carro.

Perto do primeiro aniversário, ele já havia rapidamente tomado posse de sua herança. Quase no tamanho definitivo, era forte, tinha o pelo lustroso e era mais bonito que qualquer outro cão que eu já tinha conhecido. A reação da maioria das pessoas frente a ele refletia meus sentimentos para com o senhor Poitier: encantamento e respeito. Muita gente se sentia ao mesmo tempo atraída e intimidada, como mariposas diante de uma bonita chama.

Aqueles que nunca tiveram um cachorro eram os que mais gostavam de admirá-lo. Eu o deixava preso no pátio de trás do Rose Café, perto da entrada dos fundos; as pessoas, chegando, davam de cara com ele e com a força de sua personalidade. Davam-lhe tapinhas na cabeça e Lou andava em círculos, agitando a cauda e emitindo seu *rour*; em seguida, dava o seu grande sorriso — parada vencida.

Quando gostava realmente de alguém, resfolegava como uma locomotiva parada, produzindo um som lento e cavernoso semelhante à voz de Darth Vader, o que é comum em cachorros grandes. Depois, encostava-se à pessoa, colocava a pata sobre um de seus pés e lançava-lhe seu olhar Madre Teresa — a conquista estava feita.

Lou logo percebeu que saudar dessa maneira os clientes lhe garantiria um suprimento constante de restos de *croissant*, bolinhos e crostas de sanduíche. Alguns desses mesmos convertidos ao mundo canino voltariam meses depois com um novo bichinho a reboque, agora transformados em donos, inspirados naquele cachorro preto e marrom com olhos de Greta Garbo.

Mas nem todos os frequentadores do Rose Café tinham boas intenções. Num domingo de sol, após deixar Lou preso no lugar de sempre, entrei para pegar uma sopa. Saí, pus o prato na mesa e fui lhe dar o pão — ele apreciava uma boa fatia de pão de centeio com manteiga.

Lou havia desaparecido.

Olhei em volta. Às vezes, um freguês que o conhecia costumava levá-lo para fazer xixi. Nenhum cachorro à vista.

— Lou! — gritei, correndo para o estacionamento. Mas nada de Lou.

— Uns caras o levaram — informou o ajudante de garçom, apontando para a Segunda Avenida, na direção do Gold's.

— Que caras?

— Eram dois. Pareciam uns sem-teto.

Uma coisa é o seu cachorro saltar a cerca para perseguir pavões; mas outra é alguém roubá-lo em plena luz do dia. Seria natural esperar que um nativo de Nova York tivesse um pouco mais de bom-senso, mas, na verdade, jamais me ocorreu que alguém pudesse *levar* Lou. Desci correndo a Segunda Avenida em pânico, pronto para distribuir pancadas.

Não precisei ir longe. Como numa cena dos filmes de Tom Mix, lá estava Lou trotando alegremente pela rua com os dois sequestradores em seu encalço, tentando agarrar-lhe a guia. Corri em direção a eles, decidido a dar pontapés em seus traseiros.

Até então, Lou devia ter pensado que se tratava de uma simples brincadeira. Mas, quando me viu em disparada e gritando como um celta ensandecido, uma luz se acendeu em sua cabeça. Ele farejou minha fúria e percebeu na hora que a matilha estava em perigo. Eu teria uma surpresa.

Agarrei a ponta da guia e voltei-me para encarar os dois malandros, maiores e mais altos do que eu (o que não era novidade). Mas eu estava furioso e pronto para o que viria.

— Ei, me dá esse cachorro! — gritou o mais forte, fedendo mais que uma caçamba de lixo ao sol. Tinham ambos a pele esturricada e pareciam meio bêbados.

Um novo Lou surgiu diante de meus olhos. Ele girou sobre si mesmo, recuou e rosnou como uma criatura do terceiro círculo do inferno. Era um uivo profundo, passional, que se transformou numa detonação de som e fúria. Ficamos todos assustados. Que diabo seria aquilo?

Lou, ainda rosnando, puxou a guia. Queria destroçar os bandidos, acabar com eles. Parecia o touro de bronze da Wall Street. Suas mandíbulas se escancararam, emitindo um som semelhante ao de machados na madeira. Eu não conseguiria segurá-lo por muito tempo e, de repente, percebi que ele iria *matar* os dois.

Avançamos na direção dos idiotas. Lou se ergueu nas patas traseiras, rugindo, ameaçando morder e golpeando com as dianteiras.

— Sumam daqui ou eu o solto!

Não precisei repetir. Quando a guia começou a deslizar de minhas mãos, eles correram como personagens de Monty Python e desapareceram pela avenida Sunset, depois do Gold's.

Um grupo de homens musculosos, diante do estacionamento do Gold's Gym, aplaudiu. Abracei Lou, que resfolegava ainda excitado.

— Bom garoto! — cumprimentei-o, com a voz fraca. — Você agiu muito bem.

Quando voltei ao Rose Café, outra multidão aguardava do lado de fora da entrada do estacionamento. Estavam todos orgulhosos de Lou, e ele percebeu. Sorriu, lambeu-os e compreendeu enfim que há pessoas boas e más, que bons cachorros fazem a diferença e podem entender as coisas com clareza.

Ele havia provado que era capaz de me proteger, que tinha coragem e discernimento. Sem dúvida, nunca me senti tão seguro e amado em minha vida.

Eu gostava de ser professor particular. Na verdade, preocupava-me menos com ensinar do que com tornar os jovens organizados: eles precisavam saber que, se absorvessem bem os fundamentos, o pânico e a sensação de fracasso oriundos de um preparo insuficiente desapareceriam. Meu mantra era: "Não estude muito — estude da maneira correta".

Primeiro, eu pedia que arrumassem seus quartos. Os pais adoravam isso. Mandava-os até organizar suas escrivaninhas, lavar suas roupas e preparar a agenda do dia. Alguns desses garotos sequer faziam *alguma coisa*, o que, em minha modesta opinião, agravava o problema como um todo. Os garotos também gostavam de mim, tanto por ser sua arma secreta escolar quanto pelo fato de eu os elogiar para seus pais — quando realmente realizavam bem uma tarefa.

Lecionando, eu muitas vezes tinha de descobrir a motivação certa para manter um aluno interessado — fossem esportes, comida, jogos ou mesmo bichos de estimação, sempre havia algum modo de incentivar até o mais teimoso. Era o que eu fazia com Lou e o que faço agora com os cães que adestro. Nunca expliquei essa analogia criança/cão para os pais, mas eles a percebiam na prática sempre que eu levava Lou para a casa deles a fim de usá-lo como recurso pedagógico.

Um professor com seu próprio gênio canino — isso tinha um valor inestimável. Eu deixava Lou na posição sentada, bem no meio da sala, e depois o mandava executar vários truques e posturas recorrendo apenas a acenos de mão. Os garotos pensavam que eu era Gandalf. E os pais pediam que eu adestrasse não apenas seus filhos, mas também seus cães.

Comecei com um aluno do curso médio em Santa Monica, para ajudá-lo a adquirir a organização e as habilidades básicas de estudo. Esperto e simpático, ele era desorganizado e precisava de mim para pôr suas coisas em ordem.

De dentro do carro, eu senti o aroma do Pacífico. Lou também: ele apontava o focinho para oeste e inspirava a brisa salgada do litoral.

Em sua casa bonita e bem arejada, perto da Ocean Avenue, o quarto de Noah parecia a sala de uma convenção de macacos que houvesse terminado pouco tempo antes.

— Vamos limpar isto! — anunciei, apanhando uma camiseta do chão e jogando-a para Lou. Com ela presa ao rabo, Lou inspecionou o recinto, farejando e lambendo coisas.

— Você vai me mandar arrumar o quarto? — perguntou o rapaz, arrancando a camiseta do rabo de Lou.

Noah gostava de cães; podia-se ver isso pelo modo como se relacionava com o meu.

— Vou, e fazer sua cama e pôr sua roupa na máquina de lavar.

— Sério?

— Sério.

— Não seria melhor eu fazer a lição de casa?

— Essa é a intenção. Faça as duas coisas.

Limpamos e organizamos enquanto Lou saboreava um osso recheado com queijo. Em quinze minutos, já podíamos ver o chão e o tampo da escrivaninha de Noah.

— Bom trabalho. Virei todas as terças e quintas-feiras às quatro. Sua primeira tarefa será deixar o quarto limpo antes que eu chegue.

— Trará Lou de novo?

— De vez em quando. Ele também está na escola, sabe?

— Uma escola de obediência?

— É, mas sou seu único professor.

— Então, ensina crianças e cães?

— Aparentemente.

— Para quem prefere ensinar?

Essa era a pergunta que eu temia. Na verdade, embora tivesse mais experiência com crianças, gostava mais de trabalhar com Lou. As crianças são emaranhados de motivações e intenções que precisamos desenredar antes de ensinar a elas alguma coisa. Lou, porém, *queria* aprender. Aprendia até o que eu não lhe ensinava — como quando descobriu uma maneira de abrir portas, gavetas, armários e até janelas (em vez de pular por elas). Ou quando começou a ajudar a senhora Zagalia a apanhar ameixas italianas diretamente da árvore, no quintal, ou a me trazer a mangueira do jardim sempre que tinha sede. Era um bom aluno.

— Gosto de ensinar Lou porque ele é esperto e aprende rápido. Com ele, o trabalho é fácil. Mas gosto de dar aula para crianças, também, embora seja um pouco mais difícil.

— Ele é um cachorro bem legal.

— Com certeza. Agora, vamos fazer sua lista de tarefas e planejar seu dia.

Eu esperava — na cozinha — que Noah voltasse da escola quando uma jovem esbelta, de camiseta e calça de moletom, entrou para fazer chá. Não parecia ter mais de 25 anos; era alta, tinha um sorriso bonito, tímido, e cabelos louros ondulados caídos sobre os olhos.

— Sou o professor particular de Noah — apresentei-me.

— E eu, a tia dele, Daryl. Ele gosta muito de você.

— Exceto quando eu o obrigo a arrumar o quarto.

Ela riu e mergulhou o saquinho de chá na xícara.

— Nós achamos que você o ajuda muito nos estudos. Ele agora se sai bem em todas as matérias.

— Sempre procuro fazer o melhor — disse eu, descobrindo de repente com quem estava falando.

— Acho que você poderia ajudar minha irmã, Page, também. Ela vai voltar para a faculdade e está com dificuldade para preencher o formulário de matrícula.

— Ficarei feliz em ajudar. A propósito, sou seu fã. Desculpe-me não tê-la reconhecido logo de início.

— Ah, tudo bem!

A atriz Daryl Hannah fazia chá a três metros de distância de mim e eu só a reconheci depois que ela começou a falar!

Noah me pôs a par dos fatos mais tarde.

— A tia Daryl é meia-irmã da mamãe. Ela mora nesta rua com Jackson Browne. Ela e Page vêm sempre aqui.

— Pensei que fosse a babá — confessei.

Lou estava deitado de costas, agitando no ar as patas dianteiras.

— Só usa maquiagem quando sai de casa — disse Noah, ajoelhando-se ao lado de Lou e brincando com ele.

— *Rour.*

— Que significa esse *rour*?

— É uma maneira de dizer "isso é divertido".

— Ele não late?

— Só quando eu mando... Ou quando é absolutamente necessário.

— Se precisa fazer xixi, por exemplo?

— Não. Se percebe alguma coisa errada.

— Como o quê?

Contei-lhe a história dos ladrões no Rose Café. Noah parou de acariciar a barriga de Lou e apontou para ele:

— *Este* cachorro?

— Dá para acreditar?

— Mas ele é tão *manso*!

Noah nunca mais faltou às aulas.

Parei num 7-Eleven da Culver City para um cafezinho antes de minha primeira aula da tarde. E ali, à direita do estacionamento, bebi o café e revi as anotações sobre meu novo aluno. Lou estava no banco traseiro do Civic; eu sempre o levava comigo quando tinha um aluno novo a conquistar.

Tinha deixado abertos os vidros traseiros para Lou e — com uma pequena fresta — a janela do lado do motorista. Fregueses iam e vinham, mas eu não prestava muita atenção neles.

Lou pôs o nariz para fora da janela e inspirou o ar. Quando se interessava por alguma coisa, o volume e a intensidade de suas inspirações aumentavam por alguns segundos a fim de concentrar o cheiro nas narinas. Então parou de repente, como um paciente atacado por uma apneia noturna. A pausa lhe permitiu saborear o aroma da maneira como um enófilo gira o vinho na boca e se detém para que seu sabor seja liberado.

Sua respiração se acelerou. Eu me ocupava das anotações. Lou esperava que os odores em sua cavidade nasal se identificassem.

Seres humanos não conseguem farejar más intenções. Lou conseguia.

Ouviu-se um ronco como o dos estampidos longínquos de uma Harley. Por um instante, não consegui associar aquele som a um cachorro. Mas, à medida que aumentava, foi ficando claro que quem o emitia era Lou.

Eu me virei. Ele olhava fixamente pela janela; o ar feliz havia desaparecido e fora substituído por um esgar em que os beiços arreganhados deixavam ver as presas brancas e encurvadas.

A agressividade que mostrara para com os ladrões de cães tinha sido franca e apaixonada; esta, porém, parecia mais primitiva, como se ele pressentisse uma ameaça visceral, extraordinária. Eu me vi transportado, no tempo, ao cenário de uma batalha primitiva iminente.

Três passageiros num velho Pontiac azul conversível, estacionado perto de nós, discutiam em espanhol. Embora eu entendesse algumas palavras, não conseguia compreender o que diziam. Lou sugeria que algo de ruim estava prestes a acontecer, então deixei de lado minhas anotações e prestei atenção nos três jovens latinos — dois homens magros e uma mulher atarracada.

O magricela do banco do passageiro abriu a grande e pesada porta do Pontiac. Tive receio que ela fosse arranhar a lataria do meu Civic.

Ele se virou de costas e bateu com força a porta — a coronha e o cano cromado de um revólver de grande calibre apareciam no cinto de sua calça jeans.

— Droga!

Lou rosnou mais alto. O sujeito tirou o revólver do cinto. Era uma arma poderosa. Deu um passo em direção à porta da frente do estabelecimento e lançou-me um olhar de gelar o sangue.

— Aqui! — gritei para Lou, e num instante ele estava no banco do passageiro.

O rapaz desviou o olhar e os três se dirigiram ao 7-Eleven.

Como Lou havia percebido tudo? Foi o que me perguntei muitas vezes. Embora alguns cães sejam racialmente intolerantes, Lou certamente não tinha nenhum problema com latinos, que sempre lhe davam *enchiladas* e batatas fritas na *taquería*. Teria farejado suas intenções? Qual será o cheiro de um assaltante armado? Talvez ele já tivesse sentido esse cheiro na infância, quando algum proprietário irritado atirou nele e em sua matilha comedora de lixo.

Não sei como e por que ele percebeu tudo. Mas, se ele não tivesse me advertido com seu rosnado, eu provavelmente teria ficado quieto ali, com o nariz enfiado nas anotações, alheio ao que se passava.

Poderia ter ficado sentado, envolvido com meus negócios ou ido embora. Não gostava, porém, de imaginar um trabalhador que ganhava salário mínimo tendo a cabeça estourada por causa de cem dólares. E sempre tive faro para detectar malandros, como Lou evidentemente tinha também.

Isso foi em 1990, antes dos telefones celulares, de modo que para discar 911 tive de correr ao telefone público à direita da entrada. Uma rápida discagem e um aviso sucinto ao operador — vinte segundos no máximo, pensei.

— Venha, Lou.

Saímos pela porta do passageiro. Segurando-o pela coleira, sentia seu rosnado vibrar em minha mão.

Agora ele não tinha a intenção de caminhar comportadamente. Puxava-me *com força*. Algo novo dentro dele estava vindo à tona. Queria entrar na lanchonete. Tinha um trabalho a concluir.

— Devagar, Lou — recomendei, segurando-o com a mão esquerda e pegando com a direita o aparelho, que ajeitei no ombro. Se o soltasse, ele voaria porta adentro.

— Nove, um, um. Que tipo de emergência deseja comunicar?

— Três latinos armados acabam de entrar no 7-Eleven do Washington Boulevard, a alguns quarteirões ao norte da Sepulveda.

— Onde o senhor está?

— Em um telefone público à entrada da lanchonete.

— Entre a rua Huron e o Washington Boulevard?

— Acho que sim.

— Pode vê-los agora?

— Não. Eles estão lá dentro. Vi um revólver.

— Por favor, continue na linha. Viaturas já estão a caminho.

— Os suspeitos provavelmente sairão em poucos segundos.

— Pode descrevê-los, senhor?

— Três latinos com menos de 25 anos, dois homens magros e uma mulher gorda. Camisetas brancas, creio eu. O rapaz do banco do passageiro tinha um revólver de grosso calibre no cinto da calça jeans. Cromado, talvez um .357.

— Em que tipo de veículo eles estão?

— Um velho Pontiac azul conversível, acho que um LeMans.

— Pode ler o número da placa?

— Não. Parece um pouco apagado.

Ela continuou na linha, multiplicando perguntas e fazendo o seu trabalho. Lou puxava meu braço, rosnando e latindo.

— Quieto!

— Senhor?

— Não é com você. Estou aqui com meu cachorro. Foi ele o primeiro a me chamar a atenção para os suspeitos.

— O cachorro está sob controle, senhor?

— Está — disse eu. Não tinha pensado nisso. Que fariam os policiais ao ver Lou se contorcendo e espumando na ponta de meu braço deslocado? — Está sob controle.

— Os suspeitos continuam dentro da lanchonete, senhor?

Estavam saindo. O rapaz que tinha me olhado se aproximou, de olho em Lou, que mal se continha.

— O que está acontecendo, senhor?

— Não, Mary, acho que teremos de adiar a reunião.

— Eles estão aí, senhor?

— Isso mesmo, Mary — gaguejei. Lou puxava, latia e babava. O rapaz, a menos de dois metros, agora exibia a arma na frente do cinto.

— As viaturas estão quase aí, senhor. Você está seguro?

— Está brincando, Mary?

O rapaz olhou para mim, depois para Lou. Eu me senti um idiota, e morto de medo. Ele se aproximou mais. Pensei em perguntar se ele pertencia à gangue dos Culver City Boyz.

Lou era a única barreira entre mim e uma bala. Imaginei-me um Gary Cooper avançando contra Frank Miller, não com um Colt .45, mas com o meu belo, esperto, amável *rottweiler* mestiço preto e marrom, pronto a desferir o bote, capaz de avaliar num segundo quem era mocinho e quem era bandido.

Lou estava furioso e não dava sinais de medo. O rapaz olhou-me bem nos olhos e avançou, proporcionando a Lou uma chance. Mais dois passos e não conseguiria sacar a arma a tempo. Afrouxei o aperto na coleira de Lou. Ele implorava para soltar-se.

— *Venga!* — gritou a mulher, entrando no Pontiac.

A mão do rapaz permanecia na coronha, os olhos, em Lou. Não sei o que se passava em sua cabeça — talvez refletisse se valia a pena matar um cachorro e um homem ou se teria tempo para mirar e disparar antes que o feroz animal, a um metro de distância, o pegasse pelo pescoço magro, trucidando-o. Caso me alvejasse antes de acertar Lou, sem dúvida se transformaria em comida de cachorro.

Deu uma risadinha, soltou a coronha e seguiu na direção do carro. Pus o aparelho no gancho e levei Lou para uma das extremidades do prédio, esperando sentir um impacto nas costas. Nada. O Pontiac roncou e se foi. Sem tiros. Eu continuava vivo. Lou também. Encostei-me à parede e abracei-o. Ele se acalmou.

— Jesus Cristo, Lou! Jesus Cristo!

Um policial contornou o ângulo do edifício, de revólver em punho. Alto, tenso, peito estufado. Sentei-me e continuei abraçando Lou, que sorriu para o policial e pôs-se a abanar o rabo. Não parecia ligar para sua arma.

— É Steve Duno? — perguntou o recém-chegado, ainda de revólver em punho.

— Sim, senhor. E este é o meu cachorro, Lou. Ele salvou a minha vida.

Chegaram outras viaturas e o lugar logo ficou cheio de tiras. Lou se pavoneava para todos os lados. Cocei o seu pescoço. O alegre Lou estava de volta.

Após contar a vários policiais o que tinha acontecido, um detetive à paisana me ofereceu um café e me fez perguntas.

— Alguém se feriu lá dentro? — perguntei.

— Não foram disparados tiros — disse ele, estendendo a mão para a cabeça de Lou. Sim, aquele sujeito sem dúvida tinha um cachorro.

— Assaltaram o estabelecimento?

— Não posso entrar em detalhes. Mas você fez o que devia. E seu cão também — acrescentou, segurando a cabeça de Lou nas mãos e observando-o atentamente. — Que cachorro bonito!

— Salvou minha vida.

— Pode ser mesmo.

Contei o que havia acontecido quando os três saíram da lanchonete. O detetive olhou de novo para Lou.

— Acho que *ele* devia trabalhar para nós.

Um guarda uniformizado se aproximou e falou com o detetive. Um instante depois, ele se virou novamente para mim:

— Os suspeitos que você descreveu foram detidos no Venice Boulevard, há um minuto. Precisamos que os identifique. Você conseguirá fazer isso?

— Posso deixar Lou em casa antes?

— Não dá tempo. Ele pode ir com você na viatura.

— Cruzo com os Culver City Boyz por aqui o tempo todo. Não gostaria de levar um tiro enquanto compro um *burrito* na Sepulveda.

— Esses não são do Culver City Boyz. A placa é de Torrance. E os Culver City Boyz jamais assaltariam uma 7-Eleven em seu próprio território. Se eles souberem disso, você e seu cão serão considerados heróis.

— Tudo bem, vou fazer o que você está pedindo — concordei. *Fora com essa gangue rival, esses bastardos!*

— Você ficará dentro da viatura o tempo todo e nós jogaremos o farol em cima deles. Não o verão de modo algum.

— Está bem.

Lou e eu nos sentamos no banco traseiro do carro branco e preto. Seguimos rumo leste, da Washington até a Overland, viramos à esquerda e depois novamente para leste, até a Venice. Alguns quarteirões à frente, no canteiro central, avistei a movimentação da polícia.

— Não foram muito longe — disse eu aos policiais. Lou estava sentado ao meu lado, de orelhas em pé, farejando as armas e parecendo um recruta K9.

— Não há muitos Pontiacs conversíveis velhos nesta região — explicou o motorista.

— Eles deviam ter pegado a rodovia — disse eu quando estacionamos, com o Pontiac à nossa esquerda.

Lou agora estava lépido e atento. Ao ver os três suspeitos algemados e debruçados sobre o conversível, latiu um pouco e começou a rosnar.

— Isso, para mim, é prova suficiente — brincou o motorista.

— Lou, sem dúvida, não gosta nada deles — disse eu.

Os três pareciam recém-saídos do colégio. Um policial os fez se alinhar e virar de frente para nosso carro. Lou se contorceu, grunhiu e enfiou o focinho pela fresta da vidraça enquanto o motorista de nossa viatura dirigia o farol sobre os suspeitos, que pareciam tranquilos, quase entediados. O magricela tentou evitar a luz, mas o policial balançou a cabeça e apontou para nosso carro.

— São estes?

— Oh, sim! E o rapaz magro à esquerda é o que estava com o revólver.

— Tem certeza de que era um revólver? — perguntou o policial do banco do passageiro.

— Cromado ou niquelado, grosso calibre, coronha preta.

Os policiais se entreolharam e sorriram.

— Ótimo. Bom trabalho. Agora vamos levá-lo até seu carro.

De volta a 7-Eleven, Lou e eu nos despedimos dos dois guardas.

— Você provavelmente receberá um chamado telefônico dos detetives dentro de alguns dias — avisou o motorista.

— Terei de prestar depoimento?

— Acho que não. Os caras foram pegos em flagrante e armados. O funcionário também os identificou.

— Obrigado, rapazes.

— Bom cachorro. Ainda é novo, mas poderá se tornar um excelente cão policial.

— Acho que a experiência de hoje já basta.

Os dois apertaram minha mão e acariciaram a cabeça de Lou. Ele riu e fez menção de lambê-los.

— *Rour* — disparou, farejando cuidadosamente as pernas dos dois.

— Vocês devem ter cachorros em casa.

— Pastor.

— Labrador.

— Lou percebeu isso — disse eu. — Obrigado.

Entramos no carro e fomos para casa. Cancelei as aulas da tarde e deitei-me no chão com Lou, que mastigava preguiçosamente um osso como se nada tivesse acontecido. Pensei em ligar para Nancy, mas resolvi esperar. Queria curtir mais um pouco a companhia de Lou.

6

Lou das Montanhas Rochosas

Ele diz que você é sua arma secreta — confidenciou Judy, a mãe de Noah; ele tinha passado de ano com boas notas, para surpresa geral.

— Essa é a vantagem de ter um professor secreto.

— Minha meia-irmã, Page, também agradece sua ajuda com os formulários de matrícula na faculdade.

— Vocês deveriam me adotar — propus.

Nas casas onde eu lecionava, muitas vezes me envolvia com a rotina da família e era tratado como um tio ou um irmão mais velho. Entrava sem bater, vasculhava a geladeira, percorria a casa toda. Passavam-me até os códigos de segurança da entrada das mansões de Bel-Air e Beverly Hills. Jantava lá quase todas as noites. Era muito cômodo.

— O quarto dos hóspedes está ao seu dispor.

Eu me acostumaria fácil a viver na casa da meia-irmã de Daryl Hannah. Pularia da cama cedo para fazer café. Daryl e Page apareceriam e ficaríamos tagarelando sobre negócios e cachorros. Lou emitiria seu *rour*, exibiria suas proezas, lançaria seus olhares de Greta Garbo e estrelaria o próximo filme de Daryl no papel de um herói cachorro super-humano vindo da constelação de Canis Major. Ele me sustentaria e me permitiria escrever meu grande romance americano.

— Eu disse a Noah que ele deveria ler pelo menos um livro durante o verão.

— Por falar em verão, você não gostaria de passar uma semana em nosso apartamento?

— Para quê?

— Como um pretexto para ajudar Noah.

— Apartamento?

— Em Telluride.

— É claro.

— Praticamos esqui, no inverno, mas no verão o lugar fica deserto quase o tempo todo. Que acha?

— Nada mal — disse eu, encantado. Umas férias com Lou, Nancy e alguns amigos, viajando de carro, seriam perfeitas. — Muita gentileza sua.

— Vou buscar as chaves.

Alugamos uma perua Ford, acomodamos a gaiola de Lou no banco traseiro e saímos para uma aventura de dez dias. Nancy gostava de viagens de carro tanto quanto eu; e Lou, com sua calma, audácia e curiosidade, sentia-se igualmente livre de problemas. Sem contar que, dessa vez, estava livre de pulgas.

O plano era pegar a Interestadual 15 até Barstow, ao norte, e depois rumar para leste pela Interestadual 40 até Flagstaff, Arizona, onde encontraríamos meu amigo Dean e sua esposa, Kim. Eles chegariam ao aeroporto Pulliam vindo de Houston, nós os apanharíamos e iríamos para o nordeste, cruzando Four Corners até o Colorado.

Dean e eu fizéramos muitas viagens de carro juntos ao longo dos anos, mas não nos víamos desde uma visita de moto ao Yellowstone em 1988, mais ou menos na época em que um raio provocou um incêndio florestal responsável pela destruição de um milhão de acres do primeiro parque nacional americano. Vivemos muitas aventuras bizarras na estrada, inclusive ao volante de um ônibus escolar cheio de estudantes de Biologia e espécimes de répteis vivos no meio de uma neve de quase 30 centímetros de espessura, no norte do Arizona. Quase fomos alvejados por um guarda rodoviário no Texas e presos na fronteira El Paso/Juárez, por não pagar as taxas sobre duas garrafas de Johnnie Walker Black Label. Eu achava então que teríamos mais sorte no apartamento de Hannah, em Telluride.

Depois de Barstow, o trânsito melhorou; o tempo estava bom e nem nos preocupávamos com o encontro com Dean e Kim no dia seguinte em Flagstaff.

— Você acha que ele está bem aí atrás? — perguntou Nancy, virando-se para o transportador de Lou.

— Ele adora essa gaiola. Vamos parar um pouco para o coitado esticar as pernas e fazer o que deve fazer.

— Disso ele gosta.

— E como!

Lou ainda tinha seu "equipamento". Estávamos em 1990: a mania de castrar cães ainda não tinha virado moda e as pessoas não tinham consciência do problema da superpopulação canina. Além disso, exceto por uma mestiça de *terrier* chamada Betty de quem cuidei durante dois meses, nos tempos de faculdade, eu não tinha experiência alguma com esses animais e não sabia realmente nada sobre eles. E havia a questão da "fraternidade": homens simplesmente não gostam de castrar seus cães. Lou era sem dúvida do tipo valentão, aventureiro — e após o incidente na 7-Eleven, achei que castrá-lo seria trair nossa união fraterna. Teria de esperar até ele fazer 3 anos para obter sua licença de eunuco.

Paramos várias vezes para deixar que Lou saísse e curtisse a paisagem do deserto. Lou se mostrava amistoso para com os caminhoneiros (talvez numa homenagem àquele sujeitinho trêmulo que quase o levara quando nos conhecemos) e as famílias com crianças nas paradas de descanso. Quando um garotinho esperto e seu avô se aproximaram dele perto de uma varanda, Lou se sentou educadamente e, com a maior gentileza, pousou uma pata sobre a cabeça do menino, como se proclamasse: "Agora, você é meu amigo!". O menino riu, aceitou uma lambida rápida no rosto, olhou para Lou e disse: "Seu bobo!". Lou emitiu um *rour* e lambeu-o de novo, sob o olhar do vovô.

— Você tem um bom cachorro. Parece Victor Mature.

— Lembra muito Tyrone Power também.

— É verdade. Mas não Humphrey Bogart.

— Não — concordei. — É mais bonito que Bogart.

— Mas Bogart fazia sucesso com as mulheres. Por estranho que pareça. Ele e o garoto voltaram para o carro, acompanhados pelo olhar de Lou.

— É, você é um grande conquistador — disse Nancy, voltando do banheiro. — Agora, pé na estrada, rapazes!

Com seus desertos, pinheirais e encostas rochosas de cor avermelhada, a região norte do Arizona era um prato cheio para os meus olhos. Quando entramos em Flagstaff, lembrei-me de que, quinze anos antes, Dean e eu havíamos dirigido o tal ônibus escolar azul, atulhado de estudantes sonolentos e amostras de répteis do deserto, até aquele lugar — e isso durante uma tempestade de primavera que tinha acumulado 25 metros de neve em quatro horas. Um dos melhores motoristas que já conheci, Dean tinha contornado habilmente, com o velho ônibus, caminhões capotados e automóveis encalhados. Horas antes, estávamos ardendo ao sol do deserto de Sonora.

— Duno, eu não consigo ver a estrada.

— E as montanhas dos dois lados? — perguntei, sentando-me junto dele numa velha caixa de leite.

— Vagamente.

— Então apenas passe pelo meio delas. E não desacelere.

— Isto aqui mais parece um inverno nuclear — resmungou Dean enquanto passávamos por um caminhoneiro que lutava para prender uma corrente ao seu veículo; ele tinha fragmentos de gelo suspensos na barba como lantejoulas.

Um motel apareceu à frente. Dean entrou no estacionamento e o ônibus atolou numa camada de trinta centímetros de neve.

— Estamos bem arranjados — ele suspirou, desligando o motor.

Todos que estavam dentro do ônibus acordaram e correram para a recepção do motel. Dean e eu ficamos para cuidar das cobras, dos sapos, das lagartixas e tartarugas — que do contrário morreriam de frio ali.

— Que droga! — disse ele, enfiando uma víbora de Sonora em uma meia de ginástica e atando-a à cintura.

Enchemos os bolsos de répteis e nos deitamos, um acima do outro, no único beliche do ônibus: uma placa de madeira compensada acolchoada. Cobertos por vários sacos de dormir, caímos no sono dentro de um ônibus sob a neve do Arizona, para o deleite dos bichos rastejantes em nossos bolsos.

Essa aventura me voltou à lembrança enquanto Nancy, Lou e eu atravessávamos Flagstaff a caminho de Pulliam, um cômodo aeroporto de pista única aninhado nas colinas ressequidas do Arizona, que se projetavam rubras contra o céu muito azul, envoltas numa atmosfera seca e pura.

— Está atrasado — disse eu a Dean, que era uma cabeça mais alto do que qualquer outro passageiro na fila de bagagens. Sua esposa, Kim — uma texana bonita e atlética —, tirou as malas da esteira.

— Vale tudo para adiar a inevitabilidade de uma semana com você — respondeu ele, dando-me um empurrão fraterno.

— Onde está Nancy? — perguntou Kim, assustada diante da possibilidade de passar uma semana inteira com dois colegas de faculdade repetindo as histórias de sempre.

— No carro, com Lou.

— Você alugou o quê? — quis saber Dean, o velho fã de automóveis de Jersey.

— Uma perua.

— Ótimo.

— Precisávamos de espaço para vocês dois e o cão.

— Então, finalmente, vou conhecer o destruidor.

— Ele mudou muito. Espere para ver — eu garanti, sabendo que Dean iria gostar de Lou à primeira vista.

Contei-lhes sobre a tentativa de assalto à mão armada e o modo como Lou tinha me protegido. Nancy foi até o carro para soltar Lou; ele correu em minha direção, mas logo se voltou para Dean e Kim, iniciando sua dança exibicionista de boas-vindas.

— Olá, Luigi! — saudou Dean, encenando uma pequena brincadeira de pega-pega com ele.

Lou gostou de Dean imediatamente; sempre soube julgar as pessoas mais rapidamente do que qualquer cão ou ser humano que eu já tivesse conhecido, como se o caráter fosse uma água-de-colônia.

— Ele é bonito — comentou Kim, sem poder evitar uma rápida lambida em seu rosto.

— Este cachorro encarou um .357? — perguntou Dean. — Pensei que ele fosse maior.

— Ele muda de tamanho conforme as circunstâncias — expliquei. — Num momento, está guardando as portas do inferno, em outro, cabe na palma de sua mão.

— Parece um menino com jeito de cachorro — disse Dean, olhando bem nos olhos de Lou, que pousou uma pata sobre seu tênis enorme. — Fui escolhido.

A viagem até Telluride foi melhorando a cada quilômetro. Pinheiros anões deram lugar a pinheiros americanos, abetos, ponderosas, abetos vermelhos, amieiros, lariços e álamos. Colinas vermelhas e arredondadas se transformaram em serranias cobertas de neve. À medida que subíamos, iam aparecendo ao lado da rodovia montes de neve que, derretendo-se, espalhavam pelo asfalto ensolarado faixas brilhantes de água. Quando passamos por uma depressão oval na camada de neve, Lou se agitou e ganiu.

— Ele já tinha visto neve? — perguntou Dean, acariciando Lou pela janelinha da gaiola.

— Nunca, a não ser que haja nevascas em Mendocino — disse Nancy.

— Talvez ele seja um desses fanáticos por neve — observou Dean enquanto continuávamos subindo cada vez mais a montanha. Na verdade, alguns cães são obcecados por neve: quando têm chance de brincar nela, saltam e rolam alegremente.

Parei no acostamento perto da entrada do desvio seguinte e saímos para esticar as pernas. Desviei-me de uma bola de neve atirada por Kim e soltei Lou. Ele correu em linha reta para um monte de neve escura, rolou sobre ela, espalhou flocos pelo ar e divertiu-se a valer.

Como *marshmallow* para um bebê, a neve era um elemento novo para Lou, que brincou nela como se fosse um garoto do Kansas entrando no mar pela primeira vez. Lou rolava e dava saltos, descrevendo círculos completos no ar, apanhava bocados de neve, jogava-os para cima e golpeava-os com a pata antes de caírem.

— Ele está eufórico — disse Kim.

— Fazendo guerra de bolas de neve com ele mesmo — completou Nancy, tentando tirar uma foto.

— Pegue esta! — gritou Dean, atirando uma bola de neve em Lou.

E ele pegou mesmo, numa fração de segundo.

O apartamento de Hannah, no segundo andar, em Telluride, abria para um cenário de montanhas que lembrava os filmes de faroeste.

— Onde ficam os balões de oxigênio? — perguntou Dean, arfando como um asmático. Eu também tinha dificuldade para respirar. Morávamos todos no nível do mar, e a altitude de Telluride — uns três mil metros — estava literalmente nos tirando o fôlego.

— Como subiremos então até Blue Lake? — indaguei, lembrando que na altitude do lago, de quase quatro mil metros, o ar conteria metade do oxigênio a que estávamos habituados.

— Seu bebezão! — brincou Kim, batendo em meu ombro. Ela frequentava a academia três vezes por semana, o que incluía aulas de aeróbica e quilômetros de corrida; suas pernas e seu humor eram rijos como madeira de lei.

— Sim, sou um bebê. Bebês precisam de ar.

Acomodamo-nos no apartamento de Hannah. Exigi o quarto de Daryl só para poder dizer pelo resto de minha vida que já dormi na cama da estrela — com Nancy, é claro, caso alguém perguntasse.

Lou farejava cada canto e demorava-se nos lugares em que, sem dúvida, haviam se deitado cães ou gatos criados pelos Hannah. Eu o via cheirar e ficar pensativo como alguém que revolve um gole de conhaque fino na boca.

— Lulu-da-pomerânia ou um coelhinho? — perguntei-lhe. Ele me olhou de lado e seguiu a trilha de um cheiro até a cozinha, onde abriu com destreza a porta de um armário. Dentro, havia um saco quase vazio de comida para cachorro.

— Bom trabalho, Sherlock — disse eu, erguendo o saco bem alto. Ele me olhou sem poder acreditar que sua façanha não seria recompensada. — Você não vai comer isto. Teria dor de barriga.

Mas eu encontrei o saco!, deve ter pensado, com irritação. Quando ficava aborrecido, Lou se deitava com a cabeça entre as patas, observando-me. Para evitar isso, tirei um biscoito de sua sacola de comida e joguei-o na direção dele. Lou o pegou no ar e foi para um canto saboreá-lo, ainda emburrado, conforme percebi por seu olhar.

À noite, Nancy e eu nos estendemos na cama (de Daryl Hannah), conversando sobre a caminhada que faríamos no dia seguinte até o alpino Blue Lake, aninhado a uns 1.500 metros acima de Telluride.

— É uma elevação de um quilômetro e meio ao longo de uma trilha de treze quilômetros — expliquei, tentando reproduzir a geometria do lugar em minha cabeça. — Ou seja, um caminho que se inclina sete ou oito graus e com metade do oxigênio.

— Bem íngreme — concordou ela, enquanto Lou se enfiava embaixo da cama, agora seu lugar de dormir favorito.

— Suicídio. Kim vai nos matar.

— Vai ser divertido ir até lá — contemporizou ela, sempre otimista.

— Só Kim é que vai chegar. Nós vamos todos morrer.

— Kim e Lou — corrigiu Nancy. Lou pôs a cabeça de fora e olhou para nós.

— Talvez nem ele esteja preparado para isso.

— Tem 1 ano de idade. Vai se sair bem.

— A quatro mil metros de altitude?

— Isso não é problema.

Lou se esgueirou para fora e postou-se ao meu lado. *Rour*.

— De quem é a vez? — perguntei.

— Sua — disse ela, cobrindo a cabeça com o cobertor.

— Venha cá, Lou.

Lá fora, o tempo estava mais claro, cortante e frio do que eu esperava, com o cheiro de alguma coisa limpa no ar — relva ou água de riacho, alguma coisa fresca, intensa e sublime, como se tudo de perfumado e doce no mundo subisse e depois descesse pelas encostas das montanhas do Colorado sobre nós.

Lou sentia os novos aromas. Farejava cada moita, árvore e trecho de grama, esfregando-se neles, escavando a terra e agarrando uma ou outra pluma que descia conduzida por uma lufada de vento da montanha.

Num trecho de terra dos arredores, soltei-o e ele trotou caminho acima na direção de um bosque de álamos e amieiros. Vendo-o brincar na linha das árvores, lembrei-me de quando o vi pela primeira vez, sua feroz matilha desaparecendo na floresta como ninjas, e Lou, pela força do hábito, seguindo-a de perto — até parar e dar ouvidos a uma intuição que surgira de repente em sua cabeça de filhote, segundo a qual o futuro, para ele, talvez estivesse em outra parte. Agora, contemplando-o nas florestas do Colorado, eu tinha certeza de que eu era sua família e que ambos permaneceríamos assim para sempre. Ele achava o mesmo, sem dúvida.

Kim disparou como se tivesse sido espicaçada por uma baioneta. Embora quase tão sem fôlego quanto eu, Dean, graças às suas pernas compridas, conseguia manter-se lado a lado com a esposa aerobicamente turbinada. Nancy e eu fazíamos de tudo para não ficar muito atrás, enquanto Lou, alegremente, acompanhava ora um, ora outro casal, de olho em todo mundo.

Parei junto a uma grande pedra. Lou correu para mim enquanto Kim me incentivava a continuar no mesmo ritmo. Mais tarde, Lou saiu da trilha e voltou com algo repulsivo na boca.

— Que será isto? — perguntou Nancy, limpando-lhe o focinho.

— Só Deus sabe.

— Seu hálito cheira a fígado e lixo.

— Seus favoritos — disse eu, tirando um pouco de poeira das costas dele.

— Duno!

— Já estou indo, Satanás! — gritei para Kim.

Ela nos concedia um descanso de cinco minutos a cada vinte. Mas, após quinze de valente caminhada, comecei a sentir os sintomas do mal das alturas: dor de cabeça, náusea, cansaço e fôlego curto. Era como se carregasse um saco de tijolos nas costas.

— Por que estou levando a comida e a água dele? — perguntei a Nancy, apontando para Lou com uma barra de granola. Lou havia carregado uma vareta por alguns minutos, mas deixou-a cair ao notar que ninguém teria forças para arremessá-la.

— Eu lhe disse para comprar a tal mochila de cães.

— O danado não gostou quando a experimentei nele, na loja.

— Como pode saber?

— Bem, você sabe... Aquele jeito de olhar para o chão. — Quando Lou sentia que você não estava agindo bem, desviava o olhar e ia para um canto remoer sua preocupação. Naquele dia, comportara-se como um garotinho de 8 anos em roupas de domingo, de modo que economizei meus trinta dólares e saí da loja sem a mochila.

Eu tinha de carregar quase um galão de água, dois sanduíches, uma maçã, um saco de utensílios, um casaco, binóculos, uma câmera, mapas, um livro sobre pássaros, uma bússola, uma faca, um estojo de primeiros socorros e meio quilo de comida de cachorro. Quem, então, eram os animais domésticos?

Kim parecia incansável. Eu só queria derrubá-la, acorrentá-la, amarrá-la a um tronco de árvore — qualquer coisa que a detivesse. Mas ela estava certa, sem dúvida: se não mantivéssemos o ritmo acelerado, não voltaríamos antes do cair da noite. Mas aqueles cinco minutos de descanso demoravam uma eternidade para chegar e iam embora num instante.

— Eu odeio você — disse-lhe na parada seguinte, arfando de tal modo que sequer conseguia beber do cantil.

— Você é um fracote — riu Kim.

— E você, uma Klingon.

— Você é um *hobbit*.

— Orca!

— Verme!

— Silêncio, vocês dois — ordenou Dean. Ele e Nancy haviam assumido o papel de pais na jornada.

Coloquei um pouco de água para Lou num pratinho de plástico. Ele bebeu tudo e pôs-se a saltar à minha volta.

— Você deveria ser mais parecido com Lou — disse Kim.

— E você menos.

— Parem — rugiu Dean. — Vamos, as cachoeiras nos esperam.

A trilha que conduzia a Blue Lake passava pelas Bridal Veil Falls, uma impressionante queda-d'água dupla de mais de cem metros de altura a cerca de uma hora de caminhada de Telluride. No verão, muita gente vai a pé, de bicicleta ou mesmo de carro para ver a cascata, que no início da estação tem seu volume aumentado pela neve derretida. A trilha consiste — em sua maior parte — em pistas para jipes e velhas picadas de mineiros que se juntam permitindo um fluxo moderado de veículos. Depois das cachoeiras, porém, o movimento diminui e o caminho para Blue Lake se torna assunto sério.

Depois de uma curva, avistamos as quedas-d'água e um vapor frio nos envolveu. Lou queria lamber o ar.

— Bem selvagem — observou Dean.

— Vale o esforço — disse Nancy, andando com cuidado sobre as pedras umedecidas pelos borrifos.

— Parece um hidrante do Brooklyn em julho — arrisquei eu.

— O quê?

— Esqueça, Kim.

Lou correu em direção a um grupo de três pessoas que desciam a trilha; todos olhavam fixamente para o chão como soldados famintos. A mulher que vinha à frente, ao passar, acariciou o dorso de Lou com as costas da mão. Ele lhe farejou as pernas e emitiu seu alegre rosnado.

— Belo cão — disse a mulher, enquanto os dois homens a seu lado permaneciam silenciosos, cabisbaixos.

— Obrigado. Ele é muito companheiro.

Com um débil sorriso, ela prosseguiu caminho, seguida pelos dois homens.

— Estão esgotados — observei. Lou os acompanhou trilha abaixo por alguns metros, voltou e ficou me olhando enquanto eu dava a primeira mordida em meu sanduíche. — O que é, Lou?

— Ele quer ir em frente — disse Kim.

— Ele quer é o meu sanduíche de peru.

— Você não pode comer andando?

— Vamos apreciar o panorama por alguns instantes — propus, olhando para Dean, que deu de ombros. — Veja aquela bela árvore lá em cima.

— Blue Lake — disse ela, pegando sua mochila. — Vamos, Lou.

Ela e o cão retomaram a caminhada.

— Esta mulher é um *cyborg* — resmunguei.

— Não a censure, Duno — advertiu Dean. — Ela está em missão.

Lou seguiu Kim por algum tempo e, de repente, estacou curioso diante do tronco inclinado de um abeto. Podia subir pelas árvores como um macaco.

— Como ele consegue fazer isso? — espantou-se Dean, observando Lou se agarrar à casca grossa da enorme árvore para subir. Um pequeno esquilo vermelho esgueirou-se da base do tronco, logo abaixo de Lou, que descreveu um giro de 180 graus por cima do abeto e estirou uma pata para baixo, enquanto se agarrava ao tronco com as outras três.

— Quase o pegou — disse Dean.

O esquilo se meteu numa moita, com Lou em seu encalço.

— Lou, deixe o esquilo em paz! — ordenei.

Ele freou e olhou para mim.

— Ele acha que você ficou maluco — sugeriu Dean.

— Ele já comeu muito esquilo na vida — expliquei, jogando um biscoito para Lou.

Prosseguimos nossa marcha fatal, liderados por Darth Kim e o caçador de esquilos, até um bosque de árvores de grande porte. As trilhas e pistas de jipe se estreitavam, transformando-se em veredas silvestres à medida que nos aproximávamos da área alpina lá no alto; o ar rareava mais e mais a cada passo. Kim e Dean iam aumentando a distância entre nós; Nancy e eu nos arrastávamos, perguntando-nos se, tecnicamente, ainda estávamos nos divertindo. Quanto a Lou, portava-se diplomaticamente, acompanhando ora um, ora outro casal.

— Acho que estou tendo uma hemorragia interna.

— Não está, não — garantiu Nancy, ofegando.

— Você não parece muito bem.

— Nem você. Está com cara de viciado em cocaína.

— Eu me sinto como se subisse uma escada rolante que estivesse descendo.

— Que sede!

Fizemos uma parada fora do programa. Lou recuou até nós e sentou-se, esperando por comida.

— Duno!

— Não responda — sussurrou Nancy.

— Não consigo... Estou cansado demais.

Lou se aproximou de mim e esfregou a cabeça em minha coxa.

— Gire pra direita! — ordenei. Eu tinha trabalhado naquele truque por um dia inteiro ou mais. Lou refletiu sobre o assunto e, graciosamente, girou para a direita, de modo que não pude deixar de lhe oferecer um pedaço de meu pão. — Belo giro!

— Quando ele aprendeu isso? — quis saber Nancy.

— Ele estava aceso noite passada. Não conseguimos dormir e então trabalhamos nesse truque. Ele o executará para qualquer lado, até a um aceno de mão. Experimente você.

Nancy pegou um pedaço do meu pão.

— Gire pra esquerda! Bom garoto! Gire pra direita! É, você é um bom garoto, Lou!

Ensinei-lhe os sinais de mão para "girar!" — movimentos curtos e rápidos em sentido horário ou anti-horário. Nancy fez ambos os gestos, em silêncio, e Lou girou para os dois lados.

— Quando ele obterá sua licença de aprendiz?

Pensei a respeito.

— Duno!

A caminhada parecia não ter fim. Curvas e mais curvas até a linha do bosque surgir à nossa frente. A própria Kim havia diminuído o passo.

Minhas pernas estavam bambas. Só Lou parecia inteiro, perguntando-se por que eu me arrastava como um bicho-preguiça ladeira acima. Aproximou-se, assumiu uma postura descontraída e convidou-me para brincar de pega-pega.

— Vá encher a paciência de Kim — recomendei-lhe. E ele fez exatamente isso, saltando e rodeando Kim e Dean e depois parando diante deles.

— Como ensinou isso a ele? — perguntou Nancy.

— Ele sabe inglês.

— Ah, não.

— Bem, não sei. É Lou, que diabo! — resmunguei, tomando nota de seu recuo e da manobra que eu queria ensiná-lo a executar por um comando meu. Era assim que ele aprendia a maioria das coisas: fazia algo por conta própria, eu observava a façanha e reforçava-a com petiscos e elogios.

Dean virou-se para mim:

— Duno, o que é que ele está fazendo? — perguntou, dobrando-se para a frente como um paciente com enfisema.

— Enchendo a sua paciência.

— Há um comando pra isso?

— Evidentemente.

A quase quatro mil metros de altitude, as árvores cediam espaço às campinas. Extensões de flores silvestres, líquens e pedras artisticamente dispostos. O céu era de um azul intenso e o ar tão escasso que os pulmões mal conseguiam absorvê-lo.

A beleza compensou a fadiga e melhorou o humor. Mesmo Lou, farto de ver tanta indisposição na última hora, animou-se de novo, trotando à frente, farejando tudo, espiando buracos de marmota e escalando pedras do tamanho de um carro, banhadas de sol. Marmotas gordas, de pelo castanho, brincavam de esconde-esconde com Lou, mas sumiram de vez quando perceberam com quanta destreza ele conseguiu alcançar uma delas.

— Estamos quase lá — disse Nancy, resfolegante, com o fim da trilha já à vista. Diante de nós, estendia-se o lago de formato oval, aninhado entre paredões rochosos; a neve muito branca descia pelas encostas e diluía-se nas águas geladas.

— Isto não é real — murmurou Nancy.

— Valeu a pena, não, Duno? — perguntou Kim.

— Valeu. Mas estou com a vista embaçada — respondi, respirando com dificuldade.

O único cão que víramos na subida apareceu — um grande montanhês suíço mais velho que Lou, porém ainda novo, e quase quinze quilos mais pesado. Sua dona se sentou à beira do lago, onde ficou atirando seixos na superfície.

Lou foi saudá-lo. Não me preocupei, pois ele era praticamente invulnerável a quaisquer cães, que nunca conseguiam pegá-lo.

— Será que isso é seguro? — perguntou Dean.

— Vai ficar tudo bem. Observe.

Em vez de se dirigir ao formidável recém-chegado, Lou ensaiou uma corridinha a fim de atraí-lo para uma perseguição, o que lhe permitiria avaliar a força, a velocidade e as intenções do outro. Acompanhei sua manobra; o canzarrão da mulher disparou atrás dele — cauteloso, a princípio, com os pelos das costas ligeiramente eriçados. Mas esses pelos logo voltaram à posição normal, enquanto as orelhas e o rabo ganhavam movimento. Lou deixou que ele se aproximasse, dando-lhe um encontrão. Em seguida, trotou para a água gelada, convidando o novo amigo a fazer o mesmo.

— Agora está tudo bem — disse eu a Dean. — Ele vai ensinar alguma coisa a esse cão.

— Como assim?

— Veja bem... Você sabe que Lou é amistoso. Ele só precisava separar o cão da dona.

— Por quê?

— Porque, do contrário, o outro teria de ficar na defensiva. Não seria ele mesmo. Observe-os agora.

Os dois cachorros saltavam à beira do lago, espalhando água, areia e seixos para todos os lados, o novo amigo ladrando alegremente e Lou rosnando, atiçando-o. Cumprimentei a dona, que estava toda feliz ao ver que seu cão agora tinha com quem brincar.

— São perfeitos um para o outro — disse ela.

— Nem precisamos correr atrás deles.

— Só de vê-los já me sinto cansada — brincou ela. — Precisei de meia hora para voltar a respirar normalmente.

— Então você também não é daqui.

— Portland.

— Los Angeles.

— Agora já temos um pouco de ar para respirar.

— Bem — disse eu —, isso é discutível, pelo menos no meu caso.

Descansamos, bebemos água e comemos alguma coisa. Eu já me sentia melhor. Lou e o outro cão, depois de brincar, caíram no sono, cada qual ao lado de seu dono. Kim e Dean tiraram fotos e passearam em volta do lago.

— Acho melhor voltarmos logo — confidenciei a Nancy, pousando a mão no peito de Lou. Ele respirava forte e profundamente. Talvez sonhasse com correrias.

— Acha que está sonhando com o quê? — perguntou ela, esfregando minhas costas doloridas.

— Esquilos — sugeri.

Estava acordando; somente as extremidades das patas dianteiras agora se agitavam levemente, como os dedos de um prestidigitador. Em seguida, abriu os olhos, ergueu a cabeça e olhou à volta estupefato. Tocou-me com a pata, levantou-se, esticou as pernas traseiras alternadamente e em seguida arqueou-se todo para fazer o mesmo com as dianteiras e os ombros. Ficou assim por algum tempo; decidi, na próxima vez, reforçar aquele movimento em "arco", dar-lhe um nome, associar a ele um gesto de mão, encorajando-o.

— Pegou o esquilo? — perguntei a ele. Suas orelhas se eriçaram ao ouvir a palavra — outra que ele tinha aprendido sozinho.

Olhou ao redor excitado e mirou-me com um ar de ligeira reprovação, como se dissesse: *Seu tolo, não brinque com essa coisa de esquilos e gatos!*".

— *Rour* — disse eu, acariciando-lhe o pescoço.

— Está enchendo a paciência dele de novo? — perguntou Nancy, penteando o cabelo com as mãos.

— Lou acha que as marmotas são esquilos gigantes da montanha. Sonhou com elas.

Lou percebeu que Dean e Kim estavam na outra margem do lago. Ficou olhando por algum tempo e emitiu um som doce e trêmulo, como fazia às vezes quando estava refletindo. Perguntava-se o que os dois estariam aprontando lá e se deveria ir atrás deles. Mas preferiu ficar contemplando o lago, cuja superfície agora se encrespava sob um vento frio que vinha do vale, trazendo consigo pétalas de flores silvestres.

Lou estava profundamente imerso em seus pensamentos e isso era divertido de ver. Mirava o panorama como um leão saciado no parque Serengeti — calmo, pensativo, introspectivo. Ruminava suas ideias caninas.

— Ele não é um cachorro comum — disse eu a Nancy, que tinha desviado o olhar de Lou.

— Parece que está calculando o valor do pi.

— É seu olhar de longa distância.

— Você gosta disso, não?

— Gosto — confessei, com toda a sinceridade.

No começo, eu só queria um cachorro — apenas isso. No entanto, consegui algo mais, algo mais indômito e mais hábil, como um macaco amestrado. Eu mal começava a perceber o que ele era, o quanto podia aprender, até onde podia chegar. E não me achava à altura da tarefa.

Então o filhote em Lou reapareceu. Ele percebeu que seu novo amigo tinha ido embora. Foi até o local onde ele e a dona estiveram, farejou, fez xixi e se pôs a perambular, lamuriando-se.

— Sinto muito, meu caro. Você ficou dormindo. — Fixou-me com seus olhos de âmbar brilhante. — Estava sonhando e eu não quis acordá-lo.

Lou virou-se para a trilha, como se dissesse: *Ainda posso alcançá-lo.*

— Sei disso.

— Que se passa? — perguntou Dean, ao chegar. Lou foi até ele e pousou-lhe uma pata sobre o pé.

— Quer ir atrás de seu amigo.

— Por que pisou no meu pé?

— Chamo isso de "brincadeira de *rottweiler*". Em parte, amor, em parte, possessividade.

Dean ergueu o pé e, por sua vez, colocou-o sobre a pata de Lou. Este aguardou alguns segundos, ergueu os olhos para Dean, retirou a pata e voltou a pousá-la sobre a bota enorme do meu amigo. O troca-troca prosseguiu por um bom minuto até que Dean começou a rir e afastou-se correndo, atraindo Lou para um pega-pega.

A jornada de volta foi bem mais rápida. Cada passo proporcionava mais oxigênio para respirar e a gravidade nos levava como se fosse uma passarela mecanizada de aeroporto. Lou farejava e urinava nas árvores e nos recantos que ele sabia que tinham sido visitados por seu amigo, um jogo invisível de pega-pega canino que eles poderiam jogar para sempre, como se o volume de uma bexiga de cão não tivesse limites. Xixi, xixi e mais xixi. Tentei igualar sua produção uma ou duas vezes, mas fiquei sem combustível após a terceira ou quarta tentativa. Ele me lançava um olhar condescendente e se punha de novo a caminho.

Cruzamos com três andarilhos, os quais, pelos apetrechos que levavam, pretendiam, sem dúvida, passar a noite acampados perto do lago. Uma pequena fêmea mestiça de labrador que os acompanhava, vigorosa e de focinho curto, logo se interessou por Lou e teve de ser presa na guia para não abandonar seu pessoal. Era pequena a ponto de quase poder passar por baixo dele.

— Bonitinha — disse eu. — O que é?

— Mistura de labrador com *pug* — explicou o mais jovem do grupo.

— Não!

— Sim. Pai *pug*, mãe labrador.

— Ele usou uma escadinha?

— Era persistente.

— Cadelinha adorável — disse eu, vendo-a resfolegar e espirrar de excitação.

— Chama-se Sadie. É uma "lug".

— Labrador com *pug*... Entendi.

— Venha, Sadie — chamou ele, levando embora a apaixonada cadelinha. Lou ficou observando seu pequeno traseiro gordo rebolando trilha acima.

— Vamos, Romeu. Haverá outras.

Kim e Lou tomaram novamente a dianteira. Estávamos tão cansados que, quando passamos por Bridal Veil Falls, mal lançamos um olhar em sua direção. Uma família de turistas alemães, de bermudas e tênis, ficou nos observando; o filho ofereceu a Lou um biscoito ou algo assim e Lou comeu-o sem mesmo se deter, como uma andorinha apanhando uma mosca em pleno ar. Estava cansado, também.

Ao pôr do sol, chegamos à estrada poeirenta que leva à avenida Colorado, na zona oeste da cidade. Não tínhamos mais água nem comida. Ninguém falava. Meus pés pareciam lombos de porco amolecidos. Lou saltava à frente, virando a cabeça de vez em quando para ver o que se passava. Pus-lhe a guia.

— Sinto muito, meu amigo. De volta à civilização.

— Não foi tão ruim assim, foi? — perguntou Kim, visivelmente esgotada.

— Estou muito, muito cansado... — gemeu Dean.

— Preciso urgentemente de um banho — resmungou Nancy, com o olhar esgazeado.

Coloquei um braço em volta dos ombros de Kim.

— Deus é testemunha de que jamais voltarei a caminhar com você — desabafei.

— Mentiroso!

Estava certa, a huna. Após mais alguns dias em Telluride, fomos até Snowmass, onde morava nossa boa amiga Lisa. Apesar de nossos músculos estarem doloridos, ela nos arrastou para outro lago alpino, uma escalada felizmente não tão difícil quanto a do Blue Lake. Lisa caiu de amores por Lou, como todas as pessoas que ele conheceu na vida, exceto alguns ladrões armados, um e outro cachorro bravo, dois sequestradores e um mau sujeito que ele ainda conquistaria anos mais tarde.

Vigiei-o de perto durante toda a semana, mas sem me preocupar muito com a possibilidade de ele escapar e se perder nos bosques do Colorado. Na verdade, Lou é que tinha receio de me perder. Surpreendia-o me observando quando achava que eu não estava muito preocupado com minha segurança ou perguntando-se por que eu respirava como um buldogue numa esteira. Sentia-se à vontade no mato, como se nos levasse a conhecer seu jardim ou fosse o guia de uma excursão turística.

É difícil entender por que, mas Lou havia se tornado bastante... confiável. É gratificante concluir que seu cão não fugirá, não será atropelado na rua, não seguirá outra pessoa. Lou era assim desde o começo. Nunca desapareceu — a não ser numa ocasião excepcional, de que falarei mais adiante.

— Que idade ele tem agora? — perguntou Dean ao se despedir de Lou no aeroporto.

— Um ano.

— Tem certeza?

— Absoluta.

— Acho que sua vocação é outra, Duno — disse ele, buscando os olhos de Lou.

— Como assim?

— Se conseguiu ensinar um cachorro de um ano a ser tão esperto, por que ainda está ensinando seres humanos?

Dean estava certo, é claro. Sempre estava.

7

Lou me arranja um emprego

Lou liderava uma corrida de cachorros em volta do parque Culver City. Estava brincando com um bando de cães de caça, galgos e vira-latas, mas agora um formidável *weimaraner* tinha ultrapassado o resto da turma e estava em seus calcanhares.

Lou olhou por cima do ombro para o vigoroso concorrente. Era um macho de peito cavo e cintura esguia — da cor do aço. Pelo olhar de Lou, eu sabia o que ele estava pensando: *venha*.

Os dois tomaram a dianteira e deixaram os demais comendo poeira. Lou tinha um estilo gracioso de correr, como um puro-sangue tentando ganhar terreno. Nesse momento, porém, deu tudo de si e acelerou como um carro de corrida, ondulando a espinha e estendendo as pernas até ficar parecendo uma mancha castanho-escura.

Estando um corpo à frente do adversário, Lou se aproximou de uma curva fechada na pista por onde os cachorros corriam à volta do parque — um aglomerado confuso de campos, quadras de basquetebol e parquinhos infantis separados da vizinhança por cercas baixas e passeios.

Uma área de lazer com balanços, coberta de areia, estendia-se logo além da curva. Lou se aproximou velozmente, firmou-se na grama, virou para a esquerda e prosseguiu. Eu sempre deixava suas unhas um pouco mais compridas do que costumam fazer outros donos, para situações como aquela, e agora ele ia colher os frutos. O *weimaraner* não conseguiu frear, saiu da pista e atolou-se na areia como um carro descontrolado da Nascar em uma corrida de domingo à tarde.

— Opa! — exclamei, vendo Lou cruzar a linha de chegada.

Sacudindo a areia, o *weimaraner* fez cara de mau para um *beagle* insignificante e foi se arrastando até onde estava seu dono, a fim de chorarem juntos.

Desde que voltáramos do Colorado, meses antes, minha confiança em Lou tinha aumentado. Embora continuasse usando a guia, ele havia ficado quase o tempo todo livre durante aquele tempo e sempre me lançava um olhar de desapontamento quando eu o prendia.

Poucos daqueles cães permaneceriam nos limites do vasto parque caso se afastassem mais de uns vinte passos. Mas tudo mudava quando Lou aparecia: ele era o "pastor" que magnetizava o grupo e, vendo-o correr, todo cão ali presente só tinha uma ideia na cabeça: *pegar aquele filho da mãe*. Os donos sabiam: enquanto Lou continuasse na pista, seus cães continuariam também.

Fazer Lou correr pelo perímetro do parque por decisão própria deu um pouco de trabalho. Eu o conduzi por ali várias vezes — primeiro, sem a guia, ao meu lado, e depois em meu encalço, enquanto eu pedalava a bicicleta. Estimulava-o a percorrer trajetos cada vez maiores, ensinando-o a contornar as cercas, até que finalmente, numa bela manhã, aos gritos de *Vayate, Guapo!* de um grupo de Culver City Boyz que farreara no parque a noite inteira, ele percorreu os quase mil metros do percurso sem precisar de ordens. Graças à competição com outros cães, aquele se tornou um jogo autoestimulante para Lou e uma escola para os outros. Antes de completar 2 anos ele começou sua carreira de instrutor.

— Estou vendendo o negócio — informou Phyllis, proprietária da Academics Plus, a agência de professores particulares para a qual eu trabalhava.

— Não brinque.

— É sério.

— Por quê? Isto aqui é uma mina de ouro.

— Tive um bebê, estou me divorciando e não quero mais dores de cabeça.

Eu estava ganhando quarenta dólares por hora sem nunca trabalhar mais que 25 horas por semana. Nos momentos de folga, escrevia e adestrava Lou — a vida de um asceta de Los Angeles. Mas aquela agradável rotina agora iria virar de cabeça para baixo.

Quando me mudei para Los Angeles, em 1986, consegui um cargo de substituto no Compton Unified School District, onde a função não era exatamente ensinar, mas proteger e defender. No primeiro dia, quando fazia a chamada e tentava acalmar um garoto irrequieto da 7ª série, um negro enorme, de jaleco branco, irrompeu pela sala empunhando uma régua de madeira. Antes que eu pudesse reagir, ele arrancou o menino da carteira e — *plaf, plaf, plaf!* — sovou-lhe o traseiro. Em seguida, recolocou o infeliz na carteira, sorriu e desapareceu.

— O que é isso? — gritei, enquanto todos aplaudiam e o garoto espancado se curvava para agradecer a seus fãs.

— É o senhor Charles — informou uma jovial garotinha hispânica da primeira fila. — Ele fica por aí com essa régua, atrás de encrenqueiros.

O distrito escolar de Compton ainda praticava o castigo físico em 1986. O trabalho do senhor Charles era invadir as classes e entrar em ação quando fosse "necessário". Obviamente, ninguém tinha me informado daquilo, quando aceitei o emprego, e achei que o sujeito era um psicopata. Pedi demissão e uma semana depois passei a ser professor particular do Academics Plus; passei da pancadaria para o golfe do senhor Poitier em questão de dias.

E então me veio Phyllis com aquela história de vender o negócio. Nem todas as agências pagavam tão bem, o que me deixava com poucas opções. Vista de qualquer ângulo, a coisa fatalmente seria outra.

— Que tal se nos mudarmos? — sugeriu Nancy.

— Seattle?

Tínhamos visitado o Noroeste havia algum tempo e gostado das árvores, do clima...

— Poderíamos comprar uma casa lá.

Embora estivesse na casa dos 20 anos, Nancy era a criatura mais frugal que eu conhecia. Economizando cada centavo ganho e morando com os pais durante muito tempo, juntara o suficiente para dar uma boa entrada num imóvel. Infelizmente, em Los Angeles, o máximo que conseguiria seria um apartamento de um quarto. Ora, em 1991, uma casa espaçosa de três quartos num bairro sossegado de Seattle custava menos que um apartamento em Los Angeles.

— Vamos pensar nisso — disse eu.

Então aconteceram duas coisas que mudariam nossas vidas e colocariam a mim e a Lou num novo patamar.

— Duno, eu preciso que você me faça um favor — pediu Billy, outro colega que tinha morado comigo e Dean em Nova York, nos anos 1970. Ele havia se formado em Biologia Marinha e mudado para San Francisco, em 1979, para montar uma empresa de pesca. Morei com ele por algum tempo no começo dos anos 1980 e ajudei-o nas entregas. O primeiro veículo da empresa foi uma caminhonete Datsun 1975 enferrujada. Billy tinha alugado um apartamento em cima de uma pizzaria. O dono do prédio, um tal senhor Kwan, sempre estranhava o número de colegas de quarto que ele mantinha em seu cubículo.

Grande, barulhento e franco, Billy era uma força da natureza; parecia mais uma colmeia presa dentro de uma secadora de roupas. Verdadeira história de sucesso americano — em 1991 já havia transformado sua empresa em uma corporação multimilionária, com escritórios em San Francisco e Los Angeles. Agora queria abrir uma filial em Seattle, perto dos criadores de ostras que lhe forneciam a maior parte de seu produto.

— Preciso de uma pessoa para dirigir um dos caminhões frigoríficos lá, ajudar a montar o escritório, fazer as entregas no aeroporto e cuidar de tudo. Pago sua mudança e adianto seis meses de salário.

— Não sei. É uma mudança e tanto.

— Nada de frescuras. Você disse que Nancy queria ir para lá e comprar uma casa. Há muitas propriedades em Seattle pelo preço de um carro. Ela trabalha com seguros, não é? Pois há muitas companhias de seguros em Seattle, onde acidentes acontecem *o tempo todo*. Chove sem parar, como na Bíblia. Carros batem. E ocorrem sempre incêndios florestais, deslizamentos, ataques de animais. As pessoas ficam deprimidas. Mal de Parkinson, deficiência de vitamina D e paralisia são comuns. Não é à toa que existem *tantas* companhias de seguros por lá.

Seis meses antes, naquele dia em que estávamos perto de Willits, Nancy tivera de me convencer a ficar com Lou. Agora era a vez de Billy tentar vencer minha antipatia por mudanças. Billy era uma torrente incansável de adulações e racionalizações que só parava quando o adversário estava na lona. Não importava o que ele pedisse; no fim, você sucumbiria só para evitar seu falatório e importunação.

No passado, Billy já havia conseguido me convencer a: fingir que assaltava uma loja de bebidas com uma máscara e uma arma de plástico; ligar para todas as floriculturas de San Francisco a fim de localizar uma mulher que ele tinha conhecido de passagem em uma festa na noite anterior, da qual só sabia o primeiro nome e que era vendedora de flores em algum lugar; participar de uma pescaria com nudistas no lago Shasta; engolir uma ostra crua do tamanho de um punho; vender Aspirinas por um dólar cada em um concerto no Jefferson Starship. E muitos, muitos outros atos igualmente insanos, que pareciam razoáveis e necessários segundo a irretorquível lógica brooklyniana de Billy.

Resistir seria inútil: aceitei a proposta. Deixaria de ensinar garotos ricos em Bel-Air para lidar com moluscos em Seattle. Mas já tinha o esboço de um plano em longo prazo, que não envolvia negociar com peixes por muito tempo.

O que Dean tinha me falado a respeito do adestramento de Lou tocou fundo a minha alma: eu era *bom* para adestrar cães (pelo menos, soubera adestrar Lou). Por que não transformar isso em um meio de vida? Não, porém, como faziam Chandra, a sacerdotisa wiccana, ou Yuri, o exilado marxista; queria fazer as coisas direito e aprender as melhores lições. Com um pouco de sorte e alguma ajuda de Lou, sem dúvida, eu poderia obter sucesso em Seattle.

— Uau! — exclamou Nancy, surpresa com a minha decisão. — Tem certeza? Vamos mesmo embarcar nessa?

— Ele vai me adiantar um semestre e pagar a mudança. Mas quer que eu me mude daqui a um mês, depois de um estágio com Jeff e Angel.

— Não posso ir tão rápido. Preciso fazer um milhão de coisas antes.

— Vou primeiro com o caminhão e você viajará depois, quando estiver pronta. Podemos pôr todas as minhas coisas na carroceria. As suas, também.

— E o seu carro?

— Vai a reboque.

— E Lou?

— Finalmente, se transformará num cão de caminhoneiro.

— E onde vamos morar?

— Fiz contato com os responsáveis por um conjunto de apartamentos na zona norte de Seattle, em Bothell. Aceitam cachorros de pequeno porte. Já depositei o sinal.

— Lou vale por *três* cachorros de pequeno porte.

— Farei uma demonstração.

— Demonstração?

— Os donos de apartamentos sempre especificam "cães pequenos" porque são fáceis de controlar e menos perigosos. Quando virem que Lou é adestrado e manso, não terão coragem de dizer não.

— Conclusão ambiciosa, mesmo para você.

— Falei com a administradora, ela gosta de cachorros. Disse-lhe que Lou é só um pouquinho grande e que foi adestrado para a televisão.

— Santo Deus!

— Não se preocupe. Ele mudará de tamanho, se for necessário. Você sabe disso.

— Terei de ver os classificados e enviar meu currículo. Há grandes companhias de seguros em Seattle.

— Sei disso. Billy me contou.

— Estive vendo algumas casas. São tão baratas!

— Terei de assinar um contrato de um ano. Isso dará a você tempo suficiente para encontrar a casa certa.

— Não tenho idade sequer para alugar um carro.

— Mas isso é ótimo!

Nunca concordei com a ideia de que Los Angeles é uma cidade fria, impiedosa. Convivi com muitas celebridades e artistas promissores; embora possam ser às vezes difíceis e meio malucos, fiz amizade com alguns e sempre respeitei seus sonhos. Narcisismo, estagnação espiritual, deslealdades? Sem dúvida. Mas Los Angeles é um ímã para quem está à beira do sucesso ou do fracasso; e, se você mora lá, tem de aceitar as coisas como são.

Eu sentiria saudades das colinas e montanhas, do deserto, do calor, de Santa Anas, da história e do clima de expectativa que se percebe no ar ao percorrer as ruas. Em Los Angeles, você topa com estrelas e astros nas horas mais inesperadas e pode conversar tranquilamente com eles. Nos anos que passei ali, tagarelei com Rob Lowe sobre séries especiais de Corvettes, com Michael Keaton sobre cachorros, com Cher sobre sua família, com Eddie Murphy sobre Stevie Wonder — lembranças de pessoas especiais trazidas pela brisa. Recordo-me de Sidney Poitier oferecendo-me suco; de Alyssa Milano aprendendo a calcular a área de um triângulo isósceles; de Daryl Hannah bebendo café comigo; de Carl Weathers coçando as orelhas de Lou; e de Miles Davis fazendo caretas enquanto eu o ajudava a vacinar seus *sharpeis*. Pisei em cocô de pônei *dentro* da casa de uma estrela de seriado de TV, arrebatei um revólver carregado do filho de um diplomata sul-africano e tive meu traseiro golpeado por um canguru no santuário animal de Palos Verdes. Beberiquei com Christie Bono no balcão de mármore trincado do restaurante de seu pai, falei com sujeitos perigosos em estacionamentos e vi o "Dr. Smith", de *Perdidos no Espaço*, conversar carinhosamente com meu cão. Sentiria saudades até dos Culver City Boyz e dos terremotos. Era um bom lugar para viver.

No entanto, sentiria saudades de Los Angeles principalmente por ter sido o primeiro lugar que Lou conhecera depois de sair do mato. Por mais difíceis que tenham sido seus primeiros meses, guardarei comigo, para sempre, aquelas lembranças. Lou jamais se tornaria o cão que se tornou sem as experiências que ali partilhamos, a vizinhança, as pessoas, nossa independência, as sessões de adestramento e as aulas em que ficávamos juntos, as escapadas para a *taquería*, as corridas na praia, a camaradagem. Um garoto e seu cão na Cidade dos Anjos. Acima de tudo, eu sentiria falta de nossas tranquilas jornadas até as montanhas de Santa Monica e da maneira tocante com que Lou zelava por mim enquanto perambulávamos pelas colinas, como irmãos.

A viagem para Seattle levou três dias e duas noites passadas em motéis que aceitavam cães. Atulhei o caminhão com minhas coisas, inclusive a moto, e algumas de Nancy. O Civic, com as rodas dianteiras presas a um reboque U-Haul, seguia atrás do caminhão frigorífico Isuzu. Ao meu lado — companheiro de cabine confiável — ia Lou, sorrindo para quem passava e saboreando uma amostra do que teria sido sua vida com o caminhoneiro maluco que encontráramos naquele dia em Willits.

Comecei a entoar "On the Road Again" pela décima quinta ou décima sexta vez. Lou me encarava e deixava escapar seu longo rosnado em tom de censura. Mas às vezes apenas olhava, desafiando-me a tentar de novo.

— Mas é Willie Nelson!

— *Rooooour! Rour!*

— Está bem, está bem!

Punha o nariz para fora da vidraça, farejava e abria a boca, deixando a língua pender ao vento. Gostava do ar da estrada, que para ele devia vir carregado de aromas que entravam por suas narinas numa velocidade de cem quilômetros por hora, como ocorreria comigo num bufê de Vegas.

Ao norte de Fresno, na Interestadual 5, cruzamos fazendas — a atmosfera de verão repleta do cheiro adocicado dos fertilizantes, que, uma vez inalado, logo se transforma em sabor. Lou sem dúvida sentia também o cheiro de vacas, carneiros, porcos ou qualquer outro animal que fosse criado ali. Talvez percebesse até o aroma das sequoias gigantes, a leste, ou do Pacífico, uns duzentos quilômetros a oeste, para não falar do diesel queimado pelas ceifadeiras John Deere. Fosse o que fosse, era agradável para ele.

Acima de Sacramento, eu me senti tentado a virar para oeste, pela Rota 20 até a Rodovia 101, e rever Mendocino, o local de nascimento de Lou. Mas Billy me esperava em Seattle em menos de dois dias, e desapontá-lo seria o mesmo que meter a cara num formigueiro. Hoje, lamento não ter ido; Lou e eu jamais regressamos a Willits enquanto ele viveu.

Paramos para passar a noite num motel barato perto de Red Bluff, na Califórnia, uma cidadezinha à sombra do monte Shasta, famosa por seus rodeios e leilões de gado. Pensei em dormir no próprio caminhão, mas ele não tinha ar-condicionado e o dia tinha sido cansativo. Precisava de banho, toalete e cama.

Naquela noite, vimos TV, comemos comida chinesa (Lou gostava de pastéis e macarrão) e praticamos alguns truques. Eu estava procurando associar comportamentos para a demonstração que faria à administradora do condomínio, e Lou foi quase perfeito. Obedecendo a uma série de acenos de mão distintos, ele agora se sentava, deitava, rolava, sentava de novo, girava para a esquerda e para a direita, latia, abanava o rabo, fingia-se de morto e voltava depois para junto de mim. Com isso, mais a corrida de longa distância e a parada no meio de um campo, estávamos prontos, a meu ver, para conseguir o apartamento.

— Não se esqueça de piscar, Romeu — recomendei, admirando suas pestanas longas e escuras e o contorno de seus belos olhos.

— *Ahu-ahu* — fez ele, sem perder de vista o último pastel.

Dividi o pastel no meio e convidei:

— Peça.

Lou acocorou-se, ergueu juntas as patas dianteiras e lambeu os beiços. Parecia um monge orando.

— Para quem vocês, cachorros, estão orando atualmente? Para Gog? — perguntei, jogando-lhe a metade do pastel. Lou apanhou-a com um movimento rápido da boca. — *Gog*, então?

Ele foi, então, para a porta, tocou-a com uma pata e me olhou: era o sinal de que queria sair.

— Foi uma brincadeira, seu bobo.

No dia seguinte, pela rodovia I-5, entramos no Oregon. O panorama agora era outro, e o ar estava mais fresco, menos seco.

— Árvores, Lou — disse eu, apontando para uma fileira de pinheiros altos e verdejantes ao lado da rodovia. Lou farejou o ar e lambeu os beiços. Depois, olhando para o alto dos pinheiros, resmungou como sempre fazia ao avistar um gato.

Do alto das árvores, um bando de pássaros alçou voo, subindo mais e mais — graciosamente — e descrevendo círculos concêntricos; mal batiam as asas.

— Águias, Lou — informei, enquanto elas atravessavam o ar como caravelas cruzando mares serenos. Com asas do tamanho de mesas de café, elas poderiam planar o dia inteiro sem esforço, à procura de alimento.

— Águias carecas — acrescentei, mal conseguindo distinguir suas cabeças brancas. Agora que estavam fora do alcance da visão de Lou, ele havia perdido o interesse e se deitado com a cabeça em meu colo. Estava cansado de ser um cachorro caminhoneiro e queria descer. Enquanto eu lhe acariciava a face e a parte interna da orelha, Lou bocejou e estirou uma perna sobre meu joelho, como para me forçar a pisar fundo no acelerador.

— Só mais um dia, meu caro.

A placa de boas-vindas de Bothell dizia: "Por um dia ou pela vida inteira". O que fariam ali os que ficassem um dia só? E os que ficassem a vida inteira? Continuariam encarcerados em Bothell? E se eu pretendesse ficar por dois anos e depois ir embora?

— Cá estamos, amiguinho — disse eu, estacionando o caminhão diante do complexo de apartamentos de Beardslee Cove. O sol brilhava e os jardins estavam em flor. Os prédios pareciam novos, bem localizados, tinham uma bonita vista.

Um casal de idosos, em trajes de verão, passeava com o neto e uma cadelinha *poodle*. Lou se pôs a choramingar.

— Pequena demais pra você, Romeu — brinquei, enquanto eles se distanciavam.

Fomos até uma área verde, onde Lou deixou uma quantidade prodigiosa de xixi efervescente que não parecia ter princípio nem fim.

— Meu Deus, onde você estava guardando tudo isso?

Uma eternidade depois, ele terminou, pondo-se a arranhar a grama com as patas traseiras para reivindicar sua nova morada. Coloquei-lhe a guia (o que me valeu um olhar zangado) e encaminhamo-nos para o escritório da administradora.

— Muito bem, amiguinho. É isso aí. Agora é com você — avisei. — Faça por merecer seu novo lar. Seja você mesmo, nada mais. Exiba seus truques, mostre-se alegre e lance seu melhor olhar Madre Teresa.

Deixei Lou em posição sentada diante da janela do escritório, com a guia solta.

— Fique aí, Lou — disse-lhe, mirando-o bem nos olhos, e entrei pela porta que era mantida aberta por um tijolo.

À mesa, estava uma bonita jovem loura vestida como uma corretora de imóveis no verão. Tinha olhos azuis luminosos e segurava uma caneta no canto da boca.

— Olá, sou Steve Duno, o cara de Los Angeles. Você é a Kathy?

Ela me observou por um segundo e tirou a caneta da boca.

— O rapaz do cachorro?

— Eu mesmo.

— Ah, olá! Você chegou cedo. Bem-vindo a Bothell.

— Por um dia ou a vida inteira.

— Então, viu a placa — disse ela, levantando-se para apertar minha mão.

— Vi.

— Cafona, não?

— Eu diria que é um tanto existencialista.

Ela me olhou fixamente por alguns instantes constrangedores, como se eu houvesse falado em aramaico. Não se deve usar a palavra "existencialista" em entrevistas, por mais apropriada que pareça.

— Onde está o cachorro?

— Lá fora — disse eu, apontando para a janela.

Ela olhou e viu Lou sentado como uma esfinge, observando-nos e rindo.

— É ele? — perguntou, com um ar surpreso. — Por que está sentado ali daquele jeito?

— Ordem minha.

Um pássaro gordinho passou por ele, mas Lou não se mexeu. *Você é um bom rapaz, Lou. Um bom rapaz!*

— É tão obediente assim?

— É o cachorro mais esperto que já vi em minha vida.

— Parece um garoto bem *grandinho* — disse ela, sem desviar os olhos dele e tentando compreender como aquele cão não saía no encalço de dois meninos que passavam de bicicleta.

— É calmo e afável. Gosta de todo mundo.

— Posso vê-lo de perto?

Bati palmas duas vezes. Lou entrou, sentou-se diante da jovem, ergueu uma pata e acenou.

— Oh, meu Deus! Mas ele é tão... bonito! — exclamou ela, inclinando-se para segurar sua pata. Lou correspondeu ao cumprimento, sentou-se ao lado dela e lançou-lhe o melhor olhar Madre Teresa que eu já vi; um olhar risonho, com as pupilas semicerradas, e impregnado de tamanha beatitude que comoveria até o coração do Diabo.

— Ele aprendeu bem.
— Parece aquele cara de *Scarface*.
— Al Pacino?
— Não, o outro.
— Ah, sim. Parece mesmo.

Fiz Lou exibir todas as suas habilidades — sem dizer uma palavra. Quando ele se ergueu, depois de bancar o morto, em vez de se sentar ao meu lado, aproximou-se da mulher e, gentilmente, pousou-lhe uma pata sobre o pé.

Ela acariciou sua cabeça e sorriu:
— Pode se mudar hoje?

A carreira de Lou como cão de caminhoneiro terminou tão rápido quanto começara. Eu não podia levá-lo comigo ao trabalho; o aeroporto com certeza proibia isso, como também o departamento de saúde. Precisava deixá-lo em casa quando ia ao aeroporto Sea-Tac despachar ostras, mariscos e mexilhões para a Marinelli Shellfish. Pela primeira vez, Lou teria de ficar sozinho durante a maior parte do dia.

O trabalho consistia em embalar frutos do mar frescos e enviá-los para revendedores do mundo inteiro, bem como para os restaurantes locais. O que eu ignorava era que estaria trabalhando com "Big Bob", o maior homem que eu já conheci.

Dois metros de altura, 170 quilos, mãos semelhantes a papos de pelicano. Bob era tão grande que precisava de um assento especial em seu Monte Carlo 1972, recuado quase meio metro da posição normal. Quando entrava no carro, este gemia e arriava como um pangaré. Bob respirava como um gigante, suava como um gigante, comia como um gigante e se movia como um gigante. Trabalhar com ele era como ter um pequeno planeta no banco do passageiro, influenciando com sua atração tudo o que você tentasse dizer ou fazer.

Bob era um gigante bonachão e amigável cujos sonhos não ultrapassavam os limites da vida real. Foi de San Francisco para Seattle, depois de adquirir alguma experiência profissional na Marinelli.

Trabalhei com ele todos os dias nos primeiros meses. Tenho 1,65 m e peso 60 kg nos bons dias — Bob era, pois, quase três vezes maior que eu. O pessoal do setor de carga do aeroporto começou a nos chamar de O Gordo e o Magro. Quando eu via nosso reflexo nas vidraças do prédio do escritório, não conseguia conter o riso.

Depois que ajudei Billy a organizar o escritório e encontrar um local para a firma, passei a me ocupar da embalagem do produto durante a manhã e de seu transporte para o aeroporto junto ao Bob, para colocar a preciosa carga nos voos certos. Após a primeira corrida da manhã, parávamos no Jack in the Box local, onde Bob pedia três desjejuns (eu, um) e devorava-os em metade do tempo.

— Por que você come tanto, Bob?

— Já viu um elefante descascar uma árvore até a raiz?

— Não.

— Homens grandes precisam comer muito.

Bob esquecia tudo. Horários de voo, conhecimentos de carga, registros de alfândega, lotes de remessa — se algo tivesse um nome, ele o esquecia. Isso provocava episódios tragicômicos, durante os quais o homenzarrão entrava em pânico e se agitava todo para não perder um voo. Arremessava fardos de 70 quilos nas esteiras do terminal de carga como se fossem cartas de baralho; tentei imitá-lo, mas o físico estava contra mim. Três meses naquela labuta me esgotaram.

Um carregamento de mariscos para a Costa Leste precisaria estar no voo da United Airlines vinte minutos antes. Tão logo chegamos ao terminal de carga, Bob saltou da cabine do caminhão, abriu a porta do baú e começou a jogar caixas na esteira.

— Vamos, Duno, só temos cinco minutos!

Entrei no baú e comecei a levar as caixas para perto da porta, onde Bob as apanhava. Curvei-me para apanhar a terceira, ergui-a... e gritei.

— Que foi?

— Minhas costas!

— Cuidado! — gritou ele, agarrando as duas últimas caixas e levando-as como se fossem embalagens de bolo para a esteira, ao fim da qual uma empilhadeira já esperava para depositá-las num contêiner.

Quando eu levantei a caixa, um choque elétrico correu da parte inferior de minhas costas, passou por minhas nádegas e chegou às pernas. Desabei num canto, incapaz de permanecer em pé.

Bob voltou após assinar o despacho.

— Você está bem?

— Não.

Ele me levantou como se eu fosse um bebê e me colocou na cabine. Em seguida, trouxe-me do baú um punhado de gelo.

— Vai conseguir trabalhar até o fim do dia?

— Leve-me de volta ao armazém, Bob.

Meu contrato não previa assistência médica. Fui para casa naquele dia sofrendo horrores e passei os dias seguintes na cama, à base de gelo e automedicação com ibuprofeno, além de uma velha garrafa de Sambuca, a única bebida alcoólica que tinha em casa.

Lou, ao lado da cama, cheirava-me e perguntava-se, sem dúvida, quando eu iria me levantar. Por sorte, minha vizinha Sabrina trabalhava à noite e prontificou-se gentilmente a passear com Lou durante o dia.

— Sinto muito, Lou. Preciso ficar de molho por uns dias.

Lou estava sempre atento ao meu estado físico e emocional; percebia agora que a coisa era séria, achando que farejar, lamber e ficar olhando ajudaria em minha recuperação.

— Chega disso. Vá se deitar.

Nos dias seguintes, descansei, coloquei gelo nas costas, li e vi muita TV.

— Televisão durante o dia enche o saco — confessei a Lou, que emitiu seu *rour* e tocou-me a cabeça com uma das patas, como para me tomar a temperatura.

Bill telefonou e pediu que eu voltasse logo ao trabalho, pois Big Bob estava fazendo a maior confusão e logo teria de ser assassinado ou deportado.

— Ele nasceu em San Francisco, Bill.

— Pouco me importa. Vou conseguir cidadania cambojana pra ele e deportar aquele bundão.

— Bundão... Realmente.

— Pode imaginar o espaço que ela ocupa?

— Relaxe, Bill.

— Tudo bem. Mas volte ao trabalho na segunda-feira.

No dia seguinte, consegui dirigir até uma clínica próxima. O diagnóstico foi distensão muscular, e o remédio prescrito, Vicodin.

— Isso é melhor que ibuprofeno e Sambuca — cochichei para Lou, à noite.

Altas horas, embora ele nunca tivesse feito isto antes, Lou subiu para a minha cama sem dar um pio e enroscou-se em mim. Acordei de manhãzinha com a perna dele em meu ombro e sua cara a poucos centímetros de meu nariz. Quando abri os olhos, ele pincelou meu rosto com a língua.

— Que porcaria! — ralhei, limpando a baba com o lençol suado e cheio de pelos. Ia mandá-lo descer da cama, mas mudei de ideia e permiti que ficasse. Lou deu um suspiro, consciente pela primeira vez em sua curta vida de que eu não era um personagem mitológico, mas um simples mortal como ele.

Anos depois, descobri que havia adquirido duas hérnias de disco na parte inferior das costas naquela manhã. O incidente me deixaria com dores pelo resto da vida e apressaria a realização do grande plano formulado em Los Angeles meses antes.

Uma semana depois de chegar a Bothell, Nancy arranjou um emprego no setor de atendimento da Safeco Insurance para ganhar mais do que ganhava em Los Angeles. Meus dias na Marinelli Shellfish estavam contados.

— Acha que poderá conviver com Lou e comigo em tempo integral sem nos matar a todos? — perguntei a ela, passeando os olhos pelo apartamento já agora bem mais organizado.

— Eu jamais mataria o Lou — disse ela.

Embora precisasse muito do salário, não poderia continuar naquele emprego sem acabar numa cadeira de rodas ou num manicômio. Billy era meu amigo, mas trabalhar para ele era o mesmo que ter o avô como professor de volante.

Agora, o grande plano. Ainda em Los Angeles, pesquisei clínicas de adestramento de cães por todo o país e descobri uma muito prestigiada ali mesmo em Bothell — a Academia de Comportamento Canino. Os donos e diretores, Jack e Colleen McDaniel, eram conhecidos por tratarem de cães problemáticos que ninguém mais ousaria acolher. Agressivos, medrosos, tirânicos, neuróticos, deficientes — não importava o desafio, eles os aceitavam. Pessoas de todas as partes do país mandavam seus cães perturbados à academia. Para muitos deles, aquela era a última parada do trem da vida: caso não conseguissem melhorar ali, a próxima seria a eutanásia.

A arma secreta da academia era seu programa intensivo de mudança comportamental que durava um mês, com todos os atos diários dos cães acompanhados e avaliados. Cachorros teimosos permaneciam um mês inteiro; longe dos donos e do ambiente doméstico onde os maus comportamentos haviam sido gerados e reforçados, os cães eram, por assim dizer, "reiniciados" — aprendiam boas maneiras, sociabilidade e obediência para responder de maneira positiva à interação e às intenções humanas.

Depois de uma avaliação e um diagnóstico acurados, os cães eram entregues a um adestrador que cuidava de todas as suas necessidades. Após trabalhar com o animal, em caráter exclusivo, por vários dias, o adestrador punha-o, num sistema rotativo, sob a responsabilidade de um profissional a cada dia. Isso ensinava ao cão que boas maneiras e obediência se aplicavam a todos os seres humanos, não apenas a uns poucos escolhidos.

O lugar, porém, não era só um reformatório canino. O cachorro mais bem adestrado do mundo pode ser rapidamente estragado por um proprietário com pouco conhecimento e pouca dedicação. A fim de evitar isso, os proprietários também tinham de receber instruções. Faziam visitas semanais, e nessas ocasiões aprendiam os elementos básicos de atitude e obediência, bem como a maneira de preservar o adestramento recebido por seus cães. Depois de algumas semanas, cães e donos estavam geralmente prontos para levar adiante suas vidas.

— Você não pode simplesmente entrar lá e pedir um emprego — ponderou Nancy.

— Por que não?

— Você tem experiência? Onde está seu currículo?

— Aqui — disse eu, apontando para Lou.

— O que quer dizer com isso?

— Conhece algum cão mais esperto, mais bem adestrado?

— Não.

— Quem o adestrou?

— Você e a mamãe.

— Lou é a prova de meu potencial. Se você fosse contratar um fotógrafo, não examinaria primeiro seu portfólio?

— E Lou é isso? — perguntou ela.

— Sim, Lou *é* o meu portfólio. Ele é a prova de que posso ensinar cães. Se um garoto entra na escola de algemas e sai com um diploma na mão, isso mostra que o professor sabe o que faz, não é?

— Não é o que acontece nas prisões?

— Estou falando sério.

— Sim, você é bom nisso. Mas, se não me engano, *Lou* também é. O mérito será seu ou dele?

— É o que preciso descobrir.

Ao estacionar na frente da Academia de Comportamento Canino, me senti como se penetrasse nos domínios de um mosteiro. Depois de um muro alto de tijolos e uma guarita abandonada, passei por uma fileira de cedros que contornava gramados e edifícios naquela propriedade de mais de doze acres. Cercados para exercícios, canis, moradias e vastos campos fechados pontilhavam a paisagem. Um cenário idílico, tranquilo.

Lou e eu passamos pelo portão e seguimos até o escritório central. Eu não havia marcado entrevista, apenas tinha dado um telefonema anônimo para saber se Colleen McDaniel estaria lá na ocasião. Ela estaria. E logo seria posta contra a parede por dois visitantes inesperados, um vigoroso cão americano, meticulosamente adestrado por mim, e um nativo de Nova York, autodidata e presunçoso, interessado em mudar de profissão.

— É isso aí, meu caro — confidenciei a Lou. — Sua última exibição nos valeu um apartamento; esta terá de nos garantir um emprego.

— *Rour.*

— Sim, sim, *Rour*, eu sei. Não estou brincando. Seja um bom menino e faça o melhor que puder. Você é um bom menino, não é?

— *Arugla*.

— Arugla? Esta é nova para mim. Mas gostei da palavra. Vamos integrá-la ao nosso vocabulário.

Abri a porta traseira do carro e coloquei a guia em Lou. Ele ficou amuado.

— Vão querer vê-lo primeiro andando na guia, seu bobo. Além disso, adestram cachorros malucos aqui, e não sabemos o que esperar.

Havíamos praticado aquela rotina a semana toda e estávamos confiantes. Eu só queria que não houvesse outros cães no escritório para distraí-lo. Era agora ou nunca.

Fiquei parado à porta, ansioso. Dera tudo de mim no adestramento de Lou e minhas esperanças dependiam daquela simples aventura. Se fracassássemos, eu teria de ficar em Seattle vendendo mariscos ou trabalhando como professor substituto, sempre na iminência de ser despedido.

Lou ergueu a cabeça e me olhou com o seu mais doce sorriso. Dei-lhe algumas palmadinhas.

— Obrigado, amigão.

Eu o amava muito. Entramos.

Mandei Lou ficar na posição sentada bem no meio do escritório. Uma cadelinha *spaniel* d'água irlandesa, num canto, observava Lou, com mechas de pelo rastafári caindo sobre os olhos. Parecia o astro do *funk* dos anos 1980, Rick James. Lou, galantemente, lhe retribuiu o olhar, mas permaneceu onde estava.

— Bom menino — sussurrei-lhe, olhando em seus olhos para que ele soubesse que eu falava sério.

— Oi — cumprimentei a recepcionista. — A Colleen está?

Uma mulherzinha de cabelos ruivos e espessos até o queixo apareceu.

— Sou a Colleen. Posso ajudá-lo?

Quando Colleen olhava para alguém, *olhava mesmo*, sem pestanejar, ouvindo atentamente o que a pessoa tinha a dizer, analisando suas palavras, e só então respondia sem disfarces, sempre com um comentário inesperado. Era em parte comandante de fuzileiros, em parte mística, em parte professora. Iria se transformar em um de meus mais importantes modelos de comportamento.

— Sou Steve Duno. Estou procurando um emprego de adestrador.

— É mesmo? — ela retrucou como se dissesse: *Oh, sim, e você é também astronauta nas horas vagas.*

— É. E gostaria de lhe mostrar o que posso fazer. Trouxe Lou comigo para uma exibição.

— Aquele ali, sentado, tão paciente?

— É.

— É um jovem bem-apanhado, mas está ficando um pouco inquieto. Acho melhor controlá-lo antes que ele pule em cima da minha cadela Deuce e descubra quem manda por aqui.

Ela e a recepcionista sorriam uma para a outra, como se aquele tipo de espetáculo amador acontecesse todos os dias, para embaraço do artista. Sem dúvida, elas esperavam que déssemos de cara no chão, como um concorrente do *American Idol* cujo talento começa e termina dentro de sua própria cabeça.

Postei-me no meio do recinto. Lou, que estivera um tanto impaciente, voltara a sentar-se empertigado, olhando para mim.

— Estamos esperando.

Nosso momento *Flashdance*.

Com gestos sutis de mão, coloquei Lou para trabalhar. Ele se deitou e sentou-se novamente — tudo muito rápido, muito preciso. *Bom menino!* Virar à esquerda, virar à direita — giros completos sobre si mesmo, com os pés mal tocando o carpete. Pender para a direita, pender para a esquerda — mantendo a pose como um garoto esperto da primeira fila.

Lou se comportou como um ginasta. Ladrou, emitiu seu *rour*, deitou-se rapidamente e fingiu-se de morto, rolou para a esquerda, rolou para a direita, ergueu-se, recuou dois passos, adiantou-se, rodeou-me, voltou ao seu lugar, adiantou-se de novo, esperou a meio caminho, a três quartos do caminho, deitou-se, ficou imóvel, pegou um biscoito no ar.

Nenhum aplauso. Colleen e a recepcionista se entreolhavam sem abrir a boca. Então ela contornou o balcão e aproximou-se de Lou, de braços cruzados. Lou continuava parado, mas balançando a cauda. Deuce também se aproximou para cheirá-lo. Colleen mandou que ela se afastasse, acariciou o pescoço de Lou e falou-lhe com brandura. Ele a olhou. Pronto — Madre Teresa.

Colleen virou-se para mim, de braços cruzados ainda, com uma expressão enigmática no rosto, como um sargento instrutor prestes a elogiar ou punir.

— Excelente.

— Posso então... ser adestrador? — perguntei.

Ela riu da minha petulância.

— Ensinar truques a um cachorro esperto e interessado em aprender não faz de você um adestrador.

— Mas trabalhar aqui, sim.

Ela sorriu de novo, olhou discretamente para a recepcionista e sacudiu a cabeça. A seguir, fitou-me bem nos olhos.

— Com exceção de meu marido, Jack, todos os adestradores aqui são mulheres. Estivemos pensando em contratar um homem para expor os cães aos dois sexos. É espantoso que você tenha aparecido aqui justamente hoje.

— Destino.

— Você será nosso primeiro aprendiz de adestrador e ficará sob as ordens de Nancy Baer, a diretora. O salário não é alto, e o trabalho exige muito. E a maioria dos cães que adestramos não se parece em nada com este — concluiu Colleen, apontando para Lou, que se aproximou dela para sentir os cheiros de dezenas de cães que impregnavam a perna de sua calça.

— Então você está me contratando?

— Você não sabe no que está se metendo.

O momento decisivo da minha vida foi coreografado por um cachorro. Ele havia me ajudado a ensinar crianças e colocado para correr dois sequestradores de cães. Tinha salvado minha vida no 7-Eleven, conseguido um apartamento para mim e agora me garantia um emprego. Tinha 2 anos de idade. Eu o achei no mato.

— Vamos nos sair bem desta embrulhada, amigão.

8

O professor Lou

O primeiro cachorro que peguei para adestrar na academia foi um terrorista de 80 quilos cujo apelido era "Bobão". Esse terra-nova despótico, se você tentasse tirá-lo de seu canil, derrubaria a porta e, erguendo-se nas patas traseiras, agarraria seu braço e arrastaria você pelo chão como uma boneca de pano. Não era Cujo*, mas estava bem perto disso.

Nancy Baer tomou-me sob suas asas. Embora fosse tão hábil quanto Colleen, as duas mulheres não podiam ser mais diferentes. Alta e de cabelos negros ondulados, Nancy era... bem... espirituosa. Mesmo quando as coisas

---

* **Cujo**, nome do cachorro personagem de um filme de horror baseado no livro homônimo *Cujo*, de Stephen King. (N.T.)

iam de mal a pior, ela punha um sorriso no rosto e uma cadência animada na voz; tinha sempre algo de positivo a dizer. Se Colleen era meu Yoda, Nancy era minha Glenda.

Mas, mesmo assim, aquilo foi um batismo de fogo. Parecia um reformatório, com Colleen vigiando Nancy para ela não me dar trégua. Queria saber logo se eu estava mesmo à altura da tarefa.

— Abra a porta do canil e segure a pequena guia azul presa à coleira dele — instruiu Nancy, incapaz de conter por mais tempo o riso. — Depois, passe esta coleira de adestramento pelo pescoço dele, prenda a guia e mande-o se sentar antes de trazê-lo para fora.

— Ele sabe sentar?

— É o que veremos.

Bobão era o exemplo clássico do cachorro que se vale do tamanho e da força para intimidar e controlar. Tinha ido para a academia depois de afligir a namorada do dono e amedrontar as pessoas com seu porte e comportamento selvagem. Sempre que a namorada abria a porta do quarto onde Bobão ficava, ele baixava a cabeça como um búfalo, saía correndo e *montava* nela. A pobrezinha vivia sendo molestada sexualmente por um cachorro.

Bobão havia iniciado seu mês de adestramento na véspera; ninguém tinha ainda trabalhado com ele. Sua cabeça e seu corpo eram enormes. Imagine um filhote peludo de búfalo em sua sala e terá uma imagem vívida de Bobão.

— Por que ele está aqui? — perguntei, enquanto o monstro punha todo o seu peso contra a porta, imobilizando-a, e me observava estender a mão para a maçaneta.

— Porque nunca foi adestrado e aprendeu a usar a força e o tamanho para conseguir o que quer — explicou Nancy. — Monta na namorada do dono e põe todo mundo para correr rua abaixo como personagens de desenho animado quando alguém tenta passear com ele. E usa a boca também. Muito.

— Morde?

— Não exatamente. *Usa* a boca. Como uma mão. Mão forte, perigosa, cheia de dentes.

Bobão, salivando, lançava-me um olhar quase de piedade, como se dissesse: *Sinto muito, otário, mas esse sou eu*. No instante em que larguei a maçaneta, o monstro se precipitou como um tanque Abrams e fez menção de correr para a entrada norte do canil. Segurei firme a curta guia azul, mas fui arrastado pela alameda como se descesse um tobogã. Rindo, Nancy correu para me socorrer, passou uma coleira pelo pescoço do bárbaro e prendeu-lhe outra guia.

— Bem-vindo ao meu mundo — saudou-me, enquanto Bobão pousava as patas dianteiras em meus ombros, olhava-me de cima a baixo e lambia meu rosto com sua língua do tamanho de uma raquete de pingue-pongue.

Ela o fez subir e descer a alameda algumas vezes, mudando de direção sem aviso prévio, sempre segurando a guia com graça e estilo. Observando-a, notei alguma semelhança entre adestramento de cães e artes marciais: em ambos os casos, a excelência física é contrabalançada com atitude, compreensão e disciplina mental. Em poucos instantes, o cachorro já começava a prestar atenção e responder aos seus movimentos, em vez de tentar assumir o comando da caminhada.

— Eles precisam adivinhar o que você vai fazer — disse Nancy, dando um giro de corpo abrupto para a esquerda diante do focinho da besta. — Altere a velocidade e o rumo, porque assim eles ficam atentos. Concluem que é mais fácil ficar ao seu lado do que atrás.

Aquilo lembrava a maneira como eu próprio havia adestrado Lou para caminhar. Mas, sem dúvida, Nancy era bem melhor na função.

— Não deveríamos usar recompensas? — perguntei.

— Com ele, ainda não. Só usamos recompensas para implantar comportamentos em cães mansos. No caso deste, só mascarariam o problema.

— E qual é o problema?

— Bobão é um troglodita.

Quando Nancy saiu com ele, o inferno escancarou as portas. Logo que nos vimos fora, Bobão saltou, golpeando o ar com suas patas gigantes. Nancy parecia estar tentando domar um cavalo.

— Ele quer me morder — advertiu ela.

Numa fração de segundo, Bobão agarrou o pulso dela, mas sem arranhar a pele.

Vi o monstro erguer-se no ar, espirrando baba para todos os lados.

— Ponha nele a sua guia! — gritou Nancy, sabendo bem que a única maneira de controlar a fera seria com guia dupla.

Fiz um laço com a minha e lacei sua cabeça em pleno ar. Um instante depois, ele estava dominado e, com ele espremido entre nós dois, começamos a conduzi-lo pelas imediações. Aquela foi, sem dúvida, a primeira vez em que humanos conseguiram impor sua vontade à intratável criatura.

Logo descobrimos outro de seus impressionantes talentos: Bobão era capaz de derrubar qualquer um com uma chave de perna. Abraçava a perna da pessoa com as patas dianteiras e, rápido como Bruce Lee, puxava-a, desequilibrando a vítima. Fez isso comigo duas vezes antes que eu tomasse juízo e ficasse pelo menos um metro distante do mestre de caratê. O espetáculo era ao mesmo tempo cômico e fascinante; de que modo ele havia aprendido aquele golpe e como, por Deus, conseguia alguém *conviver* com semelhante cão?

No dia seguinte, Nancy me deixou a sós com Bobão. O bicho tentou saltar e puxar minha perna, mas agora eu já estava esperto com ele. Inverti a direção, dei voltas, ajustei a velocidade e usei o corpo como ele o faria, para controlar a dança. Era como se estivesse adestrando um gigante.

Depois de alimentá-lo e cuidar dele todos os dias, ensinando-lhe obediência e recompensando-o quando merecia, acabamos por nos tornar amigos. Esse foi o primeiro e grotesco passo que dei no caminho de tornar-me um adestrador e de entender o mundo do ponto de vista de um cachorro.

Muitos dos bons adestradores de cães que conheci tinham, por assim dizer... personalidades caninas. Concentravam-se, ouviam, usavam seus sentidos e tinham uma noção inata de integridade. Mas eram também um pouco tribais e demoravam a simpatizar com gente nova. Quase todos diziam só o que pensavam, sem fingimento, e não pretendiam ser politicamente corretos. Mais ou menos como... cães. Era assim na academia.

— Quem é o grã-fino? — perguntou Tracy, entrando na sala dos adestradores. Jovem, bonita e atlética, Tracy tinha um talento natural para aquela profissão e era, em definitivo, alguém cuja simpatia tinha de ser conquistada com esforço. Ela e o marido, Neal — que tomava conta do canil —, eram duas pessoas de muito bom coração que, quando confiavam numa pessoa, podiam dar-lhe até a roupa do corpo. Mas, para um recém-chegado da Costa Leste que havia acabado de conseguir um emprego ali, conquistá-los demoraria mais que uns poucos dias.

— Tracy, este é Steve — disse Nancy. — Nosso novo homem aqui. Seja boazinha e não deixe que o devorem.

— Provavelmente ele mesmo facilitará isso — retrucou ela, com um sorriso maldoso.

— Tome cuidado com os *cocker spaniels* — emendou Julie, erguendo os olhos da papelada e sorrindo.

Elegante e sempre de bom humor, Julie podia discorrer sobre *rottweilers*, Dickens ou a Nasa, conforme a audiência. Seu humor era de fato incisivo, mas, como os outros, ela precisava de tempo para simpatizar com gente nova.

— Ouvi dizer que os *cockers* podem ser perigosos — arrisquei.

— Não são deste mundo — ela completou impassível.

— Um clássico de Roger Corman — citei, lembrando-me de um filme de ficção científica dos anos 1950 com esse título.

— Não sou muito fã de Corman — replicou ela.

Nancy e Tracy se entreolharam.

— Eu o conheci em Los Angeles. Ele faz aniversário no mesmo dia que eu.

— Muito bem, então — concluiu ela. — Agora, vou cuidar de um cachorro.

A diferença entre trabalhar com Lou e na academia era a mesma que entre jogar no ensino médio e na liga profissional de beisebol. No ensino médio, você pode acompanhar a curva da bola e tem um segundo para decidir o que fazer; na liga, a bola chega como um raio e cai nas mãos do apanhador antes de seus neurônios poderem ordenar às suas mãos que se ergam.

Eu nunca tinha visto tantos cachorros desobedientes e desajustados antes. Enquanto Lou era um aluno exemplar, os cães da academia não passavam de desordeiros, hiperativos, preguiçosos, brigões, loucos, assassinos e mártires. Era a liga dos profissionais, e eu tinha de aprender não apenas a adestrá-los, mas também a recuperá-los, modificá-los, acalmá-los, convencê-los, controlá-los e ensinar-lhes alguma coisa — como boas maneiras, confiança, disciplina e autoconfiança, assegurando ao mesmo tempo, aos donos, que aquilo não era culpa deles (embora às vezes fosse) e que nem tudo estava perdido. Eu precisava resolver problemas novos, dar soluções novas — e continuar vivo. Havia muito que aprender.

A cada dia eu trabalhava com seis ou mais cães de raças, idades e temperamentos variados. Grandes, pequenos, assustados, repulsivos, perigosos, irrequietos, simplórios, irritadiços — todos diferentes, todos problemáticos. Os problemas de alguns iam muito além da mera desobediência. Havia os agressivos; mas todos muito confusos por estarem longe de casa. Eu passava de um para outro trabalhando socialização, obediência, atitude, autoconfiança — o que quer que fosse necessário para melhorar o cão. Um *cocker* irascível, um labrador hiperativo criado no campo, um *saluki* desconfiado, um dálmata surdo — eu nunca sabia o que ia ter pela frente a cada dia.

O trabalho era extenuante, tanto física quanto emocionalmente. A maioria dos cães, ali, apresentava altos níveis de stress que qualquer pessoa podia perceber com facilidade, ondas de emoção que, em grande parte, determinavam a próxima medida a tomar.

O melhor do trabalho na academia era que Lou me acompanhava diariamente. Se não causasse problemas nem ocupasse espaço, o cão do adestrador era bem-vindo. Formávamos, de novo, uma equipe.

Como ficou claro para todos, Lou tinha um talento especial para conquistar o coração e a mente de cães que, em geral, não estavam dispostos a dar atenção a seus iguais. Ser amigo e mentor de animais antissociais e agressivos tornou-se sua marca registrada. Forte e habilidoso, Lou recorria às suas raízes selvagens, aos seus reflexos rápidos e à serenidade para ganhar o respeito até dos cães mais perigosos. Veloz e vigoroso, ele os esgotava e por fim se fazia tolerar — e, às vezes, até amar.

Para aqueles cachorros perturbados, era um imenso alívio conhecer um em quem pudessem confiar. Lou enfrentava o pior que havia neles sem perder a compostura ou guardar ressentimento. *Quem é esse cachorro maluco?*, deviam pensar, vendo que suas atitudes agressivas não assustavam aquele valentão preto e castanho.

Seus olhos serenavam quando Lou entrava no recinto; aterrorizados ou enfurecidos à vista de qualquer outro cão, seus rabos começavam a balançar no momento em que Lou se punha a dançar no recinto, dizendo alô e exibindo sua agilidade. Esse grande trunfo de Lou me facilitava o acesso ao coração de cães descontrolados que, sem mais nenhuma esperança de reabilitação, de outro modo, teriam de sofrer a eutanásia. Com aquele cão extraordinário ao meu lado, eu era sem dúvida um grande adestrador.

Se Lou tiver de ser lembrado, será graças ao modo como ajudou centenas de cachorros a encontrar a paz em suas almas irrequietas. Ele lhes ensinou a perder o medo, mostrando-lhes como a vida pode ser boa. As famílias, felizes pelas novas perspectivas que garantíamos aos seus bichos de estimação, sentiam-se especialmente gratas por não ter de tomar aquela fatídica decisão, que lhes iria assombrar a consciência durante anos. Mas não fui eu quem fez tudo isso; foi Lou.

Solo parecia um cachorro, corria como um cachorro e latia como um cachorro. Mas os outros de sua espécie o aterrorizavam, deixando-o literalmente arrepiado. Sentia afinidade, mas não conseguia falar a língua deles. Tinha medo da sua própria espécie.

Recebeu esse nome pelo fato de ser o único filhote da matilha. Mestiço vigoroso de cão de caça e *pit bull*, nunca havia brincado, se imposto ou brigado por *status* com seus iguais. Agora adulto, não sabia como agir diante de outros cães. Solo era infeliz — e perigoso.

Graças às brincadeiras de infância em família, os cães aprendem a se socializar uns com os outros. Linguagem corporal, hierarquia, contenção, comunicação — tais coisas se desenvolvem naturalmente durante esse período de três a dez semanas. Dando e recebendo, os cães aprendem a se comportar em grupo. Sem esse aprendizado, tornam-se párias dentro de sua própria espécie.

Embora fosse afável e ponderado, Solo simplesmente não dispunha das habilidades sociais para ficar à vontade com outros cães. Perto deles, ficava superexcitado diante da perspectiva de interagir; e, caso o contato se estreitasse, vinha-lhe o terror. Em suma, não conseguia "ser cachorro". Era como se, numa estação de metrô, centenas de pessoas gesticulassem e gritassem para você em dez línguas diferentes. Isso, para Solo, era insuportável.

Sua dona, Megan, procurou-nos na esperança de que pudéssemos ajudar. Caso contrário, teria de renunciar a Solo. Poucos abrigos aceitam cães agressivos, por isso o próximo passo para ele seria a seringa do veterinário.

Solo se tornou o objeto de meus cuidados especiais. E isso implicava pôr em ação a única criatura capaz de sobreviver à sua ira, amenizar seus medos e ajudá-lo a ingressar na sociedade canina: Lou.

Megan e o marido eram calouros em matéria de cães e não tinham ensinado muita coisa a Solo em termos de obediência básica. E sem obediência básica não havia meio de alguém se comunicar com ele, controlá-lo, fazê-lo comportar-se. Esse seria nosso principal objetivo.

A primeira coisa que eu costumava fazer com cães medrosos, como Solo, arrancava risos de meus colegas adestradores. Entrava no canil com um livro na mão, sentava-me e lia em voz alta. Nada mais. Fiz isso muitas vezes com Lou no começo, a fim de ensiná-lo a se acalmar antes de dormir. Agora empregava o mesmo método na academia, um método que não intimidava e podia tranquilizar até o cachorro mais estressado. Quando o cão era muito agressivo, eu de início ficava sentado fora do canil de costas para ele, lendo calmamente e jogando petiscos pela cerca que me separava da fera. Em questão de minutos, o cão parava de rosnar e ameaçar e deitava-se para ouvir.

Li *O Hobbit* para Solo. Ele pareceu gostar — sobretudo das partes em que aparece Beorn, o homem-urso que sempre muda de forma. Todos os dias, antes de tirá-lo do canil, eu lia quatro ou cinco páginas para ele; na segunda, ele já se aproximava de mim, e na terceira, lambia-me o pescoço, sentando-se ao meu lado como um garotinho.

Eu gostava de Solo, de sua personalidade admirável, divertida. Ele era forte, viril e afetuoso como Lou; e quando saíamos sem nenhum outro cachorro por perto, ficava calmo, tornando-se então um bom companheiro.

Mas podia também ser destrambelhado. Cachorros grandes e atrevidos, quando não recebem o adestramento conveniente, mostram-se irresponsáveis, quebrando e derrubando tudo diante de si sem nenhum controle. Comecei, pois, a ensinar a Solo as lições caninas elementares.

Escolhi uma sala de aula desocupada para ministrar-lhe obediência básica. Ainda assim, Solo estava nervoso por causa dos cheiros e latidos de uma centena de cachorros nos edifícios próximos.

Trabalhamos de início os comportamentos de sentar-se, deitar-se e caminhar, recorrendo ao expediente do elogio e da recompensa. Eu usava meu corpo como se fosse o de um cão, girando rápido, inclinando-me, mantendo a postura, olhando-o nos olhos. Era amigável, mas exigente, e depois de algumas sessões Solo começou a apreciar essa atitude.

Ele gostava de creme de amendoim. Muito. Assim, para ensiná-lo a me seguir da maneira correta, eu muitas vezes besuntava um pouco desse doce na ponta de uma vara e agitava-a diante de seu focinho enquanto caminhávamos, o que me permitia controlar bem sua posição e recompensá-lo em tempo real, sem ter de parar para atirar-lhe um petisco. Método bem conhecido da cenoura na ponta da vara.

No terceiro dia, levei Solo para a classe a fim de trabalhar os comportamentos básicos, como de costume. Ele correspondeu animadamente, lambendo o creme de amendoim quando eu o oferecia. Depois de alguns minutos, parou de repente e se sentou, farejando o ar e correndo os olhos pela sala. Os cães têm boa visão para captar o movimento, mas nem sempre conseguem perceber algo absolutamente imóvel. Entretanto, ele havia detectado alguma coisa ali por perto com seu faro.

Lou permanecia sentado, imóvel, em cima da rampa de exercícios de agility, no extremo da sala — seu pelo misturado à cor da parede, a focinheira pendente e os olhos dourados atentos a qualquer movimento. Eu o colocara ali poucos minutos antes. Agora, vendo-me trabalhar com aquele cão enorme e irascível, Lou sabia bem o que eu esperava dele e nada temia.

Solo se lamuriava, rosnando e rejeitando as ofertas de creme de amendoim. Quando um cão se sente ameaçado, o que ele quer não é comida, mas segurança. Quem pensa que o alimento vence o medo nunca esteve às voltas com um cão como Solo.

Continuei a lhe ensinar obediência como se nada tivesse mudado. Após um minuto, dei a Lou o sinal de sentar, o que ele prontamente fez em cima da rampa, a mais de um metro do chão.

Solo rosnou. Ignorei-o e andei com ele pela sala. Lou, por conta própria, começou a abanar o rabo para nós.

— Fique aí mesmo, amigão — ordenei-lhe.

— *Rour.*

Soltei a guia. Solo correu para a rampa e começou a ir e vir por baixo de Lou, agora todo empertigado diante do grande cão de pelo castanho. Solo rosnava, tentando agarrar Lou; mas este, feliz com a brincadeira, andava para a frente e para trás na rampa. Toda vez que Solo fazia menção de avançar contra ele, Lou se esgueirava graciosamente para a direita ou para a esquerda e, parando, esperava que Solo fizesse o próximo movimento.

Peguei a guia de Solo, conduzi-o até a parede dos fundos e amarrei-o num gancho. Em seguida, voltei para perto de Lou e acariciei-o um pouco, bem diante dos olhos de Solo, que ficou sentado espiando-nos com um ar cínico.

— Você é um bom menino, Lou — disse eu. — Você também, Solo!

Quando me aproximei novamente de Solo, Lou saltou com elegância da rampa para um cavalete de exercícios a um canto e, postando-se no vértice — a quase um metro e meio do solo —, obteve uma visão geral do recinto.

Soltei Solo, que correu para a base do cavalete, sentou-se e pôs-se a observar. Sem resmungos. Lou exibiu suas habilidades de pônei saltador e acenou para Solo.

— *Arugla*.

— Bons garotos — cumprimentei-os.

Foi o fim da sessão. Ainda que tenha sido por um rápido instante, Solo havia tolerado a presença de outro cão sem se encolher todo. Talvez pela primeira vez na vida, a curiosidade tinha vencido o medo que ele sentia. E aquilo não exigiu uma semana de recompensas, apenas uns poucos minutos na companhia do cão certo.

Alguns dias depois, Solo e eu voltamos à sala, onde deparamos com Lou esperando pela divertida brincadeira no alto da rampa. Ao vê-lo, Solo sequer latiu ou resmungou. Joguei-lhe um presente especial — um pedaço de carne-seca, que ele prontamente engoliu. Fui para perto de Lou, sem deixar de alimentar Solo durante todo o trajeto. Em seguida, dei um pedaço também para Lou, que o fez sumir logo.

Postei-me do outro lado da sala. Solo hesitava entre me seguir e ficar olhando para Lou.

— Lou, venha aqui! — gritei.

Ele saltou da rampa por cima da cabeça de Solo, pousou no piso acarpetado e correu em minha direção. Joguei-lhe um pedaço de carne, que ele abocanhou. E o drama teve início.

Como um peixe-dourado no tapete do banheiro, Solo não sabia o que fazer. Enquanto Lou brincava pela sala, Solo atirou-se contra meu vigoroso mestiço de *rottweiler*. Com o pelo curto eriçado e a cauda em riste, ele queria briga.

Lou se esquivava, corria e saltava, evitando a ira de Solo. Era como ver um albatroz perseguindo Tinkerbell. Lou se deslocava rampa acima, sobre o cavalete e pelo chão, agarrando-se ao carpete emborrachado para firmar-se enquanto Solo escorregava no piso nu.

Deixei-os assim por uns dez minutos. Queria que Lou desse o sinal de aproximação, e sabia que ele iria fazer isso.

Por fim, Lou parou com o rabo balançando e os músculos contraídos. Chamava Solo. Tenso como aço, Solo se aproximou e comprimiu o focinho contra o de Lou, que em seguida deu a volta para cheirar o traseiro do outro. Solo, rosnando, tentou morder Lou, que se esquivou de suas mandíbulas e, num giro de 180 graus, ficou frente a frente com ele. Solo, com um riso de escárnio, avançou de novo — era como assistir a *Operação Dragão*, com Bruce Lee.

Foi o bastante para Lou. Ao contrário do filhote de 8 meses que de bom grado evitaria a ira de outros cães, Lou, agora com 2 anos, havia decidido que, se o adversário ainda quisesse briga, ele estava pronto. Embora o risco fosse grande, eu sabia que aquele seria um bom remédio para Solo e que Lou aproveitaria a oportunidade para testar seu próprio autocontrole.

Solo foi atirado ao chão. Um rugido saiu da garganta de Lou, como eu não ouvia desde aquele dia na frente do 7-Eleven, surdo como o estrondo de um terremoto nas profundezas da Terra. Agora escarranchado sobre Solo, Lou sacudiu-o pelo pescoço, soltou-o e afastou-se alguns passos. Solo se ergueu e, atônito, pôs-se a andar em pequenos círculos pela sala. Nenhum cachorro tinha ousado fazer aquilo antes com ele. Lou seguiu-o por algum tempo e depois veio para o meu lado.

— Bom rapaz, Lou — disse eu, dando-lhe mais um pedaço de carne-seca. Para minha surpresa, Solo também se aproximou e ficou esperando o seu bocado, pertinho de Lou, que não parecia guardar ressentimento.

— Bons rapazes! — exclamei, acariciando a cabeça de ambos.

Aquelas não eram técnicas de adestramento muito avançadas. Nada de estalidos com a língua, sininhos, assobios ou psicologia humana. Era justiça rápida e sumária. Solo estava progredindo.

Nas semanas seguintes, adestrei os dois juntos, deixando-os brincar e infernizar à vontade. Passaram um bom tempo na companhia um do outro. Lou teve de conviver com ele mais algumas vezes, mas por fim Solo concluiu que, afinal de contas, seus medos não tinham razão de ser; passou a confiar em Lou e logo já sorria e gracejava quando estávamos todos juntos.

Ficavam sentados ou deitados um ao lado do outro por muito tempo em diversos locais, inclusive na frente do prédio, por onde cães e pessoas desfilavam em grande número. A obediência cada vez maior de Solo, combinada com sua confiança em Lou, ajudava-o a manter-se calmo e controlado; em vez de ter seus acessos de pânico, mantinha-se tranquilo olhando para mim e Lou. Estava aprendendo a relaxar e a ser um cachorro.

Passei a adestrá-los ao ar livre, num pátio de exercícios, e depois num grande campo cercado, onde os dois faziam travessuras como filhotes. O espaço maior realmente ajudou a amenizar a situação para Solo; quando se sentia tenso, afastava-se um pouco, enquanto Lou e eu brincávamos de pega-pega.

Solo permitiu que Lou o apresentasse a outros cães, os quais — eu sabia — podiam inspirar tanta confiança e tanto equilíbrio quanto Lou. Fiz isso primeiro em campo aberto e fui passando aos poucos para áreas menores, até que Solo pôde ficar sem guia na companhia de qualquer outro cão. Posição de deitar-se/sentar-se, exercícios de acompanhamento, caminhadas em fila — tudo isso ele dominou quase sem nenhuma objeção. Depois de dois meses conosco, já era outro.

Mas nada daquilo significaria coisa alguma se eu não conseguisse transferir o controle para Megan, sua dona. Pessoa honesta e bondosa, ela compreendia a seriedade da situação de Solo e estava pronta para fazer sua parte.

Após o prazo de duas semanas, os donos vinham para a primeira visita, quando observavam os progressos dos cães e permaneciam com eles por algum tempo. A emoção não faltava nessas ocasiões; e, muitas vezes, o cão revertia temporariamente aos hábitos antigos tão logo dava com os olhos em sua família.

Para impedir que isso acontecesse, solicitávamos aos donos que ficassem sentados silenciosamente num canto do saguão do movimentado escritório. Em seguida, levávamos o cão para lá e testávamos sua obediência, como havíamos feito todos os dias. Não raro, o cão sequer dava pela presença da família, permitindo que mostrássemos tudo que ele aprendera. Tal procedimento funcionava bem com a maioria dos cães, exceto galgos e pastores-alemães, que sempre percebiam, pelo faro, a proximidade dos donos, antes mesmo de os levarmos para o saguão. A fim de mantê-los fora de combate, esfregávamos um pouco de Vick VapoRub abaixo de suas narinas, o que neutralizava temporariamente seu faro.

Megan e o marido, Curt, ficaram sentados calmamente no sofá enquanto eu fui buscar Solo. Lou e outro cão já estavam ali, mostrando suas habilidades de sentar-se e deitar-se. Fiz Solo percorrer o recinto com a guia frouxa, passando pela frente dos outros cães. Depois, mandei que se postasse ao lado de Lou, de costas para o sofá. Solo lambeu Lou — e Megan sufocou um grito.

Ordenei que Lou se levantasse e caminhasse por ali sem guia. Solo quis fazer o mesmo, mas se conteve quando parei e lhe apontei o dedo. Depois de colocar Lou em posição sentada junto de Solo, passei por cima deste algumas vezes. Ele não se moveu.

A expressão de Megan era uma mistura pictórica de alegria e incredulidade. Fitando-a nos olhos, descobri o que a animava: a esperança.

Então Solo farejou o ar e começou a se agitar. Tinha percebido a presença de Megan e Curt. Antes que tentasse se soltar, larguei a guia, andei com ele pela sala, dei-lhe um pedaço de carne-seca e aproximei-me dos dois, fazendo-lhes sinal para se levantarem a fim de impedir que Solo pulasse em seu colo. Lou ficou onde estava, observando.

— Solo, sente-se! — ordenou Megan, como se eu houvesse lhe pedido isso. Ele se sentou, mas não pôde se conter emocionalmente — girou e choramingou como um garoto de jardim da infância em seu primeiro dia. Permiti que o casal o acariciasse. Megan começou a chorar; Curt parecia estupefato.

Agora eu tinha de mostrar o que Solo havia aprendido. Com Megan e Curt de volta ao sofá, levei-o para junto de Lou, onde, após várias tentativas, consegui que se sentasse. Muitas vezes, a essa altura, o cão perde as estribeiras e dirige suas frustrações para o alvo mais próximo — que, no caso, era Lou. Mas, em vez disso, ele apenas gemeu e chorou as mágoas com o amigão estendido ao seu lado.

— Tem certeza de que este é Solo? — perguntou Megan. — Ele está *perto* do outro cão!

— É o meu cão, Lou. O responsável pelo bom comportamento de Solo.

— Eles gostam um do outro.

— Agora, sim.

— Um verdadeiro milagre — murmurou ela, mal acreditando no que via.

— E é só o começo — eu garanti. — O mais difícil será adestrar vocês.

Megan e Curt fizeram mais duas visitas, durante as quais lhes ensinei os pontos básicos de obediência e a maneira de usar a guia. Embora de início soubesse muito pouco, Megan aprendia rápido e tornou-se uma ótima aluna. No fim do mês, Solo já obedecia a ela e a Curt com o mesmo entusiasmo que mostrava para comigo.

Mas Solo ainda não estava pronto. Os dois entenderam como era importante continuar socializando-o e educando-o como mentores, e não como irmãos, servos ou defensores. A fim de mantê-lo vivo, sabiam que teriam de mostrar autoridade.

Megan ficou tão confiante trabalhando com Solo que, logo depois, decidiu adquirir outro cachorro, Sasha, a quem Solo, ajudado por mim e por Lou, se apegou rapidamente. Pouco depois disso, mais um cão — chamado Java — entrou na vida do casal; abandonado com apenas 5 semanas de idade, Java nunca havia recebido a devida atenção de sua mãe e de seus irmãos. Mas haveria de ficar bem: Solo e Sasha cuidariam dele.

Solo viveu até a idade avançada de 13 anos. Não apenas reteve tudo o que aprendeu com Lou como usou esses conhecimentos para socializar Java, que de outro modo se tornaria tão assustadiça e antissocial quanto o próprio Solo tinha sido no início. Ele "passou adiante" sua sabedoria.

Agora, um pequeno detalhe fantástico. Trabalhando no primeiro esboço deste capítulo, procurei em vão descobrir o paradeiro de Megan e Curt. Queria contar a história de Solo, mas minha memória hesitante não conseguia preencher todas as lacunas. Então (e não estou enganando o leitor), no *exato* momento em que revia algumas fotos antigas de Lou, recebi um e-mail de ninguém menos que... Megan! Ei-lo, na íntegra:

Oi, Steve:

Só queria mandar lembranças a um de meus primeiros mentores de cães! Meu marido Curt e eu éramos donos de Solo, o mestiço de pit/chessie que o seu Louie ensinou a brincar com outros cães. Isso nos permitiu adotar o mestiço de pastor australiano/border collie Sasha, do canil PAWS. Foi você quem apresentou Solo e Sasha na Academia. Obrigada por nos ensinar a adestrar Solo e a descobrir que ele era o amigo certo para nossa família.

Sasha e Solo viveram quase treze anos. Agora temos Java, Tex e Tommy, que aparecem na foto anexa. (Java é o labrador preto da frente, com a focinheira cinza, Tex é o mestiço de spaniel que Curt acaricia e Tommy é o dobie/GSD atrás de Java, perto de mim — Tommy me lembra Louie).

Estou construindo um spa para cães (sou massagista de animais e aprendi aquaterapia canina quando Sasha precisou dela por causa de sua artrite). A obra está sendo feita aos poucos; quando estiver pronta, avisarei você.

Megan Anderson

Após ler o e-mail, fiquei olhando as fotos de Lou por algum tempo e em seguida saí para caminhar. Lembrei-me de que, sem a ajuda de Lou, Solo provavelmente teria sido sacrificado. Curt e Megan talvez nunca mais quisessem saber de cães ou, na melhor das hipóteses, jamais aprenderiam a adestrar cachorros problemáticos como Solo. Em vez disso, puderam desfrutar a alegre companhia de Solo por muitos anos e até o usaram para fazer pelos outros cães o que Lou fizera por ele.

Hoje, Megan ajuda cães a se recuperarem física e emocionalmente — graças a Lou e graças ao fato de eu ter parado naquele trecho da Rodovia 101 no momento certo, nem dez segundos antes nem dez segundos depois.

Passe isso adiante, Lou.

9

Os rápidos, os jovens e os velhos

Na academia, em um ano, adestrei mais cães do que muitos adestradores o fizeram em dez. Mas a verdadeira chave do meu sucesso era o bom relacionamento com os donos. Acho mesmo que minha experiência didática e meu dom para uma boa conversa, típico do pessoal da Costa Leste, foram algumas das razões pelas quais Colleen me conservou no emprego. Eu falava sobre tudo.

Colleen logo me deixou a sós na classe. Eu ministrava cursos de sete semanas de obediência nos níveis básico e intermediário, sempre usando Lou como meu assistente. Enquanto eu dava a aula, ele subia para seu lugar favorito no alto da rampa de exercícios e ali ficava contemplando de cima todos aqueles calouros "de *petshop*". Quando eu precisava ensinar à turma uma nova técnica ou um comportamento, chamava-o para fazer a demonstração. E, é claro, todos os cachorros antissociais da classe recebiam atenção especial de Lou, o guerreiro diplomata.

Na primeira semana de um curso, Lou e eu encenávamos alguns truques, quase todos sem a guia. Ele chegou a improvisar alguns por conta própria, usando o equipamento da sala. Saltava lateralmente para a rampa de mais de um metro de altura, através de argolas e sobre obstáculos, equilibrava-se na gangorra e encarapitava-se no vértice do cavalete, de onde abanava o rabo para a classe. Os donos adoravam aquilo; seus cães se exibiam como eles sempre tinham desejado.

Eu estava ensinando a Lou um movimento de recuo quando Colleen entrou na sala vazia.

— Preciso de alguém para dar algumas lições iniciais de agility.

— Não sei fazer isso.

— Não saber as coisas jamais o deteve antes.

— Bom raciocínio.

— Ninguém está disponível no momento. E, de qualquer maneira, vocês dois parecem gostar de brincar nos aparelhos — disse ela, vendo Lou andando pela rampa.

— Assisti à última aula de agility de Julie. Lou gosta disso.

— Ela pode lhe passar os elementos básicos. Você ensinará os donos a ter controle direcional sobre seus cães e a dominar cada tipo de aparelho. Depois, é só juntar as duas coisas.

— Pode ser.

— Aceita ou não?

— Quando?

— Na próxima semana. Você já tem onze cães à espera.

— Negócio fechado.

Eu me senti como um escoteiro num bote salva-vidas obrigado a fazer uma operação de apêndice com um canivete suíço e uma garrafa de conhaque.

Eu sabia que Lou era rápido. Mas não sabia o quanto.

Cães velozes foram inscritos em meu primeiro curso de agility. Um *collie border*, um pastor australiano, um *whippet* — todo tipo de cachorro bom das pernas. Até um pequeno *jack russell* e um pastor *shetland* apareceram. Todos haviam tido aulas de obediência e alguns mostravam até habilidades sem a guia. Eu já conhecia metade deles: aquilo era mais um reencontro que uma aula.

Eu havia praticado antes com Lou e não tinha me esquecido do que Julie me disse:

— Muitos não se importam com a velocidade de seus cães. Querem apenas que corram. E se divirtam.

— Então, é assim?

— Sem dúvida. E, como de qualquer maneira um *border collie* sempre corre mais, a velocidade realmente não vem ao caso.

Um *border collie* magricela chamado Tex ou Rex (não me lembro) parecia o mais veloz do grupo, embora a *whippet* fêmea e o macho australiano também devessem ser bons de corrida. Embora eu fosse o encarregado da classe, queria saber se Lou queria competir. Diabos! Seria ótimo que ele vencesse aquele *border collie*.

A turma ia bem. Ensinei-lhes controle direcional — como a postura do corpo e o uso da mão ou dos sinais verbais podem melhorar o desempenho de um cão durante o curso de agility. Familiarizamos os cães com o equipamento — postes, obstáculos, túneis, plataformas, rampas, deslizadores, aros, gangorras, cavaletes. Fizemos tudo o que é necessário em aulas de agility.

Toda semana, depois de familiarizar os cães com um novo aparelho, eu o integrava ao curso. Durante os últimos vinte minutos, cada um tinha a oportunidade de experimentá-lo e progredir.

Embora tivesse a mesma altura de um *border collie* de grande porte, Lou pesava na época quase 35 quilos, o que era muito para aquele tipo de competição. Lou era da Nascar; os outros, da Fórmula 1.

Lou se saiu às maravilhas. Praticamos após o expediente até que cada passo, salto e giro se tornassem uma segunda natureza para ele. Depois de correr o trajeto todo oito ou nove vezes, já nem precisava de minha orientação — corria por si mesmo enquanto eu apenas o observava do meio da sala, indicando os obstáculos. Os postes é que exigiram mais de Lou: não tinha, ziguezagueando entre eles, a mesma velocidade do ágil *border collie*.

No resto do curso, porém, foi impecável. Na verdade, tive de controlá-lo quando usava algumas peças do equipamento, especialmente o cavalete de um metro e meio de altura, que ele subia e descia de um salto. Segundo as regras de agility do American Kennel Club (ou AKC) o cão tem de subir por uma superfície e descer pela outra, tocando com parte de uma das patas uma "zona de contato" na porção inferior do obstáculo antes de afastar-se dele. Portanto, pular do cavalete para o próximo obstáculo era proibido.

No último dia de aula, pusemos os cães para correr. Embora o percurso fosse um pouco menor que o determinado pelas regras da AKC, por causa do tamanho da sala, tinha todos os obstáculos exigidos e quase as mesmas dimensões em metros quadrados.

A preparação foi tão boa que nenhum cão perdeu um único obstáculo. Até o *pug* se saiu bem, obrigando o fogoso *jack russell* a dar o melhor de si. Mas, entre os pequenos, o *jack russell* prevaleceu, batendo o *shetland* por uns bons dois segundos.

Marquei o tempo de todos os cães com um cronômetro. O *jack russell* completou a prova em trinta segundos; o *whipet*, muito veloz, em 28 (e teria feito mais se não tivesse parado na gangorra, o obstáculo de que menos gostava). Mas os dois cães mais velozes na sala fizeram o percurso em 27 segundos cravados. Você adivinhou: o ágil *border collie* e o impetuoso Lou. Tivemos de recorrer ao desempate.

Lou estava impaciente. Se eu não o segurasse pela guia, sairia correndo antes da hora. Mas o *border collie* ganhou no cara ou coroa, e o proprietário, mecânico de Boeing aposentado, quis que ele fosse o primeiro.

— Você vai perder, grandalhão! — desafiou, apontando jocosamente para Lou enquanto postava seu cão na linha de largada.

— *Rour.*

— Pronto? ...Já!

E o cão disparou como um raio. Não conseguia correr tão rápido nem saltar tão alto quanto Lou, mas, fiel à sua raça, esgueirava-se e ziguezagueava com mais desenvoltura. E foi o que fez, contornando os postes e metendo-se pelas aberturas dos obstáculos como um F-16.

— Uau! — exclamou o dono do *jack russell*, de pé ao meu lado e acariciando Lou, que, babando pelo chão, olhava fascinado.

— Está indo bem — disse eu, ao vê-lo entrar na reta de chegada, com a plataforma de pausa logo à frente, o cronômetro mal passando dos dezessete segundos. Só restavam a gangorra e dois obstáculos.

— *Arugla!*

— Caramba!

Ele ultrapassou a plataforma, saltou a gangorra e o primeiro obstáculo. Vinte e dois segundos. Todos contiveram o fôlego quando suas pernas traseiras escorregaram por um momento. Mas ele se recuperou, saltou o último obstáculo e correu para a linha de chegada.

— Exatamente 25 segundos.

A sala pegou fogo. Lou ria e girava como um pião, parecendo dizer: *Vamos lá, cara!*

— Você é o melhor — sussurrei-lhe, como sempre fazia antes de uma corrida. Entreguei o cronômetro ao dono do *jack russell*, conduzi Lou para a linha de largada, mandei-o sentar-se e assumi minha posição ao seu lado, pronto para dar o sinal. Quando ele me viu ali, suas pernas dianteiras começaram a tremer e seus músculos se enrijeceram. Lou tinha esse jeito de lobo caçador e estava tenso como Carl Lewis nos blocos de partida. Por um instante, eu podia jurar que ele tinha dado uma olhadela para o homem do Boeing e seu cão.

— Pronto? ... Já!

Lou disparou como um míssil. Venceu o primeiro obstáculo, voou pela rampa e foi saltando tudo o que lhe aparecia pela frente. Descreveu um arco por cima do obstáculo maior, meteu-se pelo túnel e cruzou o arco.

— Batman! — bradou o garotinho do *whippet*.

Eu mal me continha ao ver Lou se aproximar dos postes, seu calcanhar de aquiles. Mas eu havia trabalhado para que ele adquirisse aquela desconjuntada cadência dos *border collies*, na qual as pernas dianteiras e traseiras parecem movimentar-se sem coordenação, criando a ilusão de que o corpo do cachorro avança em direções contrárias. Ele se desvencilhou dos postes, correu para o deslizador, um de seus favoritos, e em seguida para o cavalete, que alcançou num salto curvo perfeito. Por fim, dobrou à direita e se aproximou da plataforma de pausa.

— Dezessete segundos! — gritou o dono do *jack russell*.

Lou avaliou a distância que faltava e não diminuiu o ritmo. Era Lou dos pés à cabeça.

— Vamos! — incentivei, quando ele se preparava para ultrapassar a plataforma. — Corra, amigão!

Lou flutuou sobre a plataforma como um anjo. Em pleno ar, corpo distendido, músculos saltando sob a pele, olhos brilhantes, sorriu e lançou-me um rápido olhar. Quase pude tocá-lo com a mão quando ele passou por mim rumo à gangorra e aos dois últimos obstáculos. Senti-me orgulhoso.

Lou deixou para trás a gangorra e avançou para os obstáculos, colocados quase em ângulo reto um em relação ao outro. No mesmo local onde o *border collie* deslizara, Lou esticou as pernas traseiras para agarrar-se ao carpete e seu corpo se projetou como uma motocicleta de corrida. O carpete se enrugou, mas resistiu.

Saltou o primeiro obstáculo, virou-se, saltou o último, virou-se, disparou para a linha de chegada e caiu nos meus braços.

O coração de Lou pulsava violentamente. Ergui-o nos braços e esfreguei o nariz em seu focinho. Todos olhavam para o dono do *jack russell*.

— Vinte e quatro segundos e meio!

Lou voltou para a pista, pulou um obstáculo e esparramou-se em cima da rampa. Os outros donos deixaram que seus cães se juntassem a ele, enquanto o homem do Boeing se aproximava de mim.

— Quero um exame antidoping — brincou, sorrindo e puxando-me pelo pescoço. Seu cão também tinha ido atrás de Lou.

— Você só precisa alimentar esse fã de ovelhas magricela com um ou dois bifes — recomendei.

O resultado não era oficial. Muitos cães corredores "profissionais" poderiam ter batido Lou em seu auge. Mas, naquele dia, ele havia mostrado a todos do que era feito, principalmente ao espantado pastorzinho.

À noite, passando pelo mercado, comprei um bom pedaço de lombo, deixei-o na grelha por alguns minutos e levei-o para Lou, que me olhava curioso.

— Seu troféu, senhor — anunciei, colocando o lombo num prato e pousando-o no chão com grande cerimônia. Incrédulo, ele se pôs a comer.

— Amanhã teremos aqui, para uma demonstração de improviso, uma turma da pré-escola e do jardim de infância — comunicou Colleen, enquanto adestrava um de seus *spaniels* d'água irlandeses em processo de reabilitação. — Alguns truques e algumas dicas de obediência e segurança canina para os garotos e professores... Coisa simples.

— Lou adora crianças.

— Por isso você foi escolhido.

— Justamente eu?

— Você e Lou, Tracy e seu *pit bull*, Nancy e seu *golden*. Procurem ser divertidos.

— E eu não sou sempre?

— Às vezes.

Lou era afetuoso e paciente com crianças. Deixava-as tocá-lo, apertá-lo, olhá-lo nos olhos, dependurar-se em seu pescoço — tudo o que quisessem. Sabia que eram filhotes humanos e que mereciam alguma compreensão. E, assim como se tornara o cão perfeito para ajudar a salvar seus semelhantes medrosos ou agressivos, de agora em diante ajudaria a banir os receios que algumas crianças sentiam quando estavam perto de cachorros grandes.

Entrando na sala em fila única e de mãos dadas, as crianças logo notaram aquele bonito cão preto e castanho estirado em cima da rampa, no fundo. Algumas soltaram exclamações, enquanto outras permaneciam quietas e de olhos arregalados.

Com quase 3 anos de idade, Lou exibia um belo porte; seu peito cavo, suas pernas musculosas e seus ombros fortes eram uma versão menor do herculeo *rottweiler*, seu pai, que eu vira pela última vez ao lado da estrada, mastigando um suculento pedaço de gamo. Também o pescoço e a cabeça de Lou haviam se desenvolvido a olhos vistos; a testa lembrava a "cúpula" dos *rottweilers*, enquanto o focinho mais comprido, mais elegante, era como o de um pastor-alemão. Ele havia se tornado um cachorro verdadeiramente impressionante.

A professora me apresentou às crianças, que aplaudiram e pularam nas carteiras. Antes que eu pudesse começar, um fedelhinho se levantou.

— Eu tenho um cachorro!

— Qual é o nome dele?

— Rudy.

— É um bom cachorro?

— É, mas faz muito cocô no meu banheiro!

Os outros riram, mas se calaram quando ordenei a Lou que se sentasse.

— Como você consegue isso? — perguntou uma loirinha de bochechas rosadas, sentada junto à parede.

— Ele é o meu cão, Lou. Sabe a língua dos sinais. Observe.

Mandei que se deitasse, ficasse sentado, girasse para a direita e para a esquerda em cima da rampa. As crianças começavam a se animar. Dei então o comando de "latir", com o punho esquerdo erguido e apontado para ele.

— *Ruff!* — fez Lou. Só latia como um cachorro grande por ordem minha ou quando algo de ruim estava acontecendo. O som ecoou pela sala.

— Uau! — gritou o garoto do cão acusado de fazer muito cocô.

Chamei Lou, ordenando para que saísse de seu cavalete, e mandei-o sentar-se ao meu lado. Em seguida, ordenei que permanecesse ali e fui para junto dos alunos.

— Você gostaria que Lou fizesse o quê? — perguntei a uma menininha tímida, de tranças ruivas e nariz escorrendo. Ela se aproximou de mim e ficou contemplando Lou como se ele fosse uma criatura de contos de fada.

— Me cumprimente!

Fiz a Lou o sinal de acenar com a pata direita. Ele a ergueu e acenou para nós, depois sorriu. Os garotos aplaudiram. A garota sorriu também e esfregou o nariz em minha luva.

— E você? — perguntei ao garoto do cão que fazia muito cocô.

— Faça com que ele suba de novo naquela coisa! — Tudo o que ele dizia terminava com ponto de exclamação.

Apontei para a rampa e ordenei:

— Lou, hup-hup!

Ele subiu, alcançou a superfície de caminhada, percorreu-a e saltou para o cavalete, e se postou ali como *sir* Edmund Hillary sobre o cume do Everest.

— Gosto do Louie! — confidenciou o garoto a uma menina sardenta ao lado.

— Eu também! — disse ela, para não ficar por baixo.

Logo os garotos repetiam a frase como um refrão:

— Gosto do Louie! Gosto do Louie!
— *Arugla!*
— É, *arugla!*
— Quem quer saber algo sobre segurança canina?
— Eu! — gritaram todos.
— E quanto a você? — perguntei à menina das trancinhas.
— Também.

Mandei que Lou se abaixasse e permanecesse em posição de espera. Os meninos que tinham cachorro deram risadinhas, enquanto os que obviamente não tinham ficaram em silêncio. Uma coisa era ver Lou de longe, mas outra era vê-lo aproximar-se.

— Ele vai me morder?
— Não, meu bem, ele gosta de você.
— O meu gatinho me morde.

Acenei para que Lou se aproximasse um pouco mais e pedi que parasse a uns três metros. Ele ficou ali, marcando passo, rindo para si mesmo, louco para brincar com as crianças.

— Ele é bonito — disse uma garotinha oriental de fita vermelha na cabeça.
— Quem sabe como se diz oi a um cachorro?
— Eu! — gritou de novo o garoto do cachorro que fazia muito cocô, agora o porta-voz oficial do grupo.

A professora olhou para mim e deu de ombros.
— Está bem, então, me diga como é.

O garoto se levantou, ficou de frente para Lou e saiu-se com esta:
— Oi, Louie!

Todos riram. Agora estavam quietinhos e, sem dúvida, encantados com Lou. Mas alguns ainda pareciam pouco à vontade e embaraçados ao ver que os outros não tinham medo.

— Venha aqui, Lou.

Lou deu alguns passos e sentou-se diante de mim. O porta-voz do grupo se aproximou e abraçou Lou, que o lambeu do queixo à testa.

— Ah, ah!
— Ele gosta de você. Mas não é desse jeito que se diz oi a um cão desconhecido, certo?

— Certo!

— Para começar, se o seu pai ou a sua mãe estivessem aqui, eles é que cumprimentariam primeiro. Você ouviria o que eles dissessem. Mas, se estivesse sozinho e um cachorro estranho se aproximasse, o que você faria?

— Correria! — disse um rapazinho de cabelos pretos e riso irônico, com as mãos nos bolsos.

— E isso seria correto?

— Não! — emendou o garoto do cocô. — O certo seria ficar parado, como se estivéssemos diante de um urso!

— Isso mesmo. Fiquem calmos e imóveis, sem olhar para o cão. Deixem que ele os fareje. Se gostar de vocês, ele demonstrará isso. Se não gostar, logo se aborrecerá e irá embora.

Lou se deliciava da atenção que recebia das crianças a seu lado.

— Muito bem, agora vou deixar todos vocês dizerem oi para o Lou! — Peguei a guia curta de Lou e passeei com ele diante dos garotos, que lhe acariciavam o pelo. Lou sorria e distribuía lambidas. Alguns alunos se descontraíram; outros ainda tinham medo.

Uma garotinha de cabelos pretos riu quando Lou lambeu-lhe o rosto, mas não ousou acariciá-lo.

— Acha que consegue convencer Lou a fazer um truque para você?

— Não sei.

— Vamos tentar?

— Vamos.

Tomei-a pela mão e coloquei-a na frente dos outros. Em seguida, mandei que Lou se sentasse num pequeno tapete no meio da sala. Ficaram um diante do outro, a cerca de um metro e meio de distância. Ela ria nervosamente.

— Quando se sentir pronta, olhe para Lou e mova a mão direita num círculo rápido, como estou fazendo, e diga ao mesmo tempo: "Lou, gire!". Entendeu?

— Sim.

Recuei um passo.

— É com você, meu bem.

Ela olhou para os colegas e crispou o rosto como fazem as crianças quando estão tentando fazer o desenho de sua casa. Ergueu ligeiramente a mão direita e olhou para o cão, que já aguardava um sinal qualquer. Lou olhava para ela, não para mim.

— Lou, gire, gire! — ordenou, movendo a mão como se agitasse uma bandeira. Ele prontamente executou um giro completo para a direita, terminando na posição inicial. Todos os garotos aplaudiram. Lou emitiu um som musical e pôs-se a marcar passo. Ela fez um "O" de Bill Cosby com a boca.

— Bom trabalho!

— Lou, gire! — repetiu ela, agora mais confiante. Lou obedeceu de novo, e eu lhe atirei um petisco.

— Lou, gire!

Ele girou agora para a esquerda duas vezes, ensaiou alguns passos da dança "urkel", aproximou-se da menina e pousou-lhe uma pata no ombro. Ela riu enquanto ele lhe lambia o rosto.

— Bom trabalho! — sussurrei para a menina, conduzindo-a de volta ao assento.

Usei Lou para mostrar-lhes o que nunca se deve fazer com um cão. Nada de gritar ou correr, pegar nas orelhas, no rabo ou nas pernas, fazer movimentos furtivos e olhar nos olhos. Nada de atiçá-los, fazer algazarra, agachar-se e estender a mão (engano perigoso que quase todos cometem).

— O que eu *posso* fazer? — perguntou o garoto do cocô, sempre pragmático.

— Pode ser gentil, tranquilo, e deixar o cão farejar você antes de tocá-lo. Permanecer em pé, ereto, acariciar-lhe a cabeça ou o pescoço e caminhar sem pressa quando estiver perto dele.

— Meu cachorro gosta de correr atrás da bola — disse uma garota bochechuda, de olhos azuis.

— É um jogo divertido — expliquei, apanhando um brinquedo Kong* no chão. — Lou, pegue! — gritei-lhe, atirando o brinquedo no fundo da sala. Ele saltou, agarrou o objeto que quicava sobre o tapete e voltou para junto de mim. — Boa pegada! — E, voltando-me para a pequena oriental de fita vermelha, eu disse: — Venha cá. Atire-o você.

---

* Brinquedo de borracha, dentro do qual se pode colocar petisco, muito usado por adestradores de cães. (N. do T.)

A menininha atirou o brinquedo com força; ele quicou uma vez antes que Lou o agarrasse no ar e o trouxesse para mim.

— Bom trabalho, querida! — cumprimentei-a, conduzindo Lou para o meio da sala. — Lou, agarre!

Joguei o brinquedo bem alto e Lou se projetou no espaço como se fosse um jogador de beisebol profissional, apanhou-o e trouxe-o de volta.

— Muito bem!

— Uau! — exclamou o garoto do cocô.

— Mas agora teremos de nos despedir de Lou.

— Ahhhh!

Coloquei Lou sentado no meio da sala e levantei-me junto com os garotos.

— Todos façam o gesto de despedida!

Enquanto acenavam e diziam "tchau, Lou!", dei-lhe disfarçadamente o sinal de corresponder; ele ergueu a pata e agitou-a para as crianças.

— *Arugla!*

Tracy veio em seguida com um bonito *pit bull* malhado, mais assustador que Lou por causa da triste reputação de sua raça. As poderosas mandíbulas e o corpo musculoso atemorizaram as crianças a princípio, mas elas logo se sentiram à vontade diante do comedimento e das boas maneiras do recém-chegado. Nancy foi a última, com seu *golden retriever* amarelo, que no momento ela adestrava para uma competição de obediência em nível avançado.

Quando terminamos, as crianças, felizes, já eram especialistas em cachorros. Foram saindo com a professora, acariciando todos os cães no trajeto. Algumas os tocavam como se lidassem com fogo, enquanto outras (como o garoto do cocô) os abraçavam. Lou correspondia com abraços e beijos, emitindo alguns sons musicais.

— Ele deveria trabalhar na escola — disse a professora do jardim de infância ao sair, acariciando a cabeça de Lou. — É notável. Parece o cara do programa *O Homem da Máfia*.

— Kevin Spacey?

— Não, o outro.

Depois disso, recebemos muitas turmas de pré-escola e jardim. As crianças adoravam aquilo e os cachorros também. Lou as seduzia, dava-

-lhes lições de segurança canina e convencia muitas criaturinhas ansiosas a se soltar e exercer um dos direitos de toda criança: o amor a um bom cão. Pais chegavam a nos telefonar para dizer obrigado e pedir ajuda na compra de um cachorro para seus filhos que antes estavam apreensivos, mas que, depois de conhecer Lou, aprenderam que cães não são — afinal de contas — tão maus assim.

Naquela noite, sentei-me no assoalho com Lou. Lembrei-me então de meu periquito irritadiço, dos livros sobre cães que lia com uma lanterna por baixo das cobertas, quando menino, e de Sabino, o proprietário descontrolado que odiava cães. Pensando nas crianças que haviam nos visitado, concluí que tudo isso conduzira àquela situação.

— Melhor tarde do que nunca, hein, amigão?

— *Rour.*

Anos depois, quando minha vida pessoal executou inesperadamente um giro de 180 graus, um Lou mais velho e mais respeitável daria outro passo na educação de crianças pequenas. Iria inspirá-las a aprender uma nova língua, usada por milhões de americanos diariamente. Em seus 16 anos, aquela criatura selvagem e peluda acumulou mais horas de trabalho em classe do que eu.

Os muito jovens vivem o momento, inconscientes das lembranças que vão acumulando. Os velhos, porém, reconhecendo que nada de memorável poderá acontecer quando estiverem se consumindo numa casa de repouso, acumulam as lembranças antigas e sobrevivem delas como da aposentadoria, invocando-as sempre que precisam de amparo e consolo.

Às vezes, contudo, acontecem coisas inesperadas que despertam uma lembrança remota, algo de visceral, um evento tão significativo e vívido que, como um livro raro, não pode ser manuseado com frequência, para não causar dano às suas páginas frágeis. Esquecido na estante empoeirada, só sua ressonância persiste — até que algo especial acontece e o livro, retirado da prateleira, é aberto na página certa. Então o leitor volta àquele exato momento, àquela experiência que, como um raio, lhe marcou o coração para sempre.

Esse homem, que aguardava morrer esquecido numa casa de repouso qualquer, iria, por causa de algo muito especial, ser reconduzido à selva tropical do Pacífico, junto aos camaradas, aos queridos jovens amigos congelados para sempre no tempo como anjos pintados em seu velho coração. Esse algo de muito especial foi Lou.

Os garotos da pré-escola gostaram dos cães e aprenderam com essa experiência. Mas alguns de nós quisemos levar alegria a pessoas no outro extremo da jornada que tiveram vidas longas, criaram crianças e cachorros, combateram por seu país e deixaram sua marca — mas que agora, vencidas pela idade e pela doença, sentiam-se desprovidas dos prazeres mais simples. Poderíamos dar-lhes um presente bem singelo: a amizade de um bom cão.

No início dos anos 1990, o fenômeno da terapia com cães ainda não havia deslanchado. Mas a ideia se recomendava por si mesma: o contato estreito com um bicho de estimação calmo e afetuoso pode melhorar a saúde física e mental de pessoas de todas as idades. Estudos médicos comprovaram que pessoas com acesso regular a cães vão ao consultório menos vezes, têm pressão sanguínea mais baixa e apresentam menor incidência de moléstias cardíacas ou neurológicas. A companhia de bichos de estimação pode mesmo motivar os idosos a socializar-se mais e ser mais ativos. Infelizmente, para muitos em casas de repouso, isso é impossível: eles não têm capacidade física para cuidar de animais. Resolvemos então fazer alguma coisa a respeito.

Depois que entramos em contato com as casas de repouso locais, encontramos uma inteiramente disposta a receber a visita de cães calmos e bem-comportados.

— Qualquer alegria que pudermos proporcionar a nossos residentes será bem-vinda — garantiu a diretora de atividades, que era dona de um pequeno cachorro que ela já havia levado para distrair os idosos.

Nós, porém, levaríamos cães maiores.

— Se garantirem que eles são inofensivos, não há problema — disse ela. — Cuidem apenas para que não façam muitas travessuras e aceitem carícias *aos montes*.

Lou se enquadrava nessas exigências, tanto quanto o *pit bull* de Tracy, Gator, uma espécie de embaixador da raça. Embora eles não fossem o tipo de cão usado hoje pelos terapeutas da área, Lou e Gator gostavam de pessoas e tinham maneiras tranquilas que os tornavam perfeitos para a tarefa.

Os internos foram convidados a ir para a sala de eventos comunitários. Muitos apareceram em cadeiras de rodas ou de muletas; dois, em macas de hospital, tiveram de ser conduzidos. Por sorte, a academia dispunha de uma cadeira de rodas e de um andador, que usávamos para acostumar os cães a esses equipamentos; Lou e Gator tinham sido nossas cobaias e já não se assustavam ao vê-los.

Passamos a tarde fazendo demonstrações de obediência e truques comportamentais. Em seguida, levamos os cães para perto dos idosos, deixando que interagissem com os animais e gozassem de sua companhia. Eles gostaram muito. Alguns se lembraram de cães que possuíram quando eram crianças, pais e avós. Falaram-me de cachorros de fazenda criados com eles em Minnesota e Dakota do Norte, perdigueiros capazes de desentocar ninhadas bem escondidas de perdizes, cães companheiros que haviam passado anos perseguindo aves por todo o país — muitas lembranças, todas guardadas no fundo do coração. Veio então a história que me comoveu e fez o narrador derramar lágrimas.

Ele odiava a cadeira de rodas. Dava para perceber isso em seus olhos e na maneira como manejava os aros e os freios. Se pudesse, ficaria em pé para mostrar quem ele tinha sido — um atleta, um trabalhador braçal, um soldado. O que fizera em sua longa vida continuava estampado indelevelmente em seu rosto. Embora a juventude estivesse longe, os olhos azuis continuavam brilhantes, cheios de vida e recordações.

Quando Lou entrou na sala, um véu de ternura desceu sobre aqueles olhos cor do mar. Ele deu um largo sorriso, segurou a cara alegre de Lou entre as mãos enrugadas e disse:

— Olá, amigão, é ótimo conhecer você.

— *Arugla* — cumprimentou Lou, pousando a pata sobre a perna do homem, envolta por um cobertor, e lançando-lhe seu olhar Madre Teresa.

— Diabos me levem se ele não é um sujeito bem bonito — disse o velho, esfregando vigorosamente o pescoço e as orelhas de Lou. — Parece Clark Gable.

— Lembra muito Tyrone Power — disse eu.

— Ora, este cão é bem mais que isso — resmungou ele, com uma expressão vigorosa na face, olhando direto nos olhos de Lou. Os dois se contemplaram como se recordassem alguma aventura juntos. — Sem querer falar mal dos mortos, é claro. Tyrone Power era um bom sujeito; pilotou aviões de carga da marinha entre Kwajalein e Saipan em 1945. Evacuou alguns de meus camaradas de Iwo Jima e Okinawa. E foi-se quando estava no auge.

— Eu não sabia disso — murmurei.

A diretora de atividades lançou-me um olhar e balançou a cabeça.

— Oh, sim. Ataque cardíaco aos 44 anos, como o pai dele. Fulminante. É isso aí.

Lou encostou-se ao aro da cadeira e deslocou-a alguns centímetros. O homem gostava de mover ligeiramente a cadeira para a frente e para trás com o pé e não havia puxado o freio. Friccionou o pescoço do cão e continuou observando-o.

— Você esteve então no teatro de guerra do Pacífico? — indaguei.

— Estive.

— Meu tio também.

— Ele sobreviveu?

— Não.

— Lamento muito, filho.

— Onde serviu? — continuei, não sabendo muito bem se ele queria tocar no assunto.

— Guam, Saipan, Iwo Jima. Nas Marianas todas. Já ouviu falar?

— Estudei história na universidade. Conheço bem a Segunda Guerra Mundial.

— Sabe algo a respeito dos cães de guerra?

— Não, isso não.

Ele desceu o olhar para Lou.

— Bem, vou contar-lhe. Guam era um inferno. O inimigo se escondia em cavernas e bosques. Nunca sabíamos quando um deles iria aparecer disparando ou jogando granadas. Mas nós tínhamos algo que eles não tinham.

— Cães batedores — arrisquei, com base numa vaga lembrança.

— Certo. O segundo e o terceiro batalhões usavam esses cães para prevenir emboscadas e minas. Pastores e *dobermanns*, principalmente. Eu estava encarregado de um mestiço de pastor chamado Shep, pau pra toda obra. Parecia-se muito com o seu Lou aqui.

A sala ficou em silêncio. Os mais velhos inclinavam a cabeça, evocando rostos do passado. Muitos, sem dúvida, tinham conhecido alguém que havia morrido na guerra. Havia no ar um sentimento de fraternidade entre estranhos.

— Shep e eu saíamos em patrulha. Eu não saberia dizer quantas vezes aquele cão nos salvou, indicando emboscadas, minas ou soldados metidos em buracos. O trabalho dele era realmente perigoso.

O velho tinha se entusiasmado e eu não sabia se aquilo lhe faria bem. Mas a diretora deixou-o falar.

— Quando ouvia ou farejava alguma coisa, o danado parava e indicava o lugar como um perdigueiro atento ao perigo. Tinha um olhar de lobo ou mãe ursa e nada no mundo poderia contê-lo. Quando acampávamos à noite, todos o queriam por perto, pois confiavam em suas narinas e em seus ouvidos.

— Gostava de nós como se fôssemos seus irmãos. Dava para sentir. Buscava o perigo, parava, aproximava-se mais, parava de novo. Mas não se continha por muito tempo e entrava na bagunça, rugindo como um leão. Corajoso a valer. Desentocava aqueles bastardos como perdizes e nós fazíamos o resto. Eles tinham mais medo de Shep do que dos nossos fuzis, posso garantir.

— O que aconteceu a ele? — perguntou uma mulher sentada a seu lado.

— Ah... levou um tiro quando invadia uma caverna. Nós o enterramos junto de outros cães num canto do cemitério da marinha em Guam. Aquele cão salvou minha vida diversas vezes. E nunca ganhou uma medalha, nada.

Observei Lou, que havia pousado a cabeça no colo do veterano e erguia os olhos, atento à história. Lembrei-me dele naquela ocasião em frente ao 7-Eleven e concluí que teria sido um grande cão da marinha, como Shep. Então outra coisa me veio à mente.

— Você adestrou Shep para se deter e apontar lugares? — perguntei.

— O primeiro patrulheiro com quem ele trabalhou fez isso. Herdei-o quando o coitado foi ferido. Parar, ficar imóvel, andar, parar, ficar imóvel.

— Venha cá, Lou.

Postei Lou na outra extremidade da sala e ordenei-lhe que esperasse. Em seguida, aproximei-me dele.

Lou observava. Sabia que era hora de trabalhar. Parei à sua frente e fiz o sinal de "venha/caminhe", um leve movimento dos dedos na direção do peito. Ele veio para mim lenta e graciosamente. O velho contemplava a cena.

Dei o sinal de esperar. Lou se imobilizou prontamente. Acenei de novo para que se aproximasse e ele deu cinco ou seis passos antes que eu o paralisasse de novo — corpo rijo, cauda esticada, orelhas em posição de alerta, olhos fixos em mim. Ordenei que se movesse outra vez e parasse ao lado do velho; este baixou a cabeça para admirar aquele cão imóvel e vigilante, músculos saltando sob o pelo luzidio.

Deixei-o ali, segurando na mão um biscoito para que seu olhar se concentrasse.

Quando o homem se desfez em lágrimas, Lou correu para ele, pousou-lhe a cabeça no colo e lançou-lhe um olhar de compaixão.

— Oh, Shep, Shep! — soluçou o velho, acariciando a cabeça de Lou. Seu rosto tinha ganhado vida nova. Ele abriu o livro empoeirado na página certa. O cão que salvou sua vida e o cão que salvou a minha foram raios que animaram nosso coração, mudando nossa vida para sempre.

10

O diabo em forma de cão

Mudamo-nos para a casa dos sonhos de Nancy, numa ruazinha de Bothell. Três quartos, amplo quintal e vizinhos decentes. O quintal contornava um cinturão verde que descia até um canil de propriedade particular, onde o dono alojava cachorros e criava *bouviers des flandres* — cães pastores enormes e vigorosos. Por causa do coro de latidos, que podia incomodar, a casa tinha sido posta à venda por uma pechincha. Como estava acostumado à algazarra da academia, eu nem me dava conta do barulho.

Lou adorava o quintal. Farejava todos os cantos em busca de tocas de esquilos e todas as trilhas de ratos ou gambás por entre a vegetação que ia até o canil. Ele mirava os guaxinins nas árvores e ouvia os cães do canil, lá embaixo, lamentando o fato de os donos terem-nos abandonado para sair de férias. Explorava, marcava o território e observava atentamente, como se esperasse que alguns daqueles *bouviers* subissem a encosta, com seus corpos maciços e suas caras eriçadas de barbas e bigodes, mais parecendo cavalheiros vitorianos a caminho de uma sala de fumantes em Dorchester.

Agora que tinha uma casa, Nancy queria também um filhote. Dispondo de Lou como modelo de comportamento e com todo aquele quintal, decidimos adquirir um.

— O que você quer? — perguntei a ela.
— Um *rottweiler*.
— Dão muito trabalho.
— Gosto deles.
— São *grandes*.
— Quero um.
— Nunca sossegam.
— Um *rottweiler*.

Após esse debate que eu estava fadado a perder, encontrei um criador respeitável de *rottweilers*, na zona norte da cidade, que tinha filhotes quase prontos para entrega. O pessoal criava cães de boa raça, mantinha o canil limpo e socializava os filhotes dentro e fora de casa. Fiz contato com os pais e certifiquei-me de que eram *rottweilers* típicos — ativos e fortes, com muito daquela postura de gladiadores que em parte os define. O pai, tão grande quanto o de Lou (o devorador de gamos), era calmo e aristocrático; a mãe, gentil e alegre.

Convenci Nancy de que uma fêmea seria melhor. Segundo minha experiência, variar o sexo dos cães domésticos ajuda a manter a paz. Assim, após duas visitas e mais testes de temperamento do que o criador estaria disposto a suportar, trouxemos para casa Ginger, de 9 semanas de idade.

Ginger, uma cadelinha esperta, centrada e de personalidade amistosa, tinha a sorte de poder contar com o melhor modelo de comportamento do mundo. A princípio, Lou achou que ela fosse mais um cachorro a ser adestrado, "corrigido" e devolvido. Mas, acordando todos os dias e vendo Ginger ainda por ali, sempre disposta a tocá-lo e lambê-lo, arrebatando seus objetos e farejando sua comida, finalmente aceitou a órfã e começou a ensinar-lhe boas maneiras.

Eu transmitiria a Ginger o básico; Lou se encarregaria do resto. Respeito, autocontrole, paciência, hierarquia: como cão dominante, essa era a praia de Lou. Quando Ginger metia o focinho em sua comida, Lou imediatamente a fazia voltar para o prato dela. Quando tentava roubar um osso ou um petisco, punha-a para correr e rosnava. Quando se excedia nas brincadeiras, parava e lançava-lhe um olhar carrancudo. E, se ousava sair pela porta antes dele, empurrava-a para o lado e ria-lhe na cara. Mas, como todo bom adestrador, sabia compensar sua severidade: lambia-a, tratava-a com delicadeza e ciceroneava-a pela propriedade. Algo de curioso aconteceu: Lou se fez de irmão mais velho e gostou muito desse papel.

Com 7 meses de idade, Ginger já era tão alta e quase tão pesada quanto Lou. Exibia um andar gracioso e, embora na época não notasse, havia se tornado tão forte quanto ele. Só quando, às vezes, lançava-o longe durante suas brincadeiras é que tinha um vislumbre da própria força.

Seguia Lou o tempo todo. Quando ele se sentava e ficava olhando para o canil lá embaixo, ela fazia o mesmo, como se participasse de algum ritual religioso canino. Eu gostava de vê-los ali juntinhos — Ginger voltava-se para Lou a todo instante como se ele fosse um velho xamã dos cães à espera de um fenômeno a ser anunciado.

— Lá estão eles adorando de novo a divindade de Lou, "Gog" — confidenciei para Nancy, quase certo de que Lou passaria uma das pernas dianteiras à volta dos ombros de Ginger, para aconchegá-la.

Passei a levar ambos os cães ao trabalho. Lou me ajudava com o adestramento, enquanto Ginger se socializava... até se cansar. Ficar em casa sozinha não era boa opção para uma jovem *rottweiler* que precisava do máximo de interação possível a fim de tornar-se uma garota jovial e entrosada. Ela corria pelos campos, irrompia pelos corredores e pelas salas dos funcionários, tirava longos cochilos e, em geral, se divertia muito enquanto Lou e eu nos esgotávamos adestrando os cachorros da ocasião. Ginger pertencia à Nancy; durante o dia, contudo, quem cuidava dela éramos Lou e eu. Mas então aconteceu algo que iria me afastar do adestramento de Ginger e testar a Lou e a mim de um modo como nunca fôramos testados antes.

Com 2 anos de idade e 60 quilos de peso, Branka, um *bullmastiff*, orgulhava-se de sua péssima reputação na comunidade de Beverly Hills. Pertencente a um produtor cinematográfico de Hollywood, Branka vivia confortavelmente em uma luxuosa propriedade local — sendo que, até então, só havia aprendido a bagunçar a casa e a fazer alguns truques simples. Voluntarioso, mimado e fortíssimo, Branka começara por aterrorizar sistematicamente os jardineiros que aceitavam cuidar dos gramados da mansão. Os gramados *dele*.

A herança genética de Branka foi se manifestando aos poucos. Historicamente criado para rastrear, atacar e imobilizar invasores até a chegada dos donos, esses mestiços podem conter até o maior dos valentões sem grandes dificuldades.

Branka tinha decidido: os jardineiros mexicanos que apareciam de manhã para podar, aparar e plantar na propriedade eram invasores. Ele partia para cima deles, derrubava-os e mordia-os, enchendo-os de pavor. Tinha se tornado, em pouco tempo, um personagem quase lendário entre os coitados que ganhavam a vida trabalhando nas mansões de Beverly Hills.

Os jardineiros deixaram de aparecer. Advogados e autoridades locais deram um ultimato ao dono: ou controlava Branka ou sumia com ele.

— Este é para você e Lou — disse Colleen, rindo e passando-me o dossiê.

— Gosto de *bullmastiffs* — garanti, lendo as informações.

— Ele veio de Tinseltown no fim de semana. Você precisará de uma capa vermelha, um lança-chamas e uma armadura.

Desde o início percebemos que, para corrigir Branka, não seriam suficientes as quatro semanas normais. Ele era forte — monstruosamente forte. Não tinha modos e não pensava duas vezes antes de atacar e abocanhar a pessoa como se ela fosse um bife. Também não distinguia entre homens e animais: já tinha infligido a muitos cães o mesmo tratamento cruel.

— Por que justamente eu? — perguntei.

— Porque você se parece com os caras que ele gosta de maltratar — respondeu Colleen.

— Muito lisonjeiro.

— Prepare-se. Ele ficará aqui pelo menos uns dois meses. Peça ajuda a outro adestrador, no começo, caso o ache muito perigoso. O malvado terá de aprender as lições básicas, mas também terá de sentir quem é que manda. Você será seu amo e senhor.

Os *bullmastiffs* sempre me fascinavam. Espertos e silenciosos, eles constituíam o sistema de proteção doméstica mais eficaz que se possa imaginar. Quando criados por donos competentes, dispostos a impor normas rígidas, tornam-se ótimos bichos de estimação, que acolhem bem os convidados e afugentam os penetras. Todavia, se são entregues aos cuidados de quem se sairia melhor com um *poodle* ou um gatinho, transformam-se rapidamente em personagens das histórias de Stephen King.

Uma coisa me impressionava naquela raça: sua postura calma, diligente e segura. Branka tinha tudo isso, mas oculto sob tantas camadas de insolência que, lá no fundo, mal se podia ver o cachorro ávido por sair de casa e brincar.

Li para ele durante uma semana, antes de me atrever a entrar no canil. Escolhi *Beowulf*, livro sem dúvida adequado à situação. Branka tentou derrubar a porta algumas vezes, rugindo como Grendel, mas logo se acalmou, passando a rosnar de mansinho e só dando uma ou outra cabeçada.

Como King Kong, ele havia sido arrebatado à sua ilha paradisíaca e posto em cativeiro. Eu não era Fay Wray, mas ele não tinha coisa melhor: passou a gostar de mim e dos biscoitos que eu lhe atirava. Chamei meu plano de trabalho com Branka de Técnica da Síndrome de Estocolmo.

Naquela manhã, pedi aos encarregados do canil que não o alimentassem. Depois, por volta das dez horas, apareci com um bom pedaço de carne de peru. Branka irrompeu como um centurião, farejando e mirando-me bem nos olhos. Era magnífico — músculos saltados, peito largo, pelo castanho, olhar de caçador. Parecia um zagueiro veterano, com o pescoço tão grosso quanto a formidável cabeça.

— Branka, sente-se — ordenei, mantendo a carne acima daquela cabeça enorme. Ele olhou para mim e depois para o pedaço de carne, como se pensasse se sua raiva do cativeiro era mais forte que o desejo de comer. Resmungando, sentou-se.

— Bom garoto — disse eu, dando-lhe uma fatia de carne. Mantive-me imperturbável; nada de fingir emoção com aquele sujeito. Tudo teria de ser, o tempo todo, ao estilo *bullmastiff*.

Observei-o por um momento sem olhá-lo nos olhos. Ele marcou passo por alguns instantes e se aproximou, querendo o resto da carne. Quando um cão começa a andar assim, isso às vezes significa que sabe "cumprimentar"; pedi que ele o fizesse e, de fato, sua garra direita se ergueu e pousou em meu peito.

— Belo cumprimento, Branka — disse eu, dando-lhe outra fatia, que ele apanhou com delicadeza. A velha e boa Chandra, adestradora wiccana, havia me ensinado pelo menos uma coisa certa.

— Você tem agido como bem entende há muito tempo, meu caro. Está por fora, mas os guardas lá da sua casa querem te enfiar uma agulha — avisei calmamente, mantendo uma fatia de carne de peru à altura do peito, para que ele me convencesse a soltá-la. — Você, Lou e eu temos muito trabalho a fazer — completei, esfregando-lhe o pescoço. Branka mastigava, olhando ora para mim, ora para a carne.

Era importante que fizéssemos um acordo antes de Lou entrar em cena, pois, a despeito da diferença de tamanho, Lou voaria em meu socorro caso o bruto me atacasse. Lou era "inagarrável", mas não invencível.

Passei horas com Branka. Ele babava tanto que eu precisava ter sempre um pedaço de pano no bolso de trás. Nos intervalos do trabalho, ele ficava preso num corredor, na sala de adestramento ou num lugar de onde podia assistir às atividades, sem participar delas.

Ele havia sido arrancado do trono da fama e estava confuso. Tinha perdido a coroa, o fã-clube e as vítimas. Nós o pusemos em um mundo que exigia obediência, boas maneiras e jogo limpo — coisas absolutamente desconhecidas para ele. No fundo, era um bom cão; o exterior é que agora precisava ser trabalhado.

Branka não era agressivo porque tinha medo. Exibia um impulso altamente defensivo, definido pela raça, mas intensificado pela fraqueza e pelos mimos dos donos. Gostava daquilo; *amava* aquilo. Quando um cachorro desenvolve a paixão defensivo-agressiva, nenhum dos métodos usuais para melhorar o comportamento funciona: nem recompensas, nem técnicas de distração, nem redirecionamento, nem passeios.

Branka *queria* ser agressivo — e agressivo ele continuaria a ser, não importando a quantidade de passeios, os pedaços de carne ou redirecionamentos a que recorrêssemos. Suas maneiras não mudariam sozinhas; nasciam umas das outras, e se os motivos atuais desaparecessem de seu mundo, ele encontraria outros para estimular seu comportamento.

Há algo que os adestradores de hoje não percebem: às vezes, um cachorro se apega apaixonadamente a um mau comportamento que desenvolveu e recusa-se a abandoná-lo a menos que não tenha outra opção. Cães não são autômatos destituídos de inteligência; eles criam, eles inovam. Conviver com Lou durante dezesseis anos ensinou-me isso. Ele estava sempre inventando novos comportamentos por conta própria, sem interferência alguma de minha parte. Branka, agindo do mesmo modo, teimava em repetir o comportamento porque esse o *definia* — era sua musa pessoal.

Assim como não se consegue curar um alcoólatra mantendo-o preso em casa, mostrando-lhe filmes antigos e dando-lhe chocolate quando ele procura uma garrafa, assim eu não conseguia distrair Branka de sua propensão à violência ou anular seu comportamento reestruturando o ambiente. Tinha de lhe oferecer outra musa e, ao mesmo tempo, tornar a antiga problemática. E bolei um plano para isso.

Quando não estão sendo adestrados, os cães precisam ser atrelados, geralmente com uma corda de náilon. Branka precisava de uma corrente, pois qualquer outro material se romperia como barbante durante um de seus acessos de fúria. No começo, se um adestrador passava por ele com um cão atrelado, Branka rosnava, erguia-se nas patas traseiras e tentava saltar; só a corrente, segura com firmeza, o detinha. Mas, alguns dias depois, ele aceitou seu destino e se acalmou.

Observando-o no corredor, descobri o que queria descobrir: Branka estava ficando... solitário. Tinha o ar ansioso e sonhador do último garoto escalado para o time. Embora muito jovem, até ele, por mais brigão que fosse, precisava de amigos.

Mas, por enquanto, era preciso negar-lhe toda companhia canina. Nunca tinha conquistado um amigo de verdade, apenas pessoas e cachorros que podia intimidar. Já era tempo, para ele, de descobrir como é bom ter alguém a quem recorrer. E, para o adestrador, de mostrar-lhe como a vida realmente é.

Branka pesava duas vezes mais que Lou e era dez centímetros mais alto que ele na linha dos ombros. Fazia Lou parecer uma miniatura de *pinscher*.

Quando Lou viu Branka pela primeira vez, voltou-se e dirigiu-me um olhar que parecia dizer:*"Cara, você deve estar brincando!*

— Eu sei, amigão. Esse aí pode nos trazer problemas.

— *Rour.*

Levei Branka para a sala onde havia adestrado Solo, com Lou encarapitado no alto da rampa. Não precisei colocar guia dupla no brutamontes, técnica que só usávamos com cães muito perigosos, quando a função do assistente era simplesmente manter o cachorro longe do adestrador principal. Os dois se posicionavam a 180 graus um do outro o tempo todo, para impedir que o cão atacasse qualquer um deles. É uma situação das mais tensas; quando você não conhece bem seu colega, um dos dois pode sair muito machucado.

Branka havia parado de me ameaçar e até já aceitava alguns carinhos e brincadeiras (um tanto rudes). Mas ainda podia se exaltar a qualquer momento, o que certamente faria quando eu começasse a pressioná-lo mais.

Queria que ele percebesse como era ter um cão para admirar. Queria que ele olhasse para Lou e para mim e pensasse: *Esses caras são fogo! O que eu posso fazer para impressioná-los?*

Prendi Branka à parede e voltei para brincar com Lou. Ele se levantou e me lambeu, depois agarrou um biscoito. Branka, todo músculos, olhava e rugia.

— Fique quieto — ordenei-lhe, olhando-o nos olhos. Ele parou de resmungar e fitou-me com aquela carranca típica de sua raça, como a do marinheiro bêbado após levar uma garrafada na cabeça. — Este é o meu cachorro Lou. Bem melhor do que você. Talvez um dia você seja como ele; mas, por enquanto, apenas fique aí quietinho, esperando.

Passaram-se os dias. Eu alimentava Branka e Lou na mesma sala, prendia-os no mesmo corredor, alojava-os no canil um ao lado do outro. Fiz com que Branka visse a mim e Lou brincando de buscar a bolinha no gramado. Tratei-o como a um marinheiro recruta, diariamente, pondo-o a observar o modo como eu cuidava de Lou e de outros cachorros, pois, dessa maneira, talvez ele começasse a pensar que eu era uma boa solução para seus problemas. Queria que ele desejasse fazer parte de minha tribo.

Se Branka fosse realmente agressivo, meu plano não funcionaria. Mas ele não era; apenas imaginava — o pateta — que amigos são para a gente fazer de gato e sapato. Após duas semanas adestrando e observando como os amigos devem lidar uns com os outros, ele estava pronto para evoluir.

Comecei a levá-los juntos aos passeios. Lou me acompanhava de qualquer lado, de modo que eu o punha à direita e mantinha Branka à esquerda, sem deixá-los se tocarem. Das poucas vezes em que Branka quis fazer isso, levou uma bronca e um corretivo imediatamente.

Nessa fase, todos os adestradores já haviam trabalhado com ele. Podia andar sem a guia; comportava-se bem, a menos que estranhos aparecessem. O adestramento, contudo, era apenas um passo para a mudança de ânimo que queríamos operar em Branka.

Ao chegar ao campo, soltei Lou primeiro. Ele deu um salto e pôs-se a correr. Branka choramingava.

— Ficou enciumado, hein? Ótimo. Deve ficar mesmo — disse eu, esfregando-lhe a cabeça e o pescoço. Seu corpo parecia uma estátua de mármore recoberta com pelo de urso.

Ele lambeu minha mão e roçou-se em mim.

— Vou soltá-lo também. Sem dúvida, você irá disparar por aí atrás de Lou, na tentativa de derrubá-lo. Mas não deve fazer isso, pois Lou é mais esperto e mais rápido. Você não passa de uma criança, ele é um homem. Vá, descubra por si mesmo. Mas, se machucá-lo — adverti com voz firme, agarrando-o pelas mandíbulas e levantando-lhe a cabeça —, terá de se haver comigo.

Tirei a guia de Branka e deixei-o ir. Ele correu direto na direção de Lou, que saltava no meio do campo, abocanhando grama e farejando esterco de ovelhas. Branka avançou como Russell Crowe, em *Gladiador*. Lou apenas se virou para ele e sorriu.

Eu também ri vendo Branka disparar como um leão ao encontro de Lou: parecia um jogador de futebol americano, tentando apanhar seu maior adversário. Lou esperou até o último segundo e, girando para a esquerda, correu na direção da cerca. Branka lançou-se em seu encalço, levantando pó da grama seca, tentando alcançá-lo.

Lou diminuiu a velocidade para permitir que o outro se aproximasse. Brincava de gato e rato com ele. Adiantou-se um pouco e parou, encarando Branka; e logo, retesando-se todo, riu e virou para a direita, driblando o valentão. Em seguida, correu para mim em alta velocidade, apanhou um biscoito que lhe atirei e acelerou de novo, enquanto o valentão frustrado arquejava. Branka olhou-me incrédulo e tentou de novo agarrar Lou, que saltitava à volta esperando a continuação do jogo.

A correria prosseguiu por mais uns dez minutos, até Branka desabar na grama, resfolegando como uma locomotiva. Aproximei-me e acariciei sua barriga.

— Você não pode pegá-lo — eu lhe disse.

Lou veio em nossa direção e sentou-se a alguns metros de distância. Branka ergueu-se um pouco, encarou Lou e balançou a cabeça.

Repetimos a manobra três vezes em três dias, até Branka começar a gostar da brincadeira. Então, levei-o para a sala. Pensei em colocar-lhe uma focinheira, para a segurança de Lou, mas não tínhamos nenhuma do tamanho de sua cara enorme. Desisti. Não usaria a mesma técnica aplicada em Solo; trabalharia ambos os cães, Lou sem guia, Branka atrelado, a fim de estabelecer uma camaradagem funcional entre eles.

Branka, nessa fase, conseguia sentar-se e deitar-se adequadamente, de modo que o coloquei no meio da sala e afastei-me com Lou. Sentei-me num banco, acariciei o pescoço de Lou e fiquei observando Branka, cuja cara de mau apenas disfarçava seu desejo de companheirismo.

— Veja como o rabo dele balança — eu disse para Lou. — Está começando a gostar de nós. Mas ainda pode morder. Acha que consegue impedir isso?

— *Arugla*.

— Ótimo.

Pedi que Lou se deitasse e ficasse esperando, a cerca de meio metro de Branka. Em seguida, agachei-me e segurei a cara do brutamontes.

— Fique quietinho *aqui* e não machuque o meu cachorro, certo? — Ele ergueu os olhos, lambeu a baba do queixo e pousou uma das patas dianteiras, tão grande quanto a mão de um homem, em meu braço. — Sim, sim, eu também gosto de você. Então, não saia daqui.

Deixar Lou e Branka juntos representava um risco muito grande. Eu não estava usando rede. Mas Lou era meu trunfo para corrigir aquele pateta; eu confiava mais em seu discernimento e em suas habilidades do que na competência de qualquer pessoa que eu conhecia. E ele não me desapontou.

Sentei-me perto deles e comi uma banana, atirando de vez em quando um biscoito para cada um. Os dois se entreolhavam. Branka bocejou e deitou-se de lado. Deixei-o à vontade. Ele me lançou uma espiadela, estendeu a pata para Lou e tocou-o; em seguida, estirou o pescoço e lambeu a pata de Lou. Este cheirou-o e emitiu seu *rour*. Branka virou-se de barriga para cima e ergueu as patas para Lou, que, em pé, lambeu-lhe a cara e farejou-lhe o traseiro gordo.

Toquei o traseiro de Branka para que ele se levantasse e chamei os dois para junto de mim. Pousaram as cabeças em meu colo e comeram o resto dos biscoitos que eu trazia na mão. Fiz com que roçassem as cabeças uma na outra, como Moe em *Os Três Patetas,* e andei com eles pela sala — eles estavam bem próximos de mim e balançavam as caudas. Não havia mais perigo; éramos uma matilha de três — o terceiro, do tamanho de um sofá de dois lugares.

Começamos a levar Branka a um parque das imediações a fim de reforçar sua obediência e sua nova postura em locais públicos. A princípio, ele tentou "controlar" as coisas, mas logo desistiu diante de minhas reprimendas. Lou foi conosco algumas vezes. Observando como Lou era despreocupado e sociável, Branka deve ter achado mais fácil descontrair-se e esquecer sua agressividade. No fim, já aceitava presentes e carícias de estranhos. Nenhum jardineiro hispânico do parque foi derrubado ou agredido.

— Gosto deste cachorro — declarou um homenzinho de cabelos pretos que podava uma árvore. — Posso brincar com ele?

— Mande que se sente e depois lhe dê este pedaço de carne.

— Sente-se, sente-se — ordenou o homenzinho.

Branka olhou para mim como se dissesse: *O cara está armado com uma tesoura. Quer que eu o derrube?* Lancei-lhe um olhar cujo significado ele já havia assimilado: "Nada disso".

— Sente-se, sente-se — repetiu o homenzinho, agitando o pedaço de carne. Branka sentou-se e ganhou o seu bocado. — Bom menino!

Bom, sim — mas o homenzinho nem fazia ideia de quanto.

— Tenho aqui duas passagens, de ida e volta, para Los Angeles — disse Colleen. — Uma para você e outra para mim.

— Colleen, essa notícia me pegou desprevenido.

— Vamos levar Branka para casa.

— Seu dono o trata como se ele fosse um pequeno lorde — observei. Eu tinha orgulho de Branka e já havia até pensado em adotá-lo. — Ficar com um dono assim lhe fará algum bem?

— Não estamos apenas levando-o de volta. A intenção é readaptá-lo ao lar e ensinar os donos a tratá-lo da maneira certa.

— Vamos os dois, então?

— Sim, juntos.

— Você conseguirá segurar as pontas?

— Não se superestime, garoto — riu Colleen.

A ideia era simples: reinstalar Branka no ambiente doméstico, dessa vez segundo nossas próprias regras e nossa capacidade de liderança, mostrando ao mesmo tempo aos donos o que era necessário fazer para evitar que o brutamontes revertesse aos velhos hábitos.

Mas, como se sabe, nem tudo é tão fácil quanto parece.

Chegamos pontualmente a Los Angeles. Colleen e eu só tínhamos um item para checar: Branka. Ele, é claro, estava impaciente e raivoso em sua gaiola quando o funcionário o trouxe.

— Que é isto, um filhote de leão? — espantou-se o carregador, vendo Branka dar cabeçadas na porta da gaiola com tanta força que ela se sacudia toda no chão.

— Pare com isso! — gritei, agachando-me diante da porta. Branka se acalmou e lambeu minha mão. A gaiola cheirava a urina. — Sabe de algum lugar por aqui onde possamos lavá-lo? — perguntei ao carregador.

— Há um lava-rápido na rua Sepulveda.

— Quer dizer isso a ele? — perguntei, abrindo a porta da gaiola. O homem desapareceu.

Colleen alugou uma picape, acomodamos Branka na carroceria e o levamos para casa, uma bela propriedade perto de North Canyon Drive. Três anos antes, eu lecionara para alguns garotos a apenas um quarteirão dali, sempre levando comigo o jovem Lou. Assim, para nós dois, foi uma espécie de volta ao lar das mais estranhas.

Norman era um homenzinho moreno, espalhafatoso e falante. A primeira coisa que fez foi chamar Branka e dar-lhe um grande abraço de urso, com o cão nas pontas dos pés — uma cabeça mais alto do que ele.

— Senti saudade de você, amigão! — disse Norman, enquanto Branka lhe babava no rosto. — Mas está cheirando a urina!

— Fez xixi na gaiola — expliquei.

— Vou processar aqueles bastardos — brincou ele, apertando a minha mão. Branka aproximou-se da tigela de água e bebeu até não poder mais.

— Sou Colleen, dona da academia. Steve foi o adestrador principal de Branka nos últimos três meses.

— Mostrem-me então o que ele aprendeu.

— Posso lavá-lo antes?

— Ah, é claro. Venha comigo.

Demos um banho de mangueira nele e o enxugamos. Depois, deixei-o perambular por ali um pouco, para ver o que ele faria. Patrulhou o terreno como bom *bullmastiff* que era, farejando os indícios de todos os seus amiguinhos jardineiros de origem hispânica.

Passamos algum tempo com Norman e sua família, relatando o que havíamos feito com Branka e explicando quais deveriam ser as regras dali por diante. Ficaram impressionados com a nova capacidade de obediência de Branka, mal podendo acreditar ainda que ele tivesse miolos na cabeça.

— Mas isso é ótimo! — exclamou Norman, fazendo com que Branka se levantasse da posição deitada e se sentasse usando apenas gestos de mão. — É como manobrar um iate!

— Acho que sim — concordei, percebendo que para eles Branka tinha sido mais uma força incontrolável da natureza do que qualquer outra coisa. — Agora vou lhes mostrar como ele obedece bem aos chamados.

Depois de demonstrar como Branka atendia bem às ordens, mandei que se deitasse e ficasse quieto no pátio.

— Vamos nos sentar todos.

— Querem um chá gelado ou, talvez, uma cerveja? — perguntou Norman, passando-me um braço pelos ombros.

— Chá gelado seria ótimo.

— Para mim também — disse Colleen.

Ela me deixou mostrar aos donos o que Branka havia aprendido, em parte porque eu passara mais tempo com o cão, mas em parte também por causa de minha experiência. Sem dúvida, Colleen sabia que eu ficava à vontade com os "tipos de Hollywood" — os quais, fosse como fosse, eram todos nascidos em Nova York. Ela planejava deixar-me ali por um dia ou dois, enquanto visitaria alguns criadores de cães que conhecia na área, e queria ver se eu dominava bem a situação.

— Rosita, *dos* chás gelados, *por favor*. Por que ele fica aí nessa posição? Está aborrecido?

— Não... É um cachorro obediente — eu lhe garanti, suspeitando de que Branka era o seu primeiro cão, como Lou fora o meu. Norman parecia um adolescente que acaba de tirar sua carta de motorista e não vê a hora de entrar em uma Ferrari e ligar o motor. — Branka *quer* agir assim. É um truque.

— Viu isso, querida? — perguntou Norman à esposa.

— Sim, Norman. Estou bem aqui.

— Marsha — chamou ele, dirigindo-se à filha, que tinha uns 20 anos e estava ocupada em ouvir o CD pirata do mais novo lançamento do Blues Traveler em seu *walkman*.

— Que é?

— Olhe para Branka.

— É impressionante, papai.

Branka espirrou. Um fio de baba escorreu-lhe da boca até a testa. Ele tentou limpá-la, mas a gosma ficou presa ali como Silly String.

— Pura saúde — disse Norman.

Contei-lhes que Lou havia me ajudado muito durante todos aqueles meses. Norman olhava para Branka como um garoto olha para sua bicicleta nova.

— Esse Lou parece mesmo um grande cara. Ainda bem que Branka não o devorou. Ficaram amigos, não é?

— Lou foi o meu trunfo. Os dois agora são como Georgie e Lennie.

— Hein?

— *Ratos e Homens*, de Steinbeck, papai — emendou Marsha, revirando os olhos.

— Ah, claro. Mas Blanka não é retardado!

A picape dos jardineiros chegou às 9h30. Os três rapazes permaneceram na cabine, esperando para ver quem tinha coragem de descer primeiro. O motorista discutia com o companheiro do lado, um jovem e robusto hispânico que segurava um copo de café, seu último prazer na Terra antes de cair nas garras do cão leonino de Beverly Hills. O jovem perdeu a discussão, saiu e preparou-se para ser estripado.

Norman observava da janela. Eu não queria que ele se envolvesse ainda. Queria, isto sim, ver Branka em seu elemento sem a interferência talvez prejudicial do dono.

Branka e eu deixamos a casa por uma saída lateral, passamos pela picape e aproximamo-nos do jovem aterrorizado, imóvel no portão. Eu mantinha o devorador de jardineiros em rédea curta e trazia no bolso um pacote de petiscos. Antes, vestira roupas velhas e, empunhando um ancinho, percorrera o gramado para fazer tipo e meter naquela cabeça dura que jardineiros devem ser obedecidos, não transformados em adubo. E eu não o alimentava desde a véspera.

Branka resmungou um pouco, por questão de hábito.

— Quietinho, seu pateta! — ordenei, olhando-o bem nos olhos.

— Tenho muito medo deste cachorro — murmurou o jardineiro, de olhos arregalados. Branka farejou-lhe a perna da calça e ergueu a cabeça quando passei ao rapaz um petisco.

— Ele sabe. Pode sentir o cheiro. Mas está com fome e quer comer. Mande-o se sentar e só depois lhe dê isto.

— S-s-s-sente-se — gaguejou o coitado.

O cão sentou-se, lambendo os beiços. O jardineiro jogou-lhe o petisco e Branka apanhou-o.

— Você é um bom menino, Branka — elogiei, acenando para que o rapaz repetisse minhas palavras.

— Você é um bom menino, Branka — disse ele. E, virando-se para mim: — Este cachorro já me mordeu. Acho que não gosta de mexicanos.

— Não se preocupe — tranquilizei-o. Abri o portão e entramos — eu, Lou e o rapaz. Acenei para que os outros entrassem também. — Agora ele é um cão diferente. Não morde mais.

Quando os outros dois entraram, joguei o pacote de petiscos para o motorista — um homem mais velho, que mancava um pouco. Ele o pegou. Branka seguiu com os olhos o voo do pacote e ficou olhando o recém--chegado, como se tentasse recordar de onde o conhecia.

— Este aí não gosta muito de mim — disse o homem.

— Dê a ele um petisco.

O rapaz acenou com um petisco para Branka, que o engoliu como se fosse um filé — e ainda queria mais.

— Você também — disse eu ao terceiro homem, um sujeito incrivelmente magro com um chapéu de palha de vaqueiro. Ele apanhou um petisco e deu ao cão, que esqueceu seus preconceitos em favor da comida.

— Agora está gostando de nós? — perguntou, dando outro petisco a Branka.

— Ainda não. Apenas, quer mais carne do que sangue.

Eles se entreolharam como garotos da cidade num zoológico, excitados diante de um animal enorme que não pretendia matá-los.

— Muito bem — disse o motorista —, podemos, então, trabalhar?

— Podem. Peguem as ferramentas e comecem o serviço. Eu ajudarei vocês.

Com a guia de Branka presa a um gancho no meu cinto, trabalhei lado a lado com os jardineiros podando arbustos, aparando a grama e desbastando uma pequena árvore. De cinco em cinco minutos, pedia a um dos rapazes que mandasse Branka se sentar e lhe desse mais petiscos. Às vezes, deixava que andassem um pouco com ele preso à guia e até o coloquei no caminhão por alguns instantes, entre mim e o motorista, enquanto ele fazia uma pausa para fumar um cigarro.

— Acho que melhorou bastante — disse ele, acariciando Branka. — Antes, era um verdadeiro leão. Derrubou e mordeu a gente várias vezes. Quer ver? — perguntou, fazendo menção de desatar o cinto.

— Não, não é preciso. Acredito em você. É, ele melhorou bastante. Mas vocês devem sempre dar petiscos e passear um pouco com ele por aí. Sejam amigos dele, entenderam?

— Claro. Da próxima vez, vou trazer comida da boa.

— *Enchiladas* de queijo, por exemplo — sugeri, sorrindo.

— Ele gosta disso?

— Todos os cães gostam.

— Tudo bem. Vou trazer sempre, então.

— E nunca o encontrem na entrada. O dono sairá com ele, como fiz hoje, e vocês entrarão todos juntos. No portão, nunca. Certo?

— Certo, certo. No portão, nunca. Ali ele vira um demônio.

Fui passando Branka de mão em mão, permitindo que ele farejasse cada um dos homens e recebesse petiscos e afagos na cabeça. Afora alguns olhares de soslaio para o magricela, tudo correu bem.

O rapaz forte deixou cair uma pá no pátio, atrás de Branka, que se virou e correu na direção dele.

— Pare! — gritei, detendo-o com a guia em pleno salto e cutucando-lhe com força o peito, sinal convencionado para o brutamontes saber que havia ultrapassado os limites. Branka era incrivelmente forte; se ele tivesse percebido a queda da pá antes de mim, eu jamais conseguiria refrear sua investida. Ele rosnou para o homem e me olhou como se dissesse: *Ora, vamos, amigo... O cara bem que merecia...* Só consegui detê-lo por causa dos três meses que passamos juntos: qualquer outro estaria em apuros.

— Assim não, seu bobo. Deite-se! — Mantive-o em posição deitada por um minuto enquanto o homem, a um sinal meu, se aproximava para apertar a minha mão.

— Era o que ele fazia o tempo todo — contou o rapaz, olhando Branka de cima. — Como uma pantera.

— Segure a guia — pedi a ele.

— Não, não, de jeito nenhum!

— Tome — insisti, passando-lhe a guia. — Vou junto com você. Vamos todos.

Mandei Branka se levantar e caminhamos em grupo para o portão; o jardineiro forte segurava a guia como se ela queimasse suas mãos. Vi Norman espiando pela janela e acenei para que viesse se juntar a nós.

— Aonde vamos? — perguntou ele, com um copo de café em uma das mãos e um pãozinho de cebola na outra.

— Onde achou este petisco da cozinha judaica?

— Um amigo em Fairfax — respondeu ele, rindo.

— Norman, agora nós somos a matilha de Branka e estamos indo para um passeio por Beverly Hills.

Dei um petisco para cada um. Descemos a rua ensolarada, com Branka espremido entre mim e o rapaz forte, olhando-me como se eu tivesse enlouquecido. Os jardineiros se arrastavam como garotos sobre um lago congelado, enquanto Norman bebericava o café e acenava para os vizinhos com o pedaço de pão.

— Isto é ótimo — disse, vendo Branka puxar o rapaz musculoso para um hidrante, onde fez xixi. — Deveríamos sair com ele assim todos os dias.

— E você não faz isso? — perguntei, pegando a guia e passando-a ao jardineiro magrinho. Este a segurou e balançou a cabeça assustado, como se estivessem lhe exigindo um sacrifício.

— Nunca.

— Branka não é um gato, Norman. É um cachorro. Precisa se exercitar, sair um pouco de sua fortaleza solitária.

— Super-Homem.

— Se ele ficar somente em casa, vai protegê-la como se ela fosse um forte apache e agredirá quem chegar perto.

— Isso é ruim.

— Nem tanto... Felizmente, ainda é novo. Acho que interviemos a tempo.

— Posso segurar um pouco a guia? — pediu o motorista ao magrinho. Pegou a guia e, num assomo de confiança, correu à frente com Branka, que o arrastou. — Sente-se, sente-se — ordenou, agitando um petisco. O cão se acomodou e devorou o petisco.

— Bom trabalho — cumprimentei-o, retomando a guia, feliz por Branka não ter derrubado o rapaz na frente dos vizinhos.

— Tenho uma *poodle* — disse ele, com orgulho.

— Do tamanho de um *hamster* — brincou o jardineiro magricela, entreabrindo os dedos.

— Mas você tem medo dela — retrucou o motorista, rindo.

— Porque é um bicho ruim, como o dono.

Demos a volta no quarteirão, todos juntos, acenando para as pessoas e fazendo com que Branka se sentasse, deitasse e caminhasse adequadamente. Norman ofereceu o resto do pãozinho ao cão, que o comeu e olhou à volta, esperando mais. Em seguida, empurrou o magricela para o lado e tocou Norman com a pata.

— O que é?

— Branka quer o resto do petisco em seu bolso.

— Posso dar? — perguntou ele, ainda alarmado.

— Faça-o se sentar e diga "Branka, cumprimente".

170

— E ele sabe cumprimentar? — estranhou Norman.

— Sem dúvida. Ensinei-o também a girar, rolar e latir quando solicitado.

— Mas isso é maravilhoso! — exclamou ele. — Vou levá-lo ao programa do Letterman.

— Branka, sente-se, sente-se — ordenou o magricela. Branka sentou-se e ficou esperando. — Branka, cumprimente, cumprimente! — O cão estendeu a pata para a mão aberta do rapaz. Pata e mão — ambas do mesmo tamanho — se estreitaram por alguns segundos.

— Trabalho excelente. E agora vamos para casa.

— Gosto dele — confessou o motorista.

— Você precisa passear com ele pelo menos uma vez por semana, Norman — esclareci.

— Tudo bem. Gosto de andar. Talvez até comece a correr, hein, Branka?

Transferi a guia para Norman e fiquei com seu copo de café.

— Passeie um pouco mais com seu cão. Banque o professor primário com ele. Firme, mas justo.

— Deixe comigo! — disse ele, afastando-se a trote largo com o formidável cachorro. Os três jardineiros e eu nos entreolhamos e balançamos a cabeça.

— Depois que você for embora, ele vai voltar a tratar o bicho como um bebê — sentenciou o motorista. — E todos nós seremos mortos.

— Eu quero viver — disse o rapaz forte.

— Gosto dele — murmurou o magricela, observando Norman e Branka disparando rua abaixo aos pulos.

— Ele jogou você para o alto como se fosse um passarinho.

— Agora está mais comportado.

Apertei a mão dos três. Voltamos à propriedade e eles retomaram o trabalho. Quando eu abria a porta do pátio para entrar, o motorista virou-se para mim:

— Talvez ele mude e talvez não, certo?

— Isso é com Norman — expliquei.

— Vamos todos morrer.

Pelo que sei, Branka nunca matou ninguém. Naquela semana, ensinei os donos a tratá-lo como eu, insistindo na importância da liderança e da interação social. Norman realmente passou a sair com ele, e os jardineiros levavam-lhe *enchiladas*. Apresentavam à vizinhança o que parecia um número circense, transferindo a guia de mão em mão e saudando passantes, carteiros, cães e esquilos amedrontados.

Nunca mais voltei a ver Branka e, embora isso talvez tenha sido uma boa coisa, sempre senti saudades do grandalhão e perguntei-me se Norman cumprira o seu papel.

Mas sentia saudades de Lou também. Desde que o havia encontrado, três anos antes, raramente passamos uma noite separados. E agora estávamos longe um do outro. Em casa, com Nancy, ele se ocupava em instruir Ginger sobre as mazelas do mundo, enquanto eu fazia o mesmo com Branka a centenas de quilômetros de distância — ambos ensinando cachorros a serem cachorros, mas Lou sempre melhor e mais rápido do que eu.

Norman não fazia ideia de quanto devia a Lou. Branka fora um brutamontes solitário cuja paixão consistia em defender seu reino de três gentis mexicanos empoleirados numa velha picape Ford. Mas mesmo o mais agressivo dos cães precisa de um amigo a quem não intimide. Em Lou, Branka tinha encontrado um irmão que ele conseguia impressionar, um irmão imune às agressões. Os meses passados conosco em Bothell ensinaram-lhe o que era ser um cão de verdade e o que significava ter alguém solícito por perto. Passou a gostar de Lou e de mim, não porque lhe beijávamos o traseiro gordo, mas porque o olhávamos bem nos olhos, fomos honestos desde o início e lhe demos paz pela primeira vez na vida.

Branka foi apenas um dos cães. Ao longo dos anos, centenas como ele estiveram perto da eutanásia e foram salvos no último instante por mim e por outros adestradores talentosos da academia. *Pit bulls* repelentes, pastores sórdidos, *dobermanns* indignos de confiança, buldogues americanos ferozes, mestiços de lobo agressivos, *akitas* obstinados, *jack russells* nervosos — a lista dos cães que foram salvos é longa.

Todos eles — sem exceção — deviam suas vidas a Lou. Eles lhe deviam também cada noite passada com suas famílias, cada passeio, cada tapinha na cabeça, cada bocado de comida — a Lou, que trabalhava sem nenhuma proteção. Em todos os dias de sua existência, na dignidade da velhice, na oportunidade de farejar, correr e apanhar uma bola para fazer rir uma criança — lá estava Lou, aninhado em algum cantinho de seu coração, como o aroma evanescente da mãe na memória de um filhote.

Ele sabia que era feliz. Eu notava isso em seus olhos a cada manhã; Lou era como as pessoas que amam seu trabalho e não veem a hora de saltar da cama para retomá-lo. Ele mal podia esperar para ter junto de si um cão maluco e cansado, lamber-lhe a cara, esquivar-se de uma mordida fatal e ensinar-lhe a maneira certa de ver as coisas. Lou era corajoso e seguro; não receava que um cão palerma e atormentado tentasse rasgar-lhe a garganta, pois sabia que era rápido, esperto e capaz de inspirar grande simpatia. Tinha plena certeza de que, cedo ou tarde, descobriria o problema de um cão, aquilo de que ele precisava para se sentir parte do grande mundo e não de um ambiente inóspito, sem a companhia de seus iguais, onde vivia amedrontado, colérico ou perdido.

Lou pertencia à velha guarda. Tinha a alma e o coração dos cães de antigamente, que preferiam trabalhar a comer. E o trabalho que escolheu foi trazer outros cães de volta da antecâmara da morte.

No avião, de volta a Seattle, comecei a perceber melhor certas coisas a respeito de Lou. Ele não era como os outros cachorros. Era raro. Não era um simples produto de um bom adestramento, mas uma combinação perfeita e oportuna de genes. O que havia acontecido em Mendocino County fora um tiro no escuro — o fato de dois cães se unirem para gerá-lo, o fato de, entre seus irmãos em fuga, ter sido ele o único a parar no alto do morro e olhar para mim bem nos olhos, escolhendo-me.

Durante o voo, tentei ler uma revista, mas sempre voltava a pensar em como minha vida teria sido diferente se houvesse passado por aquele trecho da rodovia dez segundos antes ou depois. Lembrava-me também do que o veterinário dissera naquela manhã: Lou certamente morreria de infecção dentro de um mês se nós não o houvéssemos recolhido. Uma morte indigna, rodeada de corvos, abutres e formigas — um cão sem nome, decompondo-se sem ter a chance de tornar-se o melhor amigo com quem eu convivi.

Nossa amizade nos definia. Hoje, não consigo me imaginar — antes ou depois dele — sem Lou sempre por perto, como uma inscrição gravada em meu coração.

Ele foi o acontecimento perfeito. E eu bem sei que, não importa quantas tentativas faça, esse acontecimento jamais se repetirá. Naquela época, porém, ele era jovem, cheio de vida, a cada dia diferente, melhor, mais sábio, mais lúcido. Formávamos uma equipe, e o tempo parecia ter parado. Agora, sem ele, sem sua companhia incrível, sem o milagre caótico que ele era — não posso me sentir de outra forma a não ser perplexo.

11

O cavaleiro errante

Lou enxergava mais profundamente os cães do que eu as pessoas.
    Nancy tinha voltado para casa tarde. Eu havia ficado com os cachorros, vendo um filme, enquanto ela ia dançar com as amigas. Não me preocupei com aquilo. Mas, se fosse tão esperto quanto meu cão, teria me preocupado.

Por muitos anos, remoí ambas as versões da lista de queixas. Primeiro, dei razão a mim — a versão egoísta. Mas, tempos depois, fui mais justo com Nancy. Por um motivo qualquer, quando ela chegou em casa, naquela noite, já tinha tomado sua decisão: queria se separar. O golpe foi duro.

Cinco anos bastam para você imaginar que conhece uma pessoa. Assim, quando Nancy pediu para eu ir embora, bem... eu perdi a cabeça. Aos prantos, como uma criança, abandonei a casa levando apenas Lou, um pacote de ração para cães e um saco de dormir. Rodei sem destino pelo estado de Washington com meu carinhoso amigo, dormindo ora no carro, ora ao relento, sob as estrelas. Não sabia para onde ir; pensava apenas em florestas e trilhas, em aves e outras coisas vagas.

Seguindo pela Rodovia 97, que atravessa as montanhas Teanaway, vi uma placa que dizia simplesmente "Pico Vermelho". Pensei: "Deve ser à direita". Fiz a volta e me vi numa estradinha poeirenta, que não agradou muito ao meu Civic. Mas eu queria descobrir o que seria o tal Pico Vermelho e não me preocupava com mais nada. E lá fomos nós — Lou e eu — a caminho do Pico Vermelho.

Meia hora depois, descobri que o tal pico era uma torre de detecção de incêndios plantada no meio das montanhas perto de Blewett Pass, a 1.300 metros de altitude, com vista para o monte Rainier, o monte Adams e o monte Stuart, florestas densas de pinheiros, sol, céu, campos verdejantes, manadas de gado dispersas e falcões voejando nas alturas. Perguntei-me como havia conseguido chegar lá com aquele carro velho. Mas cheguei. No final da estrada, parei, deixei Lou sair e juntos contemplamos a torre encarapitada sobre um afloramento de rocha além de uma fileira de árvores, uma portentosa estrutura de madeira abandonada durante a maior parte do ano, exceto na época dos incêndios.

— Vamos, Lou — convidei. — Vamos subir.

— *Arugla* — disse ele. Queria a todo custo me animar. Quando eu ficava irritado ou abatido, Lou se aproximava, punha a cabeça em meu colo, rindo de mansinho, estendia a pata sobre minha perna ou seguia-me por todos os cantos da casa.

Vendo-me chorar, na noite anterior, grudara-se em mim como um chiclete. Para tentar me distrair, trouxera-me até uma bola e depois a guia, que deixou aos meus pés. No momento em que eu dei mostras de querer fazer outra coisa além de chorar e lamentar, ele saltou como um potro e abriu a marcha pela senda rochosa.

A trilha atravessava campinas muito verdes e, depois do bosque, desembocava numa vasta extensão coberta de placas de rocha banhadas de sol e batidas pelo vento. A torre erguia-se diante de nós. Lou se pôs a latir e correu em sua direção.

— Cuidado — eu o adverti, seguro de sua agilidade, mas pateticamente emocionado. Um passo em falso ali significaria morte certa; e perder Lou naquele momento me asseguraria pelo menos um mês numa camisa de força.

O vento soprava forte. Galguei os degraus íngremes ao lado da torre, com Lou atrás de mim. Ele não tinha problemas com degraus e podia subir até escadas de mão, se eu mandasse.

Abri o alçapão destrancado e entrei na estrutura. Lou fez o mesmo e começou a farejar por todos os lados, captando o cheiro de velhos piqueniques, excrementos de ratos e coisas semelhantes. Em seguida, rolou no chão para se limpar. Eu trazia comigo uma caixa de biscoitos e uma garrafa de água; comemos um biscoito cada um e bebemos um pouco da água — eu, pelo gargalo; ele, na palma da minha mão.

Dali eu podia descortinar as Cascades e o céu de um azul intenso, com nuvens arredondadas flutuando lá no alto. Ao longe, um falcão sobrevoava velozmente o bosque. Nada poderia ser mais bonito.

Eu me sentia péssimo, o que, entretanto, não prejudicava em nada a beleza da paisagem. Lou sentia a mesma coisa, mas, sendo cachorro, só se preocupava com o momento presente. Fiz o possível para imitá-lo, para apenas contemplar as coisas, para viver cada segundo como um cão.

Estávamos acima da floresta, rodeados de montanhas, as árvores lá embaixo como se quisessem alcançar o céu. O sol banhava a terra. Eu tentava não pensar em nada a não ser na luz, no vento e nos milênios que a natureza levara para construir aquele panorama silencioso. A passagem do tempo era como o dorso fendido de uma cordilheira que se fecha aos poucos, a partir de dentro, sem que esse fenômeno jamais seja percebido.

Encontrei um apartamento na cidade, perto da University of Washington. Barato. A vizinhança movimentada lembrava o Queens, em Nova York, onde morei por muitos anos. Lou e eu passamos de uma residência campestre e um quintal de onde se avistava um canil para um buraco no térreo com encanamento em petição de miséria e um sem-teto alojado num barracão de ferramentas bem diante da janela da sala. Lou se saiu bem em outro teste de admissão a apartamentos e logo nos mudamos.

O prédio — grande e velho — dividia-se em seis unidades pequenas, nada confortáveis. A maior parte dos inquilinos era composta de estudantes universitários a quem pouco importava se os banheiros explodissem ou o aquecimento não funcionasse. Meu apartamento tinha cômodos pequenos e cubículos esquisitos; a cozinha era um vão adaptado e o quarto fazia parte de uma garagem desativada, com piso de concreto pintado, muito frio. A sala ampla, porém, tinha assoalho de carvalho, janelas grandes e um canto para escritório, onde comecei a escrever meu primeiro livro, *Choosing a Dog* — um estudo das raças caninas —, em coautoria com Nancy Baer.

Lou gostou do lugar. Acho que lhe fazia recordar nosso primeiro apartamento em Los Angeles, onde podia ficar olhando pela janela os pombos e o trânsito. Agora, espiando lá fora, o que via e farejava era um sem-teto cozinhando feijão e salsichas num fogareiro, debaixo de uma lona fixada por pregadores de roupa e ripas trazidas de um monte de entulho de uma construção que havia no final da rua. De manhã, o homem acenava para nós enquanto se lavava numa velha pia rodeada de ervas daninhas que davam flores vermelhas no verão. Lou já o havia encontrado algumas vezes; recebia dele petiscos e carícias. Gostavam muito um do outro.

— Cachorro bonito. Ele morde?

— Já me defendeu algumas vezes. Não passou disso.

— Tenho um pino de metal na cabeça.

— Como aconteceu?

— É uma velha história — disse ele, estendendo um pires de feijão para Lou. — Na verdade, não me lembro. Acordei assim no hospital. Estava na praça Pioneer bebendo umas e outras com os amigos e, de repente, acordei no hospital com a cabeça raspada e um tubo enfiado no meu pau.

— Sou Steve. Este é Lou.

— Prazer em conhecê-lo. Meu nome é Henry. Não vou me lembrar do nome de vocês. Espero que não se importem.

— Sem problemas.

— Não perturbo ninguém, caso estejam preocupados.

— Fique tranquilo. Tenho o cão e tudo mais.

— Bom cachorro, muito bom. Parece o Marcello Mastroianni.

— O proprietário sabe que você vive aqui?

— Ele não aparece muito nessa área. Ouvi dizer que é dono de uns cortiços por aí. E, de qualquer maneira, estou sempre me mudando. Se precisar, volto para debaixo do viaduto.

— Legal.

— Também tenho uma amiga. Agora está em tratamento, mas costumávamos ficar juntos. Ela *ama* cachorros. Não se preocupe, não vamos roubar você ou algo parecido. Até posso vigiar sua casa, se me der alguma coisa de vez em quando.

— Quer uma cerveja?

— Mas claro que sim!

Henry e eu bebemos cervejas e conversamos sobre vários assuntos. Coloquei um pouquinho num pires e ofereci a Lou, que deu umas lambidas.

— Ele gosta de cerveja?

— Gosta.

— Muito sabido.

Mostrei a Henry algumas das habilidades de Lou e mandei-o buscar uma lata de cerveja vazia. O homem riu e fitou Lou nos olhos por alguns instantes. Henry ficava confuso às vezes, como se o pino em sua cabeça fosse uma antena AM com problemas de sintonia. Passava muito tempo embasbacado entre um canal e outro, mas quando saía de uma bebedeira tudo se aclarava e ele entendia perfeitamente as coisas. Então consumia outra garrafa de rum, a recepção da antena piorava e ele dizia: "É como se fosse Hiroshima dentro de minha cabeça".

Nancy Baer e eu elaboramos a proposta para *Choosing a Dog* e a enviamos para vinte agentes. O livro oferecia aos leitores, de maneira simples, uma ideia geral de todas as raças e ajudava-os a escolher o cão certo para seu estilo de vida. Muitas pessoas adquirem um cachorro pela aparência, e não pelo comportamento; nós queríamos que fizessem escolhas melhores.

Para nossa surpresa, três agentes nos deram retorno. Um deles, a agente Toni Lopopolo, disse que poderia vender o livro em uma semana. Mentia: vendeu-o em duas. E para o mesmo editor que, quinze anos mais tarde, intermediaria a venda deste para a editora St. Martin's Press. Quando meu relacionamento com Nancy Bamks terminou, teve início minha carreira de escritor.

Adestrei cães, escrevi o livro, perdi peso, ganhei peso e vivi com Lou num apartamento mixuruca vigiado do lado de fora por um mendigo, enquanto dormíamos. Bebi muitas cervejas com Henry e até me tornei uma espécie de boêmio durante alguns meses. Ia até o bar Blue Moon com Lou, amarrava-o à entrada, jogava sinuca, discutia com os fregueses sobre quem era melhor, Hendrix ou Clapton, perdia alguns dólares e ganhava outros — e voltava para casa cheirando a cigarro, com a roupa manchada de cerveja. Uma vez em casa, sentava-me, escrevia à meia-luz e ia dormir para recomeçar tudo no dia seguinte. Lou não arredava pé, meu psiquiatra peludo, atento ao mínimo indício de melodrama, pronto a me apanhar como a uma bola de tênis. Era um bom amigo. Ajudou-me muito a superar a crise.

Os verdadeiros heróis não são pomposos nem dominadores. Fazem tudo numa boa, são afáveis e dedicados, sem nada para provar. Rapazes de roça convocados para a guerra, policiais e bombeiros correndo para a eternidade, gente simples pronta a ajudar quando a represa se rompe. Não gostam de ser elogiados simplesmente por terem cumprido o seu dever.

Diante do perigo, algumas pessoas se dobram como guardanapos e depois vivem se penitenciando, sem jamais voltar a ser o que eram. Outras, porém, ganham coragem e atendem ao chamado.

Lou não se dobrava como um guardanapo.

Voltei para casa depois de algumas cervejas e partidas de sinuca no Blue Moon. Noite de verão, quente o bastante para se ficar em mangas de camisa. Lou foi me receber à porta, guia na boca e com seu *rour*.

— Está bem — disse eu, recolhendo a guia e deixando-o caminhar solto. Foi até uma esquina distante do estacionamento, aos fundos, e fez xixi na calota de um velho Ford, depois correu em busca de Henry, que no momento devia estar em suas acomodações sob o viaduto. Lou farejou uma lata vazia de refrigerante, latiu e veio me cheirar — era sua maneira de descobrir onde eu estivera.

— Chega, Lou, estou cansado. Vamos dormir.

Eu dormia no sofá-cama de espuma da sala e não na cama do quarto garagem. Preferia abrir os olhos para os raios do sol matutino que se infiltrava pelas persianas do que para a escuridão cavernosa e fria do quarto.

Apaguei a luz e deitei-me. Lou se estirou num tapete, ao canto. Lambeu os beiços, bocejou e ficou quieto. Adormeci pensando na ótima jogada que me valera a vitória em uma das partidas de sinuca.

Gritos — primeiro, no sonho. Sons do mundo real podem abrir caminho até o mundo onírico, assenhorear-se dele, acordar-nos de dentro para fora e persistir durante a vigília, como se o pesadelo tivesse o poder de emergir da esfera subterrânea, atravessar nossa pele e ganhar vida.

Acordei e vi Lou no meio da sala, olhando para o teto, rosnando, como se estivesse preparado para reduzir qualquer coisa a pedaços. Os gritos haviam cessado, mas restava um murmúrio e o eco cavo de uma voz masculina áspera.

Através das paredes finas do apartamento eu ouvia o tempo todo os estudantes fazendo farra; acostumei-me a dormir com seus batuques, gritos, sussurros e gemidos. Mas aquelas vozes e aqueles ruídos eram diferentes — agressivos, inoportunos.

No andar de cima morava uma jovem de uns 30 anos, loura e bonita, um pouco solitária e que devia pensar o mesmo de mim. Já tínhamos nos cruzado perto das caixas de correio e no Safeway local. Eu tinha visto seu nome por um instante, mas, como um sonho, me esqueci. Não parecia o tipo de pessoa que gosta de bagunça, pelo menos enquanto morei ali. E meu cão jamais ficara olhando para o teto, uivando como um lobisomem na calada da noite.

Henry, o sem-teto, e sua esposa poderiam gargalhar com estranhos no estacionamento às três da manhã que Lou não se importaria; apenas abanaria lentamente o rabo e olharia pela janela já sabendo do que se tratava. Os vizinhos desordeiros, que Lou nunca havia encontrado, poderiam berrar e gemer que ele balançaria a cabeça e empinaria as orelhas, como se estivesse perguntando se estava perdendo alguma coisa.

Lou tinha discernimento.

A jovem havia chegado em casa pouco depois de termos ido para a cama. Tinha bebido bastante. O homem a seguiu desde a festa e, quando ela enfiou a chave na fechadura, empurrou a porta e entrou. Simples assim.

Semanas depois, eu soube que o intruso tinha ficado no apartamento por quase duas horas. Depois de violentá-la, ele a empurrou para dentro de um armário, sentou-se à porta e ficou zombando dela por ter sido tão descuidada. A jovem, em pânico, gritava e implorava; só se calou quando ele ameaçou tirá-la de dentro do armário e recomeçar tudo.

Aterrorizou-a durante duas horas. Mas então os gritos dela me arrancaram do sono e transformaram o afável Lou em um instrumento de vingança.

Correndo para o telefone, ouvi o rangido de uma janela se abrindo acima de nós. Toda vez que Lou latia e rosnava, seu corpo se erguia do chão. Nesse momento, avistei pela janela da sala umas botas de operário, umas pernas e depois um tronco enorme descendo pela calha e saltando para a calçada embaixo. Por alguma razão, ele resolveu sair pela janela, e não pela porta.

A mulher gritou de novo. Agora podíamos escutá-la melhor pela janela aberta. Lou arremessou todo o seu peso contra a porta. Ouvi a madeira despedaçar-se. Mais dois golpes e abriria um rombo suficiente para passar. Não havia como detê-lo. E detê-lo era o que eu menos desejava. Escancarei a porta.

O homem pesava quatro vezes mais que Lou. Vestia macacão, botas marrons e um gorro esfarrapado com protetores de orelha. Pele avermelhada, corpo disforme, mechas de cabelo ruivo e emplastrado escapando por baixo do gorro. É assim que me lembro dele.

Lou apanhou-o na calçada duas casas à frente, bem diante de um abrigo particular para mães solteiras sem-teto, vítimas de violência. A ironia do caso ainda me faz rir.

Derrubou-o como a um pino de boliche e mordeu-o no traseiro. Aproximei-me correndo a tempo de ver Lou dependurado ali como um rabo de coelho. Com a parte de trás do macacão rasgada de alto a baixo, o homem se desvencilhou de Lou, correu uns poucos metros e foi derrubado de novo. Lou voou sobre ele como o Super-Homem, procurando seu pescoço e seus braços, decidido a matá-lo. Foi para isso que a natureza fez os cães.

Estremeci. Lou queria matar. Odiava o estranho. Eu ainda não sabia o que o miserável havia feito à minha vizinha, mas estava certo de que ele precisava ser detido.

O homem empurrou Lou de novo, com violência, e correu para o estacionamento de uma ACM local, onde foi outra vez alcançado. Caiu, bateu com a cabeça no asfalto e lá ficou — prostrado. Lou rasgou-lhe as roupas e postou-se em cima dele como um alpinista no alto de uma montanha. Toda vez que o homem tentava levantar-se, era derrubado de novo.

— É melhor tirar seu cão daqui, amigo — disse Henry, que veio acudir, para meu alívio.

— Por quê?

— Não importa o que o cara fez, os policiais vão atirar no cão ou levá-lo para o canil da prefeitura.

— Ouviu os gritos?

— Acordei com eles.

Em uma fração de segundo, percebi que Henry estava certo.

— Lou! — gritei.

Ele se virou para mim e depois, de novo, para sua presa. O som de sirenes de viaturas se aproximava.

— Lou, venha *cá*!

Ele saiu de seu transe e caminhou em minha direção. A polícia estava quase chegando.

— Vamos, cara! — disse Henry, puxando-me pela manga.

Lou parecia entorpecido, farrapos de pano na boca, baba avermelhada nos beiços. Agarrei-o pela coleira e voltamos todos para casa.

Peguei a guia de Lou, tranquei a porta do apartamento e fui com Henry para seu abrigo na frente do depósito de ferramentas. Lou, tremendo um pouco ao meu lado, lambeu a mão imunda de Henry. Eu estava apavorado com a ideia de perdê-lo.

— Ninguém viu nada, amigo — garantiu Henry. — Podia ser o cão de qualquer um.

— Isso é verdade. Só nós sabemos. Vou levá-lo para casa e ir até o local.

— E lembre-se: você não viu cachorro *nenhum*.

— Obrigado, Henry — agradeci. Ele parecia bastante lúcido dessa vez. Entendera tudo perfeitamente.

Cheguei a tempo de ver duas viaturas de polícia no estacionamento da ACM, o vilão algemado estendido sobre a capota de uma delas, soluçando, sem a parte de trás do macacão. Mulheres de camisola haviam saído do abrigo e observavam.

O homem tinha sido preso; portanto, alguém havia telefonado para a polícia a fim de relatar o ataque. Voltei ao apartamento, pus a guia em Lou e fiz uma longa caminhada até o canal, enquanto o céu, a oeste, ia se tingindo de cor-de-rosa e não se ouvia barulho nenhum na vizinhança, exceto outra sirene, provavelmente de uma ambulância. Gostaria de contar aos policiais o que Lou fizera, como tinha caçado o bastardo e o derrubado. Mas Henry estava certo — era mais perspicaz que eu —, eles provavelmente levariam meu cão embora, iriam sacrificá-lo ou até libertariam o preso por causa da cólera desmedida de Lou. O bandido me processaria, e eu iria em cana.

Era um mundo maluco. Não o mundo de um cão, onde imperavam o faro e a verdade, onde tudo era franco, honesto — e animal. De algum modo, Lou sabia o que o homem tinha cometido, ficara enraivecido e tornara-se invencível, fazendo parecer simples brincadeira sua atitude diante do 7-Eleven, anos antes. Graças a ele, o malfeitor seria acusado e condenado; e, se fosse um cão de polícia, em vez de civil, Lou sem dúvida ganharia uma medalha.

A mulher do andar de cima desapareceu por algum tempo. No dia seguinte, um policial veio colher os depoimentos dos inquilinos e vizinhos. Contei a verdade sobre tudo, omitindo apenas o fato de Lou ter feito uma operação de hemorroidas no bandido.

— O homem a violentou? — perguntei ao policial.

— Não posso dar informações — disse ele. Lou, aproximando-se, sorriu docemente e fez o jogo do *rottweiler*.

— Mas o senhor o pegou.

— Bem — admitiu o policial, fechando o caderno de notas e rindo —, alguém fez isso.

— Boa coisa — ponderei, rindo também.

— Sim, boa coisa — ele confirmou, acariciando a cabeça de Lou.

Há anos que venho contando essa história a meus amigos. Mas é a primeira vez que a descrevo em detalhes. Que mal pode fazer a Lou agora? Gostaria que tivéssemos ido para a cama um pouco mais tarde naquela noite e apanhado o malfeitor antes que ele cometesse o crime. Mas tudo, para o bem ou para o mal, é momento e oportunidade — exceto intenções e reações a uma crise.

Depois daquela noite, passei a ver Lou sob uma luz diferente. Ao menos por dois minutos, ele se transformara numa besta feroz, revelando um lado selvagem que, com toda a franqueza, me chocou. Eu já tinha visto cães praticar esse tipo de agressão incontrolável antes, algumas contra mim. Mas eram maus por natureza e indignos de confiança no dia a dia. Lou continuava afável e amoroso como sempre, mas agora eu sabia o que se ocultava dentro dele, talvez outro legado de sua vivência na floresta. E isso me fazia amá-lo ainda mais.

Pensei naquela mulher muitas vezes. Desejava contar-lhe o que havia acontecido. Como Lou havia detido seu agressor, o humilhado e machucado; como uma pessoa que Lou nem conhecia se tornara membro de sua matilha graças apenas ao som da dor que ela sentira; como Lou não pudera se conter, como algo dentro dele se soltara, libertando a fera. O cão percebera tudo através da laje do teto, pelo cheiro do medo e do ódio ou do que quer que estivesse no ar naquela noite. Queria que ela conhecesse Lou; mas tinha desaparecido e, quando ouvi de novo sons no andar de cima, achei que o melhor era esquecer tudo, que recordar o episódio talvez fosse insuportável para ela e perigoso para o meu cão.

A única pessoa no mundo que conhece a história toda, que pode contar o que ocorreu dentro daquele apartamento e fora, na rua, quando o meu cão o derrubou na calçada — essa pessoa, toda vez que acomoda sua bunda enorme numa cadeira, sabe, espero eu, onde as presas penetraram e ainda sente na pele maltratada a ira de Lou. Quero que a lembrança de meu cão invada seus sonhos todas as noites, aterrorize-o enquanto dorme e faça-o atravessar a rua toda vez em que um cachorro preto e marrom, com um brilho feroz nos olhos, aparecer em seu caminho.

Semanas depois, brincando de "cachorro louco" com Lou, lembrei-me de seu comportamento naquela noite. *Seu bichinho doce, esperto e maravilhoso!*, pensei, desejando que ele nunca mais precisasse agir daquela maneira.

— Eu te amo, Lou — disse-lhe, acariciando-o.

Sentia-me seguro e um pouco triste.

12

Mudança

Abri a porta da frente. A água escorria pela escada de concreto. Dentro do apartamento, Lou dançava em volta da poça fedorenta — cocô, tampões, papel higiênico, folhas podres e só Deus sabe o que mais flutuando à superfície. Na minha *casa*.

— Você não é o responsável por isto — disse eu a Lou, mal podendo conter o vômito. — Mas o mínimo que poderia fazer seria não se divertir tanto.

O velho encanamento tinha arrebentado. Segui o rastro imundo até o banheiro e descobri a fonte da inundação borbulhando do ralo.

Um tubo de esgoto, na rua, havia se rompido e de algum modo afetado o escoamento de meu banheiro; todo o lixo do prédio estava literalmente fluindo para o *meu* apartamento. Exceto pela gosma quente e pegajosa que uma gaivota tinha deixado cair em minha boca, nos anos 1970, aquela era sem dúvida a coisa mais repulsiva que havia me acontecido.

O proprietário não atendeu. Nunca atendia. Deixei-lhe uma mensagem enfatizando as palavras *departamento de saúde, encanador, processo, polícia, coliformes fecais, merda, urina* e algumas expressões impróprias para este livro.

Cinco minutos depois, ele ligou.

O apartamento tinha sido um lugar agradável para se morar. Terminei ali meu primeiro livro e metade do segundo, também escrito a quatro mãos com Nancy Baer, *Leader of the Pack*, um manual sobre a importância da liderança na vida dos cães. Esse, nossa agente também vendeu logo; e, antes que eu me desse conta, estava ganhando dinheiro como escritor.

No entanto, eu havia me cansado de canos estourados, fios corroídos, brigas de bêbados, algazarras noturnas e o clima da vizinhança, onde, mal o sol se punha, o número de indigentes, traficantes e pivetes superava muito o de pessoas normais que se arriscavam a transitar por ali. Um prato cheio para a memória, talvez; mas, para um adestrador de cães e autor iniciante com seu maravilhoso cachorro, já bastava. Comecei a procurar um novo lar.

Vivi como um beneditino por algum tempo, entre cervejas amigáveis e refeições silenciosas com meu cachorro. Então, um relacionamento de seis meses com uma mulher extravagante de Portland teve início num salão de dança e foi para o espaço quando ela confessou seu caso com um dentista cinquentão de Los Angeles. Ele a fazia vir de avião, em primeira classe, dava-lhe Harley Sportsters, tratamentos dentários de graça e jantares com vinho — para depois mandá-la de volta a Portland a tempo de seu frugal adestrador/autor, na casa dos 30, rumar para o sul com seu Civic a fim de lhe dar o que o velho dentista não podia.

Lou e eu trabalhávamos duro. Depois de adestrar milhares de cães, percebi que todos iam se misturando num cão enorme, de múltiplas cabeças, a que dei o nome de Pangeia. "Viva Pangeia!", eu gritava pela janela do carro na volta para casa, todas as noites. Lou, no banco traseiro, cantarolava, embaçando o vidro com seu focinho molhado.

Pusemos ovelhas no enorme campo da academia e deixamos que os cães o frequentassem. Alguns se comportavam, outros se excediam um pouco e tinham de ser contidos antes que as ovelhas fossem feitas em pedaços. Fato estranho: Lou pertencia a esse último grupo.

Sempre conservara o instinto de predador em se tratando de esquilos, furões, ratos — qualquer coisa que se movesse rápido e pudesse ser definida, em termos amplos, como alimento. Eu tinha lhe ensinado a refrear o entusiasmo, mas as ovelhas faziam vibrar nele, bem no fundo, o impulso da fome.

Rottweilers do exército romano vigiavam ovelhas durante as longas jornadas e pastores-alemães tinham as mesmas habilidades; assim, pensei que a carga hereditária e a velocidade de Lou fariam dele um grande guardador de rebanhos. Saiu-se bem nas primeiras vezes em que o pusemos com as ovelhas — vigiando-as, encaminhando-as, arrebanhando-as. Era divertido ver aquilo; a velocidade e os talentos de Lou estavam sendo postos em prática — ou assim julguei na ocasião.

Lou comeu a vida inteira arroz com lombo de cordeiro, inclusive lombo cru pelo menos uma vez por semana, e ocasionalmente carne bovina no desjejum. O gosto do lombo era coisa sagrada para ele, e, após passar alguns dias com as ovelhas, algo deve ter se acendido em sua cabeça. *Estou rodeado de comida para o resto da vida*, ele deve ter pensado, então. Assim, em vez de pastorear ovelhas, começou a mordê-las. Carne dura.

Desse modo, terminou sua curta carreira de pastor, a única habilidade que não conseguiu adquirir. Considerando-se sua antiga existência de predador oportunista, faz sentido que Lou tenha visto as ovelhas como refeições caninas de lombo de cordeiro com arroz.

Lou mantinha três patas em meu mundo e uma em outro lugar. Às vezes, quando contemplava um bosque, percebia um gamo cruzando uma trilha ou espiava um guaxinim subindo numa árvore, eu podia ver sua quarta pata. Fazia parte dele, e eu respeitava isso.

Uma das boas coisas que a mulher extravagante de Portland me deixou como legado foi um renovado desejo por música ao vivo. Assim, nos fins de semana, passei a frequentar a Pioneer Square para ouvir as bandas de *blues*, música que então se ouvia em quase todos os bares da área. Havia pelo menos oito deles. Na First Avenue, pessoas iam de bar em bar, aplaudindo as bandas e dançando até amanhecer. E foi em um deles que conheci Nicki; ela restaurou minha fé nas mulheres e deu a Lou um lar pelos seus últimos cinco anos de vida.

— Vai ficar aí, segurando essa cerveja a noite inteira? — perguntou Nicki, dançando com amigos ao som da banda *cover* de rock em que seu marido tocava. Eu vagueava pelo salão como um adolescente, enquanto ela e seu grupo suavam a cada canção barulhenta — o piso todo manchado de cerveja.

— Acho que não — respondi, entrando na roda suarenta e divertindo-me a valer. Nicki era baixinha, alegre e extremamente simpática — ela era casada, conforme descobri em seguida, e tinha dois filhos, ambos meninos. Dançarina afável e maluquinha, ela simplesmente não suportava ver um sujeito de bobeira no salão.

Fui apresentado a Nicki, ao seu marido e aos seus amigos, uma turma animada que não perdia uma dança nos fins de semana. O marido (também Steve) cantava e tocava guitarra na mesma banda *cover* desde a faculdade; e, embora estivesse na casa dos 30, ainda fazia shows pela cidade só para se divertir.

Gostei da companhia e dancei até meus pés começarem a doer e minha camisa ficar empapada de suor. Depois de passar um ano com pena de mim mesmo, pressenti que finalmente estava voltando à vida.

Todas as noites eu regressava a um apartamento que cheirava como um aterro sanitário no calor de julho. Embora o proprietário tivesse mandado consertar o encanamento e ajudado a limpar a sujeira, o fedor havia grudado no chão e nas paredes, e não tinha nada que pudesse eliminá-lo.

Enquanto eu revisava *Choosing a Dog* (que não seria publicado antes de nove meses), comecei a montar a estrutura do segundo livro, *Leader of the Pack*. Nancy Baer e eu custamos a encontrar a linha de desenvolvimento certa para aquele que, a meu ver, é ainda o melhor manual de liderança canina já escrito. A fim de economizar dinheiro, ela mesma ilustrou todas as raças caninas reconhecidas pela AKC em *Choosing a Dog*, fazendo um ótimo trabalho. Minha estratégia para elaborar um esquema detalhado do livro serviria de modelo para todas as obras que eu escreveria no futuro sobre como cuidar de cães; até o ponto final, eu sabia onde estava indo.

Lou e eu ficávamos todas as noites no apartamento fedorento. Eu escrevia enquanto ele mastigava alguma coisa ou ia brincar com Henry, que, após a agressão sexual contra nossa vizinha e a ação fulminante de Lou, havia se tornado um de seus melhores amigos. A companheira de Henry, Margaret, tinha desaparecido, e isso o deixou muitíssimo deprimido. E, como ele não queria falar a respeito, eu não insistia.

Lou animava Henry e espantava seus medos. Lembro-me de ter visitado alguns abrigos de idosos com Lou — que conseguia descobrir a criança dentro da pessoa mais velha e melancólica, estimulando-a a conversar, rir e recordar.

— Sabe por que eu nunca quis roubar este cachorro? — perguntou Henry um dia, partilhando um saquinho de batatas fritas conosco.

— Não, Henry. Por quê?

— Porque gosto dele, só por isso — explicou, sublinhando as palavras para lhes dar maior credibilidade. — E porque Margaret também gosta. Amo minha Margaret mais do que alguém já tenha amado outra pessoa e não posso sequer cuidar *dela*. Como, então, cuidaria deste magnífico cão?

Como percebi que ele iria começar a chorar, busquei duas latas de cerveja e uma bola de tênis, dei a bola a Lou e uma lata a ele. Falamos então de beisebol, como anos antes, em Los Angeles, John e eu falávamos — outro homem bom e solitário, com a esposa doente; um homem que gostava de beisebol e cachorros, mas sequer sabia para onde estava indo.

Todo conselho, todo truque, todo comportamento sobre os quais escrevi foram testados primeiro em Lou. Ele era meu laboratório e acabou adquirindo um vasto vocabulário, além de um cérebro desenvolvido e ativo.

Examinem a lista de palavras a seguir. Embora, sem dúvida, haja muitas outras de que não me recordo, a amostra dará uma boa ideia do que ele sabia. Além disso, quase todas as palavras correspondiam a gestos de mão, o que dobra a lista de ordens que ele conseguia entender. Lou dominava também nomes de lugares, de pelo menos vinte ou trinta pessoas e de um grande número de cachorros. Se você pronunciasse o nome de alguém que ele estimava, Lou sairia pela casa à procura dessa pessoa (ou cão).

LISTA DE VOCÁBULOS QUE LOU DOMINAVA

abaixe a cabeça	dance	peça
abrace	de pé	pegue
acene	deixe	pente
ache	dentro	perto
água	depressa	pneu
ande	direita	quieto
ao contrário	embaixo	rampa
ao redor	encanador	rasteje
atrás	escova	role
através	espere	*rour*
atravesse	esquerda	segure
baba	esquilo	siga
beijo	fique	siga à direita
bife	fora	sob
biscoito	frisbee	sobre
bola	gangorra	solte
bom	gatinho	suave
brinquedo	guarde	suba
cachorro louco	guia	tapete
cama	hidrante	tigela
carro	ladeira	tome
casa	lamba	toque
cave	lata	traga
cerveja	limpe	túnel
chaves	longe	upa!
coma	Lou	vá
comida	moldura	vá até lá
corda	nade	vara
corra	não	venha
costure	olhe	
cumprimente	osso	
dá	passe	

Cães de trabalho têm uma vantagem injusta sobre cães de estimação quando se trata de desenvolver um vasto vocabulário e um repertório de atitudes. Sua exposição a diversos ambientes e várias atividades complexas garante um léxico variado. Lou se enquadrava perfeitamente no modelo do cão de trabalho; durante dezesseis anos, colaborou na recuperação de centenas de cachorros malucos, na revisão de mais de doze livros, na educação de centenas de garotos, no entretenimento de idosos e na captura de quatro marginais dos piores. Esse tipo de experiência de vida gera associações complexas e aptidões sofisticadas.

O vocabulário de Lou era grande. Na verdade, porém, a maioria dos cães entende mais palavras do que seus donos pensam — palavras usadas na conversação diária que acabam se ligando a ações, como perguntar "onde estão minhas chaves?" antes de sair ou "a correspondência chegou" antes de ir até a caixa do correio. A repetição cria significado e entendimento. Com toda a certeza, o vocabulário completo de Lou era bem maior; apenas, eu ignorava quanto ele sabia. Gosto de pensar nisso.

Salli era uma mulher grande que adorava cães pequenos. Entrou para a academia pouco depois de mim, como aprendiz, mas logo passou a adestradora habilitada. Seu cachorro Oliver, um *bichon frisé*, era uma bola de pelo branco ao estilo afro. Lou o tomava por um brinquedo de apertar. Eu gostava muito dele.

Simpatizei logo com Salli, mas Lou, por algum motivo, não — ao menos a princípio. Isso lhe custaria sua masculinidade.

Esperei muito tempo antes de considerar seriamente a remoção dos *huevos* de Lou. Comportava-se tão bem que isso não parecia necessário. Mas, após algum tempo na academia, começou a dar sinais de que sua hora havia chegado. Farejando recintos onde outros cães haviam sido amarrados, mordendo ovelhas e exibindo um comportamento possessivo com brinquedos que não lhe pertenciam — tudo começou aos poucos.

Um dia, prendi Lou à maçaneta da porta da sala dos adestradores. Salli entrou quando ele mordiscava algum petisco e, ao inclinar-se para lhe dar um tapinha na cabeça, Lou grunhiu e arreganhou os dentes. Ele já havia feito isso com cães, mas nunca com pessoas, exceto comigo, durante os primeiros meses de nossa convivência. O fato de Salli ser uma mulher imponente e nova na vida de Lou não justificava aquela atitude; a menos que um mal-encarado se aproximasse de mim ou dele próprio com um machado na mão, Lou jamais grunhia para ninguém, muito menos para meus amigos.

— Ensine-o — disse eu a Salli, passando-lhe a guia de Lou.

— Pode deixar.

Permiti que ela o adestrasse, por causa de sua agressividade no episódio da comida, por alguns dias, até ele entender bem a situação. Em seguida, marquei uma hora com o veterinário. Os dias de garanhão de Lou estavam contados; sua vida de eunuco sábio ia começar.

Quando se castra um cão de 4 anos de idade, quase nada muda. A marcação de território diminui aos poucos, bem como as brigas entre machos. O peso pode aumentar, caso não se tome cuidado. Mas, quando o cão já tem 4 anos, sua personalidade e suas idiossincrasias estão consolidadas e a mudança é quase imperceptível.

Arrependimento? Vendo as coisas em retrospecto, gostaria de ter congelado um pouco de seu sêmen antes de castrá-lo. Sim, cães excepcionais como Lou *deveriam* transmitir seus genes, ainda que sejam vira-latas e apesar dos preconceitos dos criadores. Sem dúvida, a criação indiscriminada de cães por amadores e comerciantes não é boa coisa e deve ser desestimulada, como também deve ser desestimulado o nascimento de filhotes indesejados. Mas quando um cachorro se aproxima tanto da perfeição em termos de físico, intelecto e temperamento quanto Lou, *esse* tipo de cão deve ser preservado geneticamente.

O simples fato de uma raça ser "pura" não garante superioridade, fique certo disso, leitor. Cães devem ser criados levando-se em conta o temperamento, o intelecto desenvolvido, a saúde fisiológica e a capacidade de executar bem uma tarefa. Não se deve criá-los em obediência a uma estética arbitrária, fruto do modismo ou da tradição, cujo único propósito é o apego a valores convencionais.

Adestrei milhares de cães e lembro-me bem dos que eram bastante especiais. Essa lista é curta, com Lou inquestionavelmente no topo. Uns de raça pura; outros, vira-latas inidentificáveis; e outros, ainda, cachorros magníficos que nunca tinham sido adestrados. Isso faz algum sentido?

Anne Gordon administrava a Anne's Animal Actors, uma agência que fornecia cães adestrados para o cinema, a televisão e a mídia impressa. Visitava frequentemente a academia a fim de adquirir suprimentos para seus pupilos. Em vez de aparecer dirigindo sua picape, ia às vezes montada em Barney, um quarto de milha cor de café. Ao ouvir o som dos cascos, eu corria para a porta e via-a chegando montada no cavalo castrado; o cão que eu adestrava, ao meu lado, arregalava os olhos, pensando: *Deus do céu, que cachorro enorme!* Então o cavalo levantava o rabo e deixava cair um monte de excrementos, para espanto ainda maior do cão.

Anne conseguiria ensinar uma aranha a dançar a tarantela. Conceituada profissional de Hollywood, trabalhou em diversos projetos, inclusive nos filmes *Vanilla Sky*, *Lendas da Paixão*, *Nada É para Sempre* e *O Anjo Malvado*. Colaborou também, por algum tempo, adestrando um alce na série de TV americana *Northern Exposure*, filmado em Roslyn, Washington.

Eu ensinava cães a relaxar e comportar-se bem. Anne ensinava cães, gatos, guaxinins, pássaros, lobos, ursos, raposas, alces — praticamente todas as espécies que se imagine — a realizar ações abstratas na hora certa. Precisei conhecer o comportamento canino; ela, muito mais. Sua abordagem diferente me fascinava e acabou por despertar meu interesse por gatos, além de me induzir a ensinar atitudes complexas e coordenadas a Lou e a outros cães.

Aprendi com Anne os rudimentos do adestramento de gatos e fiquei impressionado com o que ela conseguia levar esses bichos a fazer. Eles executavam praticamente as mesmas ações que os cães: sentar-se, deitar-se, aproximar-se, girar, miar quando ela mandava — quase tudo, enfim. O segredo era duplo: pegar um gato esperto, motivado, e suborná-lo com a comida certa no momento oportuno.

— Que tal um livro sobre a maneira de ensinar truques aos gatos? — perguntou-me Anne um dia.

— Não sei. Gatos são... Como direi...?

— Eu sei, eu sei. Mas acho que um manual sobre truques para ensinar gatos funcionaria. Há mercado para isso. E não seria o caso de dizer que um gato pode ser levado a fazer algo contra a vontade — explicou ela, estendendo a mão para seu bichano malhado, que prontamente ergueu a pata e miou. Anne recompensou-o com uma colher de papinha para bebê sabor carne.

— Pode ser. Vou conversar com Toni.

Minha agente tinha vendido as propostas dos dois primeiros livros em tempo recorde. E não tardou a se afeiçoar aos cães; logo adotou um galgo italiano e um *terrier jack russell*. Toni era exuberante com seu sorriso largo e sua basta cabeleira negra, mais parecendo uma condessa italiana em férias. Não tinha papas na língua, ria alto e nunca dourava a pílula para nada.

— Redija uma boa proposta, e verei o que posso fazer — disse ela com voz vibrante. — Acho até que conheço alguém. Sim, verei isso. Mas não garanto! Um livro sobre adestrar gatos é uma ideia meio maluca.

Anne e eu preparamos um esboço e fornecemos uma visão geral do projeto. Depois que aprendi suas técnicas, pudemos — juntos — encontrar maneiras para tornar mais fácil o ensino de truques aos gatos. A proposta explorava também a velha rivalidade entre cães e gatos, mostrando que, se os gatos podiam realizar as mesmas proezas que os cães, então eram igualmente espertos. Verdade ou não, isso entusiasmou os admiradores fanáticos de bichanos, fartos de ver o QI de seus ídolos sempre desacreditado.

Elaboramos, pois, uma boa proposta, enviamos essa para Toni e retomamos nosso trabalho. Escrevi *Leader of the Pack*, preparei *Choosing a Dog* e continuei adestrando cães todos os dias, enquanto procurava outro apartamento. Anne viajava por toda a Costa Oeste, fazendo, entre outros, trabalhos para o cinema. A vida era muito, muito agitada.

E se tornou mais ainda.

— Recebi uma oferta — avisou Toni.

— Está brincando!

— Adams Media. Só essa. É pegar ou largar. Não é sempre que uma editora se dispõe a comprar um livro quando o autor tem um no prelo e outro em preparo. Coloquei Anne como autora principal e reservei para você o serviço pesado. Ela se encarregará da promoção.

— Diabos!

— Sim. Espero que esteja bem-disposto, meu caro.

Três livros ao mesmo tempo. E tudo porque Lou, ao passar num teste, me arranjara um emprego.

Nicki, nesse meio-tempo, não tivera a mesma sorte. Ela e o marido haviam chegado a um impasse e decidiram que se separar por algum tempo talvez resolvesse a situação. Assim, ele ficou em casa e ela saiu com os dois filhos e a irmã mais nova em uma viagem pelo país que durou quase dois meses. Eles desapareceram no mapa ao volante de uma picape Ford alugada sem limite de quilometragem. Uma viagem para ficar na lembrança, principalmente da locadora de carros.

— Andei procurando outro lugar, Stevie — confidenciou-me Salli. Ela me chamava de Stevie, e eu não a impedia.
— Encontrou alguma coisa?
— Nada. Mas visitei um ótimo apartamento para alugar num condomínio em Sand Point, perto de Magnuson Park e Burke-Gilman Trail. Um pouco pequeno para mim, mas perfeito para você e Lou.
— Verdade?
— Um quarto com garagem, depósito, um patiozinho e uma Jacuzzi.
— Quanto?
— Quatrocentos e setenta e cinco dólares.
— O quê?!
— Pia com tampo verde-limão. E o dono não vai trocar.
— Não dou a mínima para tampos de pia.
— O verde é tão berrante que até prejudica a vista, Stevie.
— Por quê?
— Queima a retina.
— Já esteve em *meu* apartamento?
— Verde-limão, Stevie.
— Qual é o número, por favor?

Pias com tampo verde-limão e Jacuzzi *versus* viciados em drogas, bebedeiras de universitários e merda flutuante. Fiz as contas, e dois meses depois havia me mudado.

O proprietário era um chato de galocha que logo implicou com a ideia de um cachorro grande em seu apartamento. Mas, no fim, Lou exibiu seu charme para outro proprietário e passou no teste com louvor. Convenci o sujeito de que ter seu imóvel guardado por um cão enorme, robusto e esperto seria uma coisa muito boa. De modo que, com mais 500 dólares de depósito, lá estava eu devidamente instalado.

Aquilo, comparado à minha antiga cloaca no Distrito Universitário, era o paraíso na Terra. Limpo e arejado, num ótimo bairro. Eletrodomésticos novos, lavadora de pratos, lixeira, pátio pequeno. Nada de cozinha num sótão, quarto numa garagem, farristas de 18 anos. E, bem em frente à porta dos fundos, um centro comunitário com mesa de bilhar, sala de reuniões, piscina e uma Jacuzzi a 104 graus. Tudo por 25 dólares mensais *a menos*.

Lou e eu percorremos as imediações. Atrás do complexo residencial, havia a Burke-Gilman Trail, uma pista para ciclistas e pedestres de mais de 30 quilômetros que ia de Ballard, na cidade de Seattle, até Bothell, ao norte. Do outro lado da rua estendia-se o Magnuson Park, uma área de lazer de 150 hectares localizada às margens do lago Washington. Senti-me como George Jefferson dando o máximo de si e correndo para Sutton Place.

Como sempre fazia quando nos mudávamos para um novo endereço (o sexto), Lou esmiuçou cada canto, cada fibra de tapete.

— Achou alguma coisa, Lou? — perguntei, ao vê-lo com o focinho enfiado debaixo da geladeira. Abri a grade inferior e encontrei restos secos de comida de gato escondidos no local.

— Bom trabalho, rapaz — cumprimentei-o, recolhendo os restos.

Comprei uma escrivaninha em L e instalei-a no canto da sala, perto da janela do fundo. Com o computador e os periféricos instalados, ela ficou parecendo a ponte de comando da nave *Enterprise*. Voltei ao trabalho.

Lou ficava tonto com os ciclistas da Burke-Gilman. Eles vinham voando, com seu grito de "olhe à esquerda!" — a única advertência que recebíamos antes que passassem por nós, às vezes em bloco. No começo, tentei andar ou correr pela pista com Lou à minha esquerda, mas isso o colocava entre mim e os bondes expressos dos ciclistas. E não tardei a perceber que — assim que avistavam Lou — aceleravam com medo de que aquele cachorrão preto e marrom musculoso odiasse bicicletas.

Lou não era agressivo com eles; só não gostava que se aproximassem muito a grande velocidade. Preocupação compreensível. E somente os mais compenetrados, de roupas justas e em bicicletas leves de corrida, é que o tiravam do sério; muitas vezes, notei seu desejo de voar atrás deles e ensinar-lhes boas maneiras. Como ainda não havia completado 6 anos de vida, talvez conseguisse mesmo alcançá-los.

Ele já tinha aprendido, alguns anos antes, a seguir as pessoas, de modo que fomos em frente e as coisas se acalmaram. Incluí reforço positivo na equação e até convenci alguns ciclistas que eu conhecia no condomínio a diminuir a marcha e atirar-lhe biscoitos quando passassem. Ele abocanhava os presentes e agradecia com seu *rour*. Depois de algumas semanas assim, sossegou e pudemos apreciar juntos as caminhadas.

Meses depois, passeando com Lou pelo Sand Point Way, vi o Subaru vermelho de Nicki se aproximar. Não havia tido notícias dela desde que saíra em viagem. Eu achava que ela iria me reconhecer, sobretudo com Lou ao meu lado. Mas, como não me chamou, comecei a me perguntar o que estava acontecendo.

Mentiria se dissesse que não a achava atraente e divertida. Entretanto, envolver-me com uma mulher casada, mãe de dois filhos, não me parecia algo tranquilo ou respeitável. Ainda assim, achei estranho ela não ter acenado para nós, da calçada.

Semanas mais tarde, liguei para sua casa.

— Desculpe-me ter passado daquele jeito por vocês. Estávamos atrasados.

— Pensei que você havia se mudado para Oklahoma.

— Passei por lá. Passei por todos os lugares. Quinze mil quilômetros. A funcionária da locadora de carros quase teve um ataque do coração.

— Provavelmente, venderam a picape para o ferro-velho, depois.

— O tiro saiu pela culatra.

— Está falando da picape?

— Não, da separação. Aquilo de o coração ficar mais apaixonado depois de uma ausência prolongada é conversa fiada.

— Ah, sinto muito. O que aconteceu?

— Uma longa história. Tempos difíceis pela frente. Apenas saiba que não ignorei você.

— Só me evitou.

— Talvez. Manteremos contato, mas, por enquanto, preciso pôr a cabeça no lugar. Eu não previa nada. É tudo muito... triste.

— Como anos de trabalho indo para o espaço num instante.

— Doze anos e dois filhos.

Tentei comparar a situação dela com a minha e a de Nancy. Mas Nicki tivera três vezes mais tempo de conhecer o marido, montar sua casa e produzir álbuns de fotos, fitas dos filhos nascendo ou sendo batizados, festas de Natal e aniversários, férias e tradições. Eu realmente não fazia ideia da dimensão do problema.

— Se eu puder ajudar, me avise... — foi só o que consegui dizer.

— Avisarei. Obrigada. E, mais uma vez, desculpe-me a pressa aquele dia.

— Eu estava invisível. Tem acontecido muito ultimamente.

— Eu vi vocês dois. Não estavam nada invisíveis.

— Mérito de Lou. É difícil não vê-lo.

— Parece Warren Beatty.

— É o que dizem.

— Na verdade, eu estava pensando em telefonar para você, mais cedo ou mais tarde.

— Então, se precisar de minha ajuda, me avise. Mas não para ser babá. Eu colocaria as crianças para dormir em gaiolas.

— Sei disso.

— Fico feliz por você ter voltado.

— Gostaria de estar ainda pelas estradas, dormindo em estacionamentos, vendo o sol nascer por trás do Grand Canyon, acordando às margens do Mississippi no meio de uma nuvem de mosquitos. Era ótimo. Sem... sentimento de culpa.

— Foi bom você ter voltado.

— Telefono em breve.

Nicki tinha muito o que fazer. Por algum tempo, não nos falamos. As pessoas acabam endurecendo. Pensam que não são fortes o bastante, mas são — mais fortes do que pensam. E são as últimas a saber até onde podem chegar.

— "Alguém gosta de Stevie" — cantarolou Tracy, cutucando-me com um dedo. — "Nah, nah, nah, nah, nah."

— Fique quieta — resmunguei, ainda meio adormecido. Havia cochilado durante umas quatro horas depois de trabalhar em três livros, os quais, às duas da manhã, começaram a se confundir estranhamente com abissínios pastoreando rebanhos, *spaniels* subindo pelas cortinas e enormes dinamarqueses encouraçados espreitando pardais distraídos junto ao comedouro.

— Alguém lhe mandou flores. Estavam sobre a mesa da recepção. *Stevie arranjou uma namorada.*

— Eu *não*. — Minha voz parecia a de um senhor de 80 anos.

— Que escândalo! — sentenciou Julie, saboreando uma gororoba brilhante e azeda de um pote de plástico.

— Coma alguma coisa que preste, para variar.

No escritório, havia um buquê de flores grandes e resplandecentes. Quem as teria mandado? Abri o envelope e deparei com a letra inconfundível de Nicki, tão exuberante quanto as margaridas, os ásteres e os crisântemos que se projetavam do vaso.

— Quando isto chegou? — perguntei a Linda, a recepcionista, que era irmã de Nancy Baer.

— Há poucos minutos. Ela gosta de você!

— Baixinha, empertigada, cabelos pretos?

— Sim. Ela mesma.

— Está apenas me agradecendo.

— Ah, sei.

— Agradecendo por quê? — perguntou Tracy, entrando no escritório com um pequeno labrador preto.

— Por não bater em sua bundinha com minha guia — disse eu, apertando-lhe o nariz. O labrador saltitante farejou minha perna e balançou o rabo.

— *Namorada* — repetiu ela, lançando-me aquele olhar meloso que lhe suavizava os traços do rosto.

Estava certa, como sempre.

O bom de ter um cachorro, uma piscina, uma Jacuzzi e uma mesa de sinuca por perto é que você não precisa se preocupar quando dois garotos

traquinas, sem nada para fazer, vêm visitá-lo em companhia da mãe recém-
-separada.

Os dois filhos de Nicki pareciam *terriers* descontrolados, principalmente Jake, de 6 anos. Zac, de 9, era mais tranquilo, mas mesmo assim podia ser às vezes um páreo duro para seu irmãozinho maluco. Meninos tipicamente americanos, eles contribuíram com muita coisa para a vida de Lou, proporcionando-lhe uma experiência que nunca havia tido: atividade infantil sem freios.

Com quase 6 anos (mesma idade de Jake), Lou era agora um cão respeitável, no auge da forma. Adorava crianças, mas nunca tivera nenhuma em seu círculo íntimo antes de aqueles dois aparecerem e sacudirem seu mundo.

Se, para ele, Zac era um jovem e teimoso labrador sempre às voltas com uma bola que teimava em lhe escapar, Jake lhe parecia mais um *jack russell* inquieto, impulsivo, elétrico e em perpétuo movimento, até cair num sono profundo o bastante para recarregar cada célula exausta de seu pequeno corpo turbinado. Juntos, eles definiam o que é a infância.

Os filhotes que me foram negados quando menino, Lou os teve quando adulto.

Eles rejuvenesceram Lou — que, embora ainda fosse doce e jovial, havia adquirido um ar aristocrático graças às experiências que acumulara. Seria difícil para ele permanecer inocente depois de ter ficado na mira de uma arma, ajudado a prender estupradores e civilizado centenas de cães traiçoeiros.

Zac e Jake ajudaram Lou a recuperar o entusiasmo. Ele reaprendeu a arte de brincar só por brincar. Além de ter tido sempre um objetivo em mente, essa foi também uma das razões para ele viver mais que outros cães de grande porte. Existe aí um pouco de magia, creio eu.

Nicki tinha uma cadela de 10 anos de idade chamada Shyanne, mistura de pastor, labrador e ninfa. Verdadeira madame, doce como açúcar e, como seu nome indicava, um pouquinho tímida [*Shy*]. De pelo amarelado e pernas esguias, Shy era quase tão alta quanto Lou, mas quase tão magra quanto um galgo. Sua timidez encantava Lou.

Shyanne tinha vivido a maior parte da vida como bicho de estimação solitário, de modo que, quando o grandalhão preto e marrom, com ares de galã de cinema, começou a visitá-la, ela não soube mais o que pensar. Mas Shy logo aceitou a ideia de conquistar a amizade de alguém de sua espécie, nem que fosse só para variar um pouco.

Teria sido uma boa esposa para Lou. Seus filhotes se revelariam espertos e inteligentes como macacos. A modéstia de Shy compensaria a imponência de Lou. Ele, força; ela, elegância. Uma experiência que Lou nunca teve foi a de formar sua própria família.

Nós, porém, éramos uma família, e ele me amava. Posso afirmar isso pelo modo como o surpreendia olhando para mim quando supunha que eu não estava olhando e quando via seu reflexo na tela do televisor ou no espelho do banheiro admirando-me como se eu fosse um santo (se ele soubesse!). Aproximava-se, sentava-se ao meu lado e pousava uma pata solidária em minha coxa sempre que me via triste ou lamentando algum revés. Se, em *Casablanca*, eu me emocionava com a cena de Rick esperando por Ilsa na estação de Paris, sob a chuva — pronto, lá vinha Lou! No 11 de setembro, ele não saiu de perto de mim o dia inteiro.

Ele me amava. Mas até hoje me pergunto se procriar não teria sido sua grande realização. Isso, é claro, eu jamais saberei.

— Sou um escritor, Colleen.

— E um adestrador de cães.

— Mais escritor que adestrador.

— Saiu-se bem aqui. Gostamos de você. Pense um pouco a respeito. E, seja como for, sobre que mais poderia escrever? Com os diabos!

Ponto para ela: a academia era o melhor campo de provas do mundo para o comportamento canino. Nos quatro anos em que trabalhei ali, pude adestrar mais cães do que muitos adestradores durante a vida inteira. Cães de todas as raças ou misturas, cães de todos os temperamentos possíveis. Não havia fonte melhor de material para meus livros. Sobre *o que mais* eu escreveria?

Trabalhara também com todos os tipos de donos de cachorros e conseguia prever os erros que cometeriam com bastante antecedência. O grande número de donos e cães com que lidei na academia me ajudou a identificar padrões e a elaborar estratégias para qualquer cão e qualquer dono.

Se deixasse o emprego, esse vasto fluxo de informações e experiências estancaria.

Ali, muitas outras coisas foram importantes. Por exemplo, Colleen criava e exibia *spaniels* d'água irlandeses, cães de caça robustos e rudes, de pelo denso e personalidade forte. Quando uma das cadelas dava cria, ela deixava — grande ideia — cada adestrador cuidar dos filhotes até que completassem dez semanas de idade. A mãe continuava fazendo seu serviço; nós apenas acariciávamos os bichinhos, cuidávamos de sua saúde geral e realizávamos experiências precoces com técnicas de adestramento/condicionamento para descobrir se a influência de um adestrador habilidoso, exercida desde os primeiros dias, realmente pode produzir um bom cão.

Convenci-me de que a hereditariedade é um fator importante, de que os temperamentos caninos se apresentam muitíssimo diferentes desde o início. Alguns filhotes são tímidos e contidos; outros, viris e hiperativos. E outros, ainda, doces e confiantes desde o momento em que abrem os olhos e começam a explorar o mundo.

Fiquei impressionado ao descobrir que traços únicos de personalidade se manifestam por si mesmos e aprendi que, embora a interferência humana a partir do primeiro dia possa afetá-los ou melhorá-los, nós certamente não somos nenhuma panaceia. Essa foi uma experiência inestimável que não aconteceria em nenhum outro lugar, embora eu tivesse cães em minha própria casa. Devo muito à Colleen e ao seu pessoal.

A academia fez Lou desabrochar. Lá, ele aprendeu seu ofício, que era ajudar cachorros e donos a encontrar o caminho certo. Lou foi o Dr. Drew do mundo canino: dia sim, dia não, fazia o que tinha nascido para fazer — salvar cães.

Mas escrever três livros era um pouco demais. Comecei a trombar com as paredes, a ser mordido, a não perceber insinuações, a perder peso e a voltar tarde para casa. Assim, resolvi me arriscar e ser o que sempre quis ser desde os 12 anos de idade: escritor profissional. Tinha agente, três contratos de publicação e muita coisa a dizer — além do melhor cão do mundo ao meu lado.

Duas e meia da madrugada... Sentei-me diante do computador esperando que na tela se abrisse uma página sobre nutrição. Lou acordou de um cochilo, sacudiu-se e veio para o meu lado. Olhou-me como se dissesse:

Ei, cara, é hora de ir para a cama! Acostumara-se a dormir debaixo da minha cama no novo apartamento, mas só se esgueirava para lá quando eu me recolhia.

— Que acha, amigão? — perguntei-lhe.

— *Rour.*

— Sim?

Ele pousou uma pata em meu joelho com força suficiente para imprimir à cadeira um giro de 180 graus.

— *Rour.*

No dia seguinte, dei a Colleen um aviso prévio de duas semanas.

13

Dança com lobos

Uma estradinha empoeirada levava ao novo centro de adestramento de Anne, um amplo terreno coberto de árvores de onde se via, lá embaixo, a cidadezinha de Monroe, em Washington — pinheiros altos, falcões gritadores, excrementos de coiotes e gamos, pico nevado do monte Baker, ar transparente, muro de barro em torno da propriedade tão espesso quanto concreto fresco.

Nicki, eu e um grupo de amigos ajudamos Anne a transportar a mudança e os animais de sua casa em Bothell. A caravana de automóveis, caminhões, pessoas e bichos subiu lentamente a montanha, como um circo ambulante a caminho da próxima cidadezinha.

O Civic atolou na lama pela terceira vez. Um amigo de Anne, estirado na rede de sua picape 4 x 4, riu e veio me ajudar. As rodas dianteiras do Civic giravam em falso como ioiôs no barro pegajoso.

Em dois dias, nosso pequeno exército enlameado instalou Anne em seu novo santuário silvestre, onde as criaturas que ela recolhera e adestrara poderiam piar, grasnar, latir ou miar à vontade, sem restrições de espécie alguma. Anne construiu canis aquecidos para os cachorros e acomodações adequadas para as raposas, os pássaros, gamos, coelhos, macacos, castores, tatus, esquilos, guaxinins e outros bichos resgatados que ela transformava em atores de Hollywood. Até Barney, o potro eunuco, tinha seu próprio estábulo e pastagem aos fundos da propriedade.

Anne mandou cercar um grande trecho de floresta com um sólido muro de 2,5 metros de altura, rematado por um fio elétrico muito fino cuja voltagem bastaria para deixar qualquer pessoa atordoada. Porém esse muro não estava lá para impedir a invasão de intrusos, mas, sim, a saída de lobos.

Já no início do século XX, praticamente todos os lobos selvagens haviam sido mortos nos Estados Unidos, por medo sem fundamento ou para proteger rebanhos. Hoje, graças à reintrodução desses animais na floresta, as coisas mudaram. Inúmeros criadores credenciados de lobos produzem filhotes de qualidade todos os anos, não apenas para a reintrodução na floresta, patrocinada pelo governo, mas também para a formação de santuários legalmente autorizados e abertos ao público. Quanto mais as pessoas se familiarizam com os lobos, mais chances eles têm de ser aceitos de novo na selva.

Depois de viverem na propriedade de um criador de Washington que não conseguia cuidar da ninhada inesperadamente numerosa, os três lobos encontraram abrigo seguro no *habitat* tranquilo e natural que Anne lhes proporcionava. Em troca, eles se deixavam fotografar ou admirar pelos visitantes satisfeitos por verem lobos vivendo em um ambiente selvagem. Como não poderiam, por conta própria, fazer a mesma coisa na floresta, essa era a melhor alternativa para eles.

Meu segundo livro, *Leader of the Pack*, estava pela metade. Enfatizava como a liderança é importante na relação entre cachorro e dono: sem uma orientação esclarecida, os cães adquirem uma mentalidade rebelde que leva à desobediência e, não raramente, à agressão. O livro ensina aos donos técnicas simples que ajudam a estabelecer e manter a boa ordem em casa, tornando a vida mais fácil para todos.

Como modelo, eu usava a concórdia que impera numa matilha de lobos. Embora eles sejam diferentes dos cães domésticos em muitos pontos, compartilham uma dinâmica social: a hierarquia, ou "família". O casal dominante — os chefes de família que estão no topo da escala — coreografa boa parte do que acontece — caça, acasalamento, privilégios, posse, migração e várias outras facetas da vida da matilha que não são decididas pelo voto, mas pela imposição dos mais velhos, cuja experiência e cuja força de personalidade mantêm todos vivos, à semelhança de um líder militar competente. Sem esse controle sagaz, o êxito da matilha na caça ficaria bastante prejudicado.

— Que tal Lou e um lobo na capa do livro? — sugeriu Nancy Baer.

— Isso cairia bem, mas seria muito difícil conseguir... — expliquei, sabendo que lobos e cães só se toleram quando são criados juntos.

— E os lobos da Anne?

— Talvez.

E assim começou a breve dança de Lou com os lobos.

— Vamos tentar, mas não garanto nada — disse Anne. — Lou é maduro, forte, esperto e dominador. Os outros são muito jovens. Mas são *lobos*... Podem rasgar a garganta dele num instante, se lhes der na telha.

— Qual deles o aceitaria melhor? — perguntei intrigado com a possibilidade de Lou educar um lobo. Ele havia ajudado a educar mastins, pastores e outros cães fortes no passado, sem muito alarde. Mas Anne tinha razão: aqueles eram lobos. Mais fortes, ladinos e selvagens do que qualquer coisa com que Lou já havia lidado, ao menos durante o tempo em que estivera comigo. Eu temia que ele se transformasse em refeição, caso não conduzíssemos bem as coisas.

— Sem dúvida nenhuma, Timber. Ele é um verdadeiro carneirinho com Queenie, minha pequena mestiça de pastor com *husky*. Ela praticamente o criou e agora lhe dá ordens. É muito engraçado...

— Então, há esperança para Lou.

— Timber a conhece desde que era filhote, mas agora já tem quase 1 ano. Suas possibilidades de socialização estão diminuindo.

— Você já fez algo semelhante antes?

— Para ser franca, não. Mas se um cachorro está à altura da tarefa, esse cachorro é Lou.

A ideia era fazer uma foto em que Nancy e eu aparecêssemos ladeados por um cão e um lobo, sugerindo que, se algo funciona com lobos, funciona também com cães e donos. Se as coisas fossem bem conduzidas, seria uma ótima capa para o livro. Do contrário, poderia significar o fim de Lou.

Nicki foi comigo ver os lobos em sua nova morada. Anne estava, nesse momento, perto da área do canil, preparando a refeição para seus quinze cães, suas duas raposas vermelhas e seus três lobos. Os quinze gatos da casa comeriam depois.

— Por favor, peguem três frangos na geladeira — ela pediu quando nos aproximamos.

— Bela roupa — disse eu. Suas botas de cano alto, suas luvas e seu gorro de lã faziam-na parecer uma esquimó.

— Você vai se sujar aqui. Não deveria ter se vestido com tanta elegância — ela disse para Nicki, que trajava uma calça jeans impecável e uma blusa de frio.

— Para isso existem máquinas de lavar — retrucou Nicki, ajudando-me a carregar os frangos crus meio congelados.

O barulho que os quinze cachorros de Anne faziam lembrava o dos carros na largada da Fórmula Indy 500. Soava incrivelmente alto e desvairado, com os cães arremetendo contra a cerca do canil, rodopiando, escavando o chão e brigando uns com os outros para ver quem comeria primeiro. Mas Anne tinha sua lista de precedência: alimentava os cães conforme o *status*, começando por Queenie, a pequena mestiça que mandava não só nos cachorros, mas também nos lobos.

— Agora é a vez dos lobos.

Timber, o macho amigo dos cães, Kwani, a fêmea dominante de pelo branco, e Tundra, o macho subordinado, devoravam cada qual um frango inteiro como desjejum e almoço. Além de suplementos e alguns outros petiscos, duas vezes por dia eles comiam... bem... como lobos.

Anne carregava os três frangos em um balde de aço, enquanto Nicki e eu seguíamos atrás. Dei um novo significado à palavra "galinhada".

— Parem. Eles não gostam de estranhos. Eu entro e lhes dou a comida. Vocês ficam quietinhos aqui.

Anne fechou a porta atrás de si e adentrou a floresta de pinheiros, amieiros e bordos, com o balde pesado na mão e suas botas de borracha rangendo contra o chão coberto por samambaias e pelas primeiras folhas do outono.

Nós a perdemos de vista. Ela assobiou algumas notas melodiosas, cadenciadas. Depois, um fantasma cinzento deslizou por entre um grupo de amieiros e desapareceu atrás de um cedro enorme, que ocultava Anne. Em seguida, um borrão branco e outro fantasma cinzento, como tubarões circulando numa laguna. Uivavam, na ânsia incontida de comer.

Anne os trouxe para a cerca. Maiores do que eu imaginara, os lobos eram tão altos quanto os cães dinamarqueses — totalmente peludos, com belas caras selvagens e uma graça quase inconcebível no andar. Majestosos, saltavam sem que as patas fizessem o mínimo barulho ao tocar o chão: só se ouvia seu rosnado de jovens lobos famintos, com o cheiro de estranhos e de frango nas ventas, enquanto o balde balançava na mão de Anne e o medo que porventura sentissem de nós cedia ao atrativo do sangue, da carne e dos ossos.

Anne atirou um frango para cada um, certificando-se antes de que estivessem bem longe um do outro para evitar brigas. Agarraram as aves e se afastaram, produzindo um som de carnes dilaceradas e ossos triturados. Em poucos minutos, os frangos foram inteiramente consumidos, sem que restasse uma fibra sequer e muito menos o sangue, lambido com avidez sobre as folhas de bordo espalhadas pelo chão.

Anne caminhou em direção à cerca.

— Sempre procuro alimentá-los quando chegam visitas. Eles ainda não gostam disso, mas pelo menos aprendem a associar pessoas à carne.

— É o que Nicki sempre diz a meu respeito.

— Engraçadinho! — ralhou Nicki, dando-me uma cotovelada.

— Se vocês ficarem imóveis e em silêncio, eles se aproximarão. Nada de movimentos bruscos.

Kwani veio primeiro, a cara branca manchada de vermelho. Passou por nós rapidamente, dirigindo-nos um olhar tímido, e voltou para receber um carinho de Anne. Em seguida, apareceu Timber, o macho simpatizante de cães, maior que Kwani e com o pelo cinza, branco e preto típico de sua raça. Aproximou-se de Anne e esticou-se como um gato, desfrutando de seus afagos e de suas palavras doces. Meteu o focinho no balde, querendo mais comida, mas teve de se contentar com algumas gotas de sangue.

Tundra rondava entre as árvores, a uns vinte metros de distância. Menor que Timber, jamais teria coragem de chegar mais perto.

— Bom começo — garantiu Anne, enquanto os quinze cachorros, no canil, latiam perguntando-se por que os lobos ganhavam frangos inteiros e eles, só pedaços. — Da próxima vez, vocês entram comigo.

— Fala sério? — perguntei.

— Você levará o balde e poderá até alimentá-los.

— E Lou, quando poderá vir?

— Tenha paciência, adestrador de cães — suspirou ela, observando os lobos que voltavam para o mato, deixando atrás de si um cheiro de carne crua. — Seu programa de adestramento doméstico não funcionaria com eles. Façamos as coisas direito, para o bem de Lou.

Anne enveredou pela mata com Timber, o grande lobo, à sua frente. A "guia" — uma corrente de grilhões grossos, com três metros de comprimento — arrastava-se na terra. Timber era magnífico; seu olhar fantasmagórico penetrava fundo. A pequena Queenie trotava à frente deles, farejando as árvores e fazendo xixi como um macho. Kwani e Tundra mantinham-se a distância, receosos de se aproximar de mim e de Lou.

— Hoje, só vamos caminhar. Sem interação. Deixem que eles se acostumem com o cheiro e a presença uns dos outros. Mas lembrem-se: não olhem os lobos nos olhos e *não* tirem a guia de Lou.

— Certo.

Eu nunca havia me preocupado muito com a segurança de Lou. Mas Anne estava certa: qualquer dos lobos poderia matá-lo e os três o transformariam em confete se quisessem. Seria o mesmo que ver Sugar Ray Leonard subindo ao ringue com Mike Tyson.

Lou estava excitado. Sabia que algo sem precedentes iria acontecer. Tentei adivinhar de que modo ele interpretava o momento. *São cães e não são*, devia estar pensando. O cheiro era bem diferente, mais forte e mais penetrante, como o de cem cães misturados, como o da floresta numa noite de inverno, quando os verdadeiros predadores saem à busca de presas. Cachorros selvagens, mais selvagens do que Lou já fora algum dia, mais selvagens até do que os coiotes que ele vira ou ouvira quando pequeno, nas montanhas de Mendocino. *Não, não são cães.*

Da vez seguinte, deixamos Queenie em casa. Agora eram apenas Lou e Timber, que Anne segurava com firmeza pela grossa corrente; os outros permaneciam longe.

— Tem certeza de que quer ir em frente?

— Ele aguentará a barra.

— Solte-o, então.

Anne era muito forte. Mas eu estava pronto para agarrar aquela corrente e afastar a fera de meu maravilhoso cão, se fosse necessário. Não foi.

Lou caminhou em linha reta na direção de Timber. Eu estava com o coração na boca. Saudaram-se como cães, nariz contra traseiro, farejando. Lou captou quanto podia com seu grande focinho, mas o de Timber proporcionou-lhe mais informações, muito mais. O melhor focinho do mundo. Veio em seguida a disputa de xixi e de tamanho, com Lou constatando que o lobo o superava em pelo menos quinze quilos — e, em definitivo, não era compreensível no sentido canino.

O que um cão não entende, ele receia ou desafia; por isso, Lou, percebendo que Timber não passava de um adolescente bobalhão, fez valer sua experiência e sua coragem: agarrou o lobo pelo cangote e derrubou-o.

— Santo Deus! — exclamei, sem saber o que viria depois.

— Está tudo bem, Queenie também faz isso. Não vai ser sempre assim, mas por enquanto é uma boa coisa.

Mesmo entre lobos, não é o tamanho que determina o comportamento, mas, sim, a força, a postura. Com 6 anos de idade, Lou conhecia todas as manhas e entrou no jogo. Timber ainda não conhecia as regras desse jogo; sabia apenas que Anne e Queenie gostavam de Lou e que saberia lidar com ele.

Eu conhecia Lou bem demais para me preocupar com seus rompantes. Ele era astuto. Pressentia que aquela brincadeira poderia ser mais perigosa do que qualquer outra em que já havia se metido. Derrubou Timber algumas vezes, ganiu e rosnou para ele, ignorou-o. Agiu como um marido submisso agiria — fingindo-se indiferente, rabugento, um tanto arrogante. Por dentro, no entanto, estava com medo, talvez pela primeira vez na vida.

Anne e eu sabíamos que aquilo não iria durar. Mais duas ou três sessões e Timber mataria a charada, propondo a Lou outra bem diferente. Então, marcamos uma sessão de fotos com Don Mason, um profissional do qual ela já havia utilizado os serviços e que tinha experiência em fotografar animais.

— Se for capa de livro, teremos de fazê-la aqui no estúdio.

— Mas trata-se de *Timber*, Don — ponderei.

Eu me vi arrastando, com a ajuda de Anne, um lobo cinzento enorme, macho, pelas ruas movimentadas de Seattle, como num filme de terror de Lon Chaney.

— Não posso fazer isso no meio do mato. Há o problema da iluminação, do plano de fundo... Não! Tem de ser aqui.

— E se marcássemos uma hora para domingo de manhã? — perguntei, pois aquele era o período mais calmo da semana.

— Farei isso até no dia de ano-novo, se o editor me pagar direitinho.

Marcamos. Nancy Baer, Anne e eu levaríamos Lou, Queenie, alguns cães de reserva e um lobo cinzento adulto até o estúdio de Don, na esquina da First Avenue com a Jackson, para fazer a foto da capa de *Leader of the Pack*. E nós a faríamos ou seríamos manchete dos jornais de segunda-feira.

Graças a Timber, nada disso aconteceu. Durante a sessão seguinte, na propriedade de Anne, tudo parecia correr bem entre Lou e o grande lobo, que começara a se descontrair. Na verdade, tornara-se brincalhão com Lou e passara a agir como o irmão mais novo que, após um surto de crescimento, descobre ter ficado maior que o mais velho e ser capaz de derrotá-lo numa luta.

Lou agarrou Timber pela nuca algumas vezes e depois foi até uma pequena encosta coberta de vegetação para urinar. Timber o seguiu. E então, em vez de esperar, o grandalhão empurrou o traseiro de Lou com o focinho quando ele estava com a perna traseira levantada. O pobre cão rolou encosta abaixo como uma criança num barril.

— Hum — murmurou Anne —, isso não é nada bom!

Uma lâmpada se acendera em cima da cabeça de Timber. *Ora! Ele não é de nada!*, deve ter pensado.

Lou subiu a encosta para dar o troco a Timber; mas, então, Timber já havia decifrado o enigma e mudado de atitude. Quando Lou tentou seu último blefe, Timber se pôs a atirá-lo para todos os lados como uma bola.

— Já chega — disse Anne, arrastando Timber para longe de Lou com a corrente. — Leve Lou para o seu carro. Timber percebeu tudo.

Num instante, a opinião de Timber sobre Lou havia mudado: o amigão era agora um simples brinquedo para mastigar. Se tivéssemos permitido que a coisa fosse adiante, em um minuto Lou se transformaria em recheio de sanduíche.

Um lobo não é um cão pastor nem um cão de caça. É um lobo — e sempre será. Não leu a cartilha da "domesticação" que cachorros e seres humanos vêm escrevendo há 20 mil anos. Na verdade, não pode — é um lobo.

Lou sempre mantivera guardada uma pata na mesma esfera de violência em que Timber guardava três. Mas, naquele dia, na propriedade de Anne, o grande lobo estendera a quarta pata ao lado das outras e sucumbira à hereditariedade. Lou teve sua dança com lobos e sobreviveu — aprendendo, como aprendemos todos, que sempre há alguma coisa mais forte do que nós à espreita por aí.

A foto de capa com Lou e Timber juntos foi cancelada. Mas ainda assim levamos o lobo ao estúdio de Don naquela manhã de domingo e tiramos grandes fotos dele comigo e com Nancy, e também com sua querida Queenie. Conduzir um lobo cinzento enorme na ponta de uma corrente pela First Avenue, numa manhã de domingo, passando por fiéis a caminho da igreja, turistas alemães e moradores de rua sonolentos acabou sendo uma das mais curiosas e agradáveis experiências da minha vida.

Lou e alguns dos cães de Nancy Baer foram fotografados em outro dia da semana. Pretendíamos fazer uma montagem com lobos e cães para a capa do livro. Mas o editor, depois de ver as fotos, decidiu eliminar as de Timber para não dar aos leitores a impressão de que ter lobos em casa era uma boa ideia. Fomos Nancy, eu, Lou e dois de seus cães que aparecemos na capa e na contracapa. Jamais me esquecerei do sorriso feliz de Lou ilustrando aquele livro — e sei que, por pouco, ele não virou *sashimi* no processo.

14

O wookie

O valor de Lou como adestrador residia em seu dom para transmitir, a cachorros "de petshop", as habilidades que adquirira nas montanhas. O que Lou sabia e o modo como usava esse conhecimento eram fatores mais tangíveis do que qualquer coisa que eu pudesse ensinar.

Embora fosse proficiente na selva, Lou não era nenhum Timber. Mas, para os outros cães, era o lobo, o bárbaro. E se algum cachorro precisava de uma boa dose de "justiça lupina", esse cachorro se chamava Johnny. Aparentemente manso como um cão de revista em quadrinhos, podia ser considerado uma pequena cobra irrequieta que queria mandar no pedaço e mordia qualquer pessoa suficientemente tola para mexer em seu comedouro, seus brinquedos, suas patas ou o que quer que ele considerasse sua propriedade. Esse animal de uma dona só, mestiço de *cairn terrier*, não podia ser tirado da poltrona ou da cama, não podia ser tratado e não podia ser acariciado a menos que ele próprio iniciasse o contato. Pior: mordera a filha de 3 anos da mulher, a qual, a despeito das agressões, amava Johnny de todo o coração. Morda a mãe e você sobreviverá; morda o filho ou a filha dela e você acabará no corredor da morte.

Sentei-me na sala de avaliações de Colleen. A mãe segurava a guia de Johnny como se estivesse preparada para desferir um soco. A filha se distraía com brinquedos de cães em um canto. Johnny não tirava os olhos dela.

— Quando o pegamos, ele era tão bonzinho! — disse a mulher, observando Johnny farejar o tapete. — Dormia com Jenny todas as noites. Inseparáveis, os dois. Era como o "Show de Jenny e Johnny". Eu estava feliz por ela ter um amiguinho, pois, com o divórcio... Vocês sabem.

— Quando ele começou a morder? — perguntou Colleen, erguendo o braço para segurar a guia. Johnny evitou o contato visual com nós dois; no que lhe dizia respeito, sequer existíamos. Ainda.

— Há cerca de três meses. Jenny quis acariciá-lo enquanto ele comia e foi mordida. Johnny então voltou para sua refeição como se nada tivesse acontecido.

— A mordida foi grave? — perguntei por minha vez, vendo Johnny farejar minha perna. *Mije em mim e será o primeiro* terrier *no espaço*, pensei.

— Seis pontos.

— E depois? — insistiu Colleen, passeando com o cão pela sala. Colleen era como Spock: entrava na mente do cão, descobria o que ele estava pensando e o que tencionava fazer em seguida.

— Depois, foi a mordida no rosto. Venha cá, querida. — Jenny tinha cabelos louros ondulados que lhe chegavam aos ombros. A mãe afastou-os um pouco para mostrar-nos a cicatriz recente na bochecha esquerda. — Três pontos. Fomos a um cirurgião plástico, mas ele disse que precisamos esperar.

— O que provocou a mordida no rosto? — quis saber Colleen.

— Ela o beijou no focinho — contou a mãe, com lágrimas nos olhos.

Colleen abaixou-se para tocar a anca de Johnny; quando este se virou para mordê-la, ela o puxou com a rapidez de um relâmpago, dizendo ao mesmo tempo um "não" peremptório. Em seguida, continuou a andar com ele pela sala.

— Não parece assustador. Apenas pensa que é o dono da casa — explicou Colleen, devolvendo a guia à dona. — Quando mordeu Jenny, achava que a estivesse disciplinando por mexer em suas coisas ou entrar em sua "zona pessoal" sem autorização. Morderá quem quiser recolher um de seus brinquedos, tocar em seu prato, examinar seus dentes, cortar suas unhas. Em suma, quem fizer qualquer coisa que ele considere inapropriada ou ameaçadora para sua posição de autoridade.

— Então, ele não está louco nem assustado?

— De modo algum — garantiu Colleen, olhando para mim. — Embora um comportamento assim possa ocorrer quando um cão se sente amedrontado ou instável, nenhum desses dois casos é o dele. Na verdade, Johnny é até muito calmo. Faz apenas o que quase todo cão faria se tivesse a oportunidade.

— Mas o que ele faz?

— Assume responsabilidades e disciplina sua matilha.

Colleen chamou Jenny para perto de si. Era uma criança adorável e mostrava-se um pouco receosa por estar ali.

— Jenny, você gosta do Johnny, não é mesmo? — perguntou Colleen.

— Gosto.

— E Johnny gosta de você?

— Gosta — repetiu ela, olhando para a mãe.

— Agora, quero que me diga a verdade, está bem?

— Está.

— Johnny mordeu você ultimamente?

A menina lançou um olhar para Johnny com um sorriso triste e voltou a encarar Colleen, com o rosto contraído.

— Hoje, ainda não!

Ficamos com Johnny para um mês de adestramento interno. A mãe deixara claro que não toleraria ver a filha mordida novamente e que, se Johnny a agredisse outra vez, seria sacrificado sem demora. Em qualquer disputa entre o amor de mãe e o amor de uma criança por seu vira-lata malcriado, este sempre sai perdendo.

Deixaram Johnny conosco aquele dia.

— Você será seu primeiro adestrador — disse Colleen, passando-me a guia. — Aí está um que não será nada fácil.

Foram necessários um adiamento temporário da execução e um sargento instrutor preto e castanho para salvar a pele de Johnny.

Johnny era um problema sério. Todas as suas decisões se materializavam na tentativa de morder. Escovar-me? Tente, e eu o morderei. Mexer no meu prato? E que tal uma mordida em troca? Acariciar-me quando eu não estou olhando? Isso vale bem uma dentada. Johnny só não mordia quando alguém se aproximava dele carregando presentes comestíveis ou se prostrava à sua frente como um mártir religioso. Mas, se a pessoa o desafiasse, uma fileira de dentes resolvia a questão.

Johnny não fazia isso por medo ou por ter levado uma vida difícil. Ao contrário: levara vida de rei antes de completar 1 ano de idade. Não perdera a autoconfiança nem carregava nos ombros um fardo pesado demais; era apenas um *terrier* autoritário. E como se isso não bastasse, sua petulância fora incentivada por uma mãe e uma filha que, além de estragá-lo com mimos, não lhe haviam ensinado coisa alguma. Era um malcriado cuja única habilidade consistia em imitar o cão Cujo.

Esses dias ficariam no passado. Johnny era uma barracuda de dez quilos, mas algo me sussurrava que superaria seus problemas com um adestramento e um acompanhamento adequados. O melhor mentor para ele esperava pacientemente por seu último compromisso na academia. A vida, para o pequeno Johnny, estava na iminência de mudar radicalmente, sob a forma de um tanque de guerra de quase 35 quilos de puro músculo chamado Lou.

Eu gostava de Johnny, mesmo sem saber por quê. Ele lembrava um *wookie* e agia como um *wolverine*, mas alguma coisa em sua personalidade me atraía. Sua agressividade chegava a ser engraçada.

— Ele é um saco — observou Tracy.

— Sei disso.

— Então, qual é o seu problema?

— A vivacidade. Ele é meio palhaço quando não tenta morder.

— Você já está envolvido de novo — suspirou ela, dando-me um tapinha na cabeça. Eu tinha o hábito de me apegar justamente aos cachorros mais esquisitos, como Johnny, Branka, Solo e muitos outros de certo modo especiais, se descontarmos sua óbvia tendência ao assassinato, ao terrorismo e a formas semelhantes de perversidade. Convenci-me de que o mau comportamento desses cachorros poderia ser descascado para revelar a polpa suculenta logo embaixo — embora, mais vezes do que eu estava disposto a admitir, as camadas fossem numerosas como as da cebola e a polpa fosse ardida como ela.

— Ele é alegre e rápido.
— Como você?
— Acertou no alvo.

Johnny monopolizava a atenção de todos. Mordidas proibidas, pouca liberdade, carinhos apenas quando merecia. Felizmente, ele gostava de comer, de modo que os comportamentos básicos logo se manifestaram. Mas eu era seu adestrador principal, o que significava escovar, cortar unhas, limpar orelhas — coisas que Johnny considerava abaixo de sua dignidade.

No segundo dia, em vez de me envolver numa briga sem fim com Johnny, resolvi pôr Lou em meu lugar. Ele se fizera de vilão com o meu mocinho. Eu não esperaria mais.

Levei Johnny para a sala de aula vazia e desatei sua guia. Livre pela primeira vez em dois dias, ele correu à volta como um furão, farejando e pegando com a boca cada brinquedo, cada peça de equipamento. Mas logo estacou ao ver a rampa de exercícios de agility.

Lou baixou os olhos para o pequenino *terrier* e bocejou como se dissesse: *Mas onde você foi achar isto?* Agora com 6 anos de idade, enfrentava tais situações com a mesma eficiência, mas com mais graça e autoridade. Aprendera, ao longo dos anos, a entender bem os cachorros e sabia o que esperar com base em tamanho, postura, raça e, penso eu, também cheiro, sempre um bom indicador de atitudes e intenções. Com cães menores e agressivos, não dava moleza: punha-os logo em seu lugar promovendo uma exibição teatral de força e superioridade, para em seguida permitir que o baixinho se aproximasse humildemente.

Johnny correu na direção de Lou a fim de assustá-lo com seus latidos; mas Lou, saltando para o chão como uma pantera, afastou-se negligentemente. E quando Johnny cometeu o erro de atacar, Lou rosnou, deu a volta e pulou em cima do pirralho, segurando-o com uma das patas dianteiras e prendendo seu pescoço entre as mandíbulas poderosas. Aquilo era física pura: Johnny percebeu a loucura de seu ato, mais a ação da energia e do calor do adversário sobre ele. Lou, rosnando de novo, deslocou sutilmente seu peso em resposta aos esforços de Johnny para se libertar.

— Espere um pouco — pedi a Lou. Ele me lançou um olhar calmo, quase complacente, as mandíbulas ainda cerradas. *Agora só falta o xeque-mate, cara!* Lou desempenhava bem o seu papel e sabia que o *terrier* estava prestes a render-se. Quando afrouxou um pouco a pressão, Johnny pôs-se a guinchar como um rato. Manteve-o preso por mais alguns instantes, sacudiu-o e soltou-o.

Johnny correu para mim assustado; suas compridas unhas arranhavam o chão como as de um bernardo-eremita. Peguei-o pela nuca e pela barriga, virei-o de costas e, com ele nos braços, sussurrei:

— Este é Lou. O mandachuva. Você me morde, ele morde você.

Johnny fitou-me com as pálpebras semicerradas, a língua rosada balançando: toda a sua valentia se fora. Coloquei-o no chão e, quando Lou se aproximou, o baixinho quis se esconder atrás de mim. Mas ninguém se escondia de Lou, que passou pelo meio de minhas pernas e, avançando contra Johnny, deixou-o finalmente de barriga para cima no tapete. Cheirou e lambeu-lhe as partes e a cara, voltou para junto de mim e sentou-se à espera de um biscoito.

— *Arugla.*
— Sim, foi ótimo. Bom trabalho.

A partir daquele dia, Johnny nunca mais tentou morder a mim ou a Lou de novo, exceto uma vez naquela mesma semana, quando eu quis lhe cortar as unhas. Em vez de brigar com ele, simplesmente chamei Lou — o qual, quando Johnny fez menção de me morder novamente, jogou-o ao chão e sacudiu-o como se fosse um maracá. *Se morder meu dono, terá de se haver comigo.*

Aquilo era muito lisonjeiro, realmente.

Chief chegou na mesma época que Johnny. Era um *collie* simplório de 4 anos de idade, a imagem viva de Lassie, doce e calmo, inteligente e afável. Olhava as pessoas bem nos olhos, estudava-as, passeava com elas como bom amigo. Sem dúvida, um grande e nobre sujeito que gostava muito de mim e de Lou. Um bom cão. Eu podia imaginá-lo sentado na cama lendo histórias para um grupinho de filhotes sonolentos.

Chief foi, a meu ver, o único cachorro que se podia comparar a Lou em termos de carisma. Cachorros grandes costumam ter presença, um magnetismo indefinível — como Ali ou Hepburn. Quando um cão desses entra numa sala, a compostura vem junto; sabe-se desde logo que ele é especial e competente, sem vícios nem falhas. Chief era tudo isso.

Chegou para um adestramento rápido, mas logo foi entregue à adoção porque seus donos, já idosos, concluíram não ter mais energia para cuidar dele. Acabou ficando provisoriamente conosco, e fiz questão de passar o máximo de tempo possível a seu lado.

Chief cativava pessoas e cães com sua nobreza e boa vontade. Quando Lou e eu o levávamos para brincar no campo ou passear em algum lugar, ambos nos sentíamos mais calmos e recuperados depois, como se tivéssemos ido a um *spa*. Eu não via razão para não adotá-lo imediatamente.

Então, aconteceu.

— Johnny vai ser sacrificado esta tarde — disse Colleen.

— Por quê? Ele melhorou tanto!

— Para nós, talvez. Mas a mamãe não o quer de volta. Acredite em mim. Quando um cachorro machuca o filho, a última coisa em que os pais pensam é no bem-estar do animal. Ela pensou durante algumas semanas e concluiu que não gosta dele.

— Johnny poderia ser adotado.

— Por quem? Na casa de qualquer pessoa menos habilidosa do que você ou eu, Johnny voltará a ser o que era. Você sabe disso. Ele precisaria vestir uniforme e saudar a bandeira todos os dias pelo resto da vida; do contrário, seria um desastre. Mamãe não quer e não fará isso. Ninguém que eu conheça fará.

— Você poderia adotá-lo.

— Não vou com a cara dele, Steve.

— Mas ele se sairia bem com a família certa, Colleen.

— Você é bonzinho demais. Mamãe já decidiu, Steve.

Ela estava certa. Ninguém adotaria um cachorro acompanhado pela ressalva "pode causar ferimentos sérios e idas frequentes ao cirurgião plástico". Odiei ter de dizer estas palavras, mas disse:

— E se eu ficasse com ele por duas semanas? — Pensava em Chief, em como ele era dez mil vezes melhor do que Johnny em todos os sentidos, talvez o segundo melhor cachorro que eu jamais conhecera.

— Como!?

— Se ele se comportar bem comigo, ficarei com ele; se não, eu o entrego ao carrasco.

— Pensei que você quisesse adotar Chief.

— E quero. Mas Chief não terá dificuldade em achar logo quem o adote. Johnny, sim.

— Talvez isso seja o melhor.

— Ele não é tão mau. Lou o mantém na linha. Gosto de Chief, mas em minha opinião Johnny não precisa morrer.

— Devo abraçar ou espancar você?

— Que tal as duas coisas?

E assim começou a estranha experiência chamada Johnny, o último salvamento de Lou na academia. Levei-o em lugar de Chief, do maravilhoso Chief, cuja perda eu lamento até hoje. Chief encontrou um bom lar poucos dias antes do fim das duas semanas de prazo para a execução de Johnny, duas semanas durante as quais não mordeu ninguém, duas semanas com Lou me olhando como se eu houvesse enlouquecido e se perguntando quando o estúpido cão esquilo iria embora.

Não foi. Ficou. E, exceto por um pequeno arranhão no filho mais novo de Nicki, Jake, comportou-se bem e viveu o resto de sua curta vida conosco, não se dando conta jamais do sacrifício que Lou e eu fizemos para salvá-lo da agulha, naquele dia fatídico.

Nunca mais vi Chief de novo.

O arrogante principezinho que gostava de bochechas de meninas não sabia bem o que estava fazendo no meio da floresta escura, acompanhado por mim, Lou e uma dúzia de coiotes uivando na noite.

— Não se preocupe, Johnny, os coiotes não vão pegar você. Lou está aqui — disse eu. Estávamos os três em minha barraca no Pico Vermelho, enquanto o vento sacudia a lona e coiotes dialogavam ao longe com uma coruja cornuda. Anos depois, a garantia que dei a Johnny revelou-se profética, não para Johnny — que sua alma descanse em paz —, mas para Lou.

Lou gostava do Pico Vermelho. Soltei-o, e ele correu por toda parte como um turista, farejando, fazendo xixi, limpando-se, rindo à vontade, reconhecendo o terreno que já visitara várias vezes, sentindo o cheiro de antigos acampamentos e retirando das cinzas das fogueiras gravetos chamuscados que haviam servido para assar cogumelos.

Três vacas desgarradas vagavam pelas imediações, pastando. Estavam sempre por ali e eu nunca soube por quê. Lou, percebendo que elas não gostavam de cães, permanecia à distância; contentava-se em ouvi-las mugir e mastigar, com as grandes orelhas espantando moscas e as mandíbulas trabalhando sem interrupção. Preferia farejá-las de longe, desejando talvez que os lobos de Anne aparecessem para dar uma mãozinha.

Johnny não partilhava o entusiasmo de Lou pelos espaços abertos. Fora um rapazinho mimado de cidade pequena, cujo maior desafio ao ar livre era escolher qual o melhor arbusto para urinar. Vendo Lou naquela montanha, deve ter concluído que sabia muito pouco das coisas, que o mundo era muito complicado e exigente. Sua vida antiga — o quartinho de menina perfumado, com bonecas sobre a cama — se evaporara como num sonho.

O respeito que tinha por Lou aumentou ainda mais naqueles dias nos bosques. Via-se isso no modo como acompanhava seu irmão mais velho por toda parte e enfrentava algum desafio diante do qual outrora se sentiria inseguro, como saltar um buraco ou atravessar moitas de cedros — em suma, fazia coisas com que o antigo Johnny jamais sonharia, só para ficar perto de Lou.

Eu nunca o mimei. Deixava que aprendesse sozinho, sob a orientação de seu novo ídolo. Johnny, no passado o cão menos decente que se poderia encontrar, caíra, por obra do destino, nas graças do melhor dos melhores, um jovial Huck Finn dos cachorros com espírito de aventura.

Milagres acontecem — e, ao menos para mim e para Johnny, aconteceram. Talvez nós dois tivéssemos mais coisas em comum do que eu pensara.

Chief teria gostado do Pico Vermelho. Ele e Lou estrelariam seu próprio programa de televisão e promoveriam uma linha de produtos caninos. Ah, Chief! Que belo nome para um cão!

Lou nos conduziu pelo caminho íngreme até o posto de observação e, pelo meio das pedras, até a base da escada. Subiu como um homem os degraus de aço quase verticais e voltou-se para observar Johnny, que parecia receoso de seguir adiante.

— *Rour.*

— Acho que ele não vai segui-lo, Lou — avisei. Johnny era grande o bastante para subir a escada, mas pequeno o suficiente para escorregar entre os degraus; girava, gania e batia com as patas, mas seu coração ainda não estava pronto para a aventura.

— *Wuf!*

— Não, Lou, ele ainda não está preparado.

Aconchegando Johnny em meu braço esquerdo, subi com ele até onde Lou nos esperava, embaixo do alçapão que conduzia ao posto propriamente dito. Johnny se esticou para lamber a cara de Lou, enquanto este batia com a pata no alçapão.

— Veja — disse eu, empurrando a portinhola e perguntando-me quanto tempo levaria para ensinar Lou a abri-la por si mesmo. Bastaria pousar nela as patas dianteiras e fazer força com as traseiras... Mas como impedir que a pesada portinhola voltasse, golpeando-lhe o pescoço? Deveria ele abri-la até o fim ou só o necessário para entrar? Se eu tivesse tempo suficiente, poderia talvez tê-lo ensinado a tocar piano.

Lou pulou para dentro e ficou dançando sobre o piso de madeira, farejando excrementos de rato e migalhas de sanduíches deixadas por antigos visitantes. Abri uma garrafa de água e despejei um pouco num pratinho que eu havia levado para eles. Lou começou a beber, enquanto Johnny aguardava pacientemente sua vez.

— Vai deixar que você beba com ele, sabe disso — incentivei-o. Mas ainda assim ele preferiu esperar, e, como Lou tinha bebido tudo, eu despejei mais um pouco no prato e fiquei observando Johnny lamber o líquido como um gatinho.

— Vamos logo com isso, rapaz!

Ele me olhou e parou de lamber. Lou havia sentado no meio do recinto, contemplando o monte Baker. Readquirira sua personalidade selvagem.

— O que vou ganhar em troca disto? — perguntei, acenando-lhe com um grande biscoito.

— *Arugla!* — bradou ele.

— Não, só isso, não!

Lou girou duas vezes para a direita e ergueu a pata esquerda tão alto acima da cabeça que parecia estar procurando a chave de reserva na ombreira da porta.

— Boa manobra — reconheci, partindo o biscoito e dando-lhe metade. Apanhou o petisco e sentou-se num canto poeirento para degustá-lo, firmando-o com as patas à semelhança de um garotinho entregue às suas preces.

— E você? — perguntei, voltando-me para Johnny. — O que tem para mim? Não receberá nada de graça, seu malandro! Cumprimente.

Eu havia ensinado Johnny a cumprimentar na semana anterior, quando escolhi ficar com ele em vez de ficar com Chief — e ele sabia muito bem como fazer. Mas, quando o fez, estendeu tanto a pata adiante do corpo que aquilo mais parecia uma saudação nazista. Embaraçoso, mas de certa forma adequado.

— Belo cumprimento — reconheci, atirando-lhe a outra metade do biscoito, que ricocheteou em seu focinho e caiu a seus pés. Johnny farejou-o e, apanhando-o, foi se estender perto de Lou a fim de saborear o prêmio.

Naquela noite, dentro da tenda, ao som dos coiotes, da coruja e do vento chicoteando a lona, Johnny buscou o calor aconchegante de Lou e pôs sua pequena cabeça de *wookie* sob o queixo do amigo. Lou lançou-lhe um olhar e depois se voltou para mim com uma expressão resignada.

— Bem-vindo ao meu mundo, cara!

Lou balançou a cabeça enquanto Johnny lhe lambia a orelha.

Graças ao adiantamento de três livros e algum dinheiro vindo de meu trabalho como adestrador de cães, fiquei numa boa. Embarquei numa agradável rotina: levava Lou e Johnny para uma corrida ou um passeio de manhã e, a seguir, a uma cafeteria, onde rabiscava algumas folhas durante algum tempo. Voltava então para casa e me ocupava de Johnny, que absorvia as informações mais lentamente que Lou. Tornara-se confiável a ponto de poder ficar solto no apartamento quando eu saía, desde que Lou também estivesse lá. Sozinho, quebraria coisas e arranharia a porta dos fundos. Gostasse ou não, Lou se tornou sua babá.

À noite, íamos ver Nicki e seus meninos ou eles vinham nos visitar. Eu tinha a piscina e a Jacuzzi, de modo que as visitas deles eram frequentes.

Johnny tentou morder Jake uma vez e teve de amargar para sempre a ira da mãe. Nicki fora criada com cães numa fazenda e não era flor que se cheirasse. Lou e eu apenas olhávamos e sorríamos.

— Tente morder meu filho de novo que eu lhe arranco o couro e faço picadinho de você — ameaçou ela, agarrando-o pelas bochechas e sacudindo-o todo. Quando alguém o recriminava no ato de morder, Johnny se transformava num cordeirinho e não reincidia. Pelo menos não com aquela pessoa.

Eu passava as noites trabalhando no computador. Digitava o que escrevera à mão durante o dia, revisava o texto, melhorava-o. Lou despertava à uma da manhã e ficava me observando, como se quisesse me perguntar quando eu acabaria com aquilo. Gostava de se enroscar embaixo da cama, mas não o fazia enquanto eu não me deitasse nela. Nessa época, com quase 9 anos de idade, começara a apreciar o sono, o bom garoto.

Recebi um telefonema de uma editora da Adams Media, por recomendação de um amigo.

— Ouvi dizer que você escreve rápido — disse ela. Percebi, pelo barulho ao fundo, que estavam numa reunião. Outra crise no país editorial.

— Depende do que esteja escrevendo.

— Poderia preparar um manual elementar sobre criação de gatos?

Eu havia aprendido muito com Anne sobre esses bichos, ao longo dos anos, e já tinha ajudado alguns donos dando-lhes dicas de comportamento. É mais fácil lidar com gatos do que com cães, porém é mais difícil deixá-los "no ponto".

— Sem dúvida — garanti. Redigiria até um manual sobre teoria das supercordas caso me pagassem bem. — Qual é o prazo?

Houve uma pausa.

— Noventa dias.

Ri alto, mas logo notei que eles falavam sério.

— Um folheto?

— Não, não é um folheto. É um Everything Guide, com uma média de cem mil palavras.

— O quê?!

— A pessoa que contratamos para escrevê-lo nos comunicou que não poderia entregar o texto no prazo. Achamos até que nem o começou.

— E esse prazo não pode ser ampliado?

— Na verdade, precisamos do trabalho em três meses. Você aceita?

Oitenta e nove dias depois, entreguei-lhes um manuscrito de 129 mil palavras em troca de um pagamento de cinco dígitos. Passei o mês seguinte usando ataduras e com os pulsos mergulhados em água fria: computador desligado, sem escrever, sem jogar golfe, sem palavras novas, apenas a companhia dos cachorros, de Nicki e de seus filhos. Havia me tornado um *expert* em gatos com uma bela tendinite.

Johnny tinha sido condenado à morte antes de completar 1 ano e teria encontrado seu criador, o mui venerável e místico senhor dos cães, Gog, não fosse o sacrifício de Chief reforçado pela piedade — minha e de Lou. Passara a viver uma boa vida e agora, com 4 anos, era um sujeito feliz, ponderado, que não mataria uma mosca enquanto Lou e eu o mantivéssemos em rédea curta.

Chegou até a ganhar algum dinheiro ajudando o marido de Colleen, Jack, a livrar-se dos ratos do porão da academia, durante um inverno especialmente rigoroso. A 5 dólares por cabeça, fizera o que sua criação o destinava a fazer: pegar bichos e morder-lhes o pescoço. Deixei-o solto no porão por uma ou duas horas, fui almoçar e, quando voltei, havia cadáveres espalhados como trapos pelo piso de cimento.

Certo dia, levei Johnny a um estacionamento vazio perto de uma quadra de tênis, para brincarmos de bola. Mais que qualquer outra coisa, ele gostava de correr atrás das bolinhas amarelas. Johnny fez isso até, literalmente, não poder mais andar; estirou-se no chão, quase sem fôlego, e eu lhe trouxe uma bacia de água. Mergulhou nela a cabeça sem se levantar, bebeu tudo e depois me olhou como se quisesse dizer: *Vamos para casa agora*. A bola de tênis quebrara todas as barreiras; se um rato de esgoto, de olhos vermelhos, a atirasse para ele, Johnny agradeceria. Era seu ídolo.

Aí, pelo fim da sessão, diminuiu o ritmo, mas ainda queria que eu lhe jogasse a bola. Fiz um último arremesso, e ele correu atrás; suas unhas arranhavam o cimento como pneus de neve providos de pinos.

A bola foi parar no alto do muro de 2,5 metros de altura e, sem hesitação, Johnny saltou para apanhá-la. E quase a alcançou; mais uns cinquenta centímetros, e pousaria também em cima do muro, onde a querida bolinha amarela e brilhante saltitava como num jogo de fliperama.

Não conseguiu. Embora houvesse bebido como um gato, ele desabou como um cachorro. Puxado pela gravidade e pela obsessão, Johnny estatelou-se no asfalto, aos gritos. O pequeno *wookie* que salváramos três anos antes levou um tombo feio.

A bola, ricocheteando de volta, passou por ele. Johnny acompanhou-a com os olhos, pensando sem dúvida que, se não a perdesse de vista, fosse atrás dela e a apanhasse, só isso o curaria e mandaria embora o pesadelo. Poderíamos então voltar para casa, para junto de Lou, descansar e recomeçar a brincadeira no dia seguinte, esquecendo o que havia acontecido. Viu a bola rolar a alguns metros de distância e, gemendo, arrastou-se em minha direção, ficando a me olhar confuso, triste e dolorido.

Corri para o carro, peguei um carpete e voltei às pressas. Pensei que ele tivesse machucado as costas e, com cuidado, envolvi-o no carpete e voltei para o carro.

A caminho do veterinário, ele miraculosamente ergueu o corpo e olhou à volta como se tudo estivesse em ordem.

— Sente-se bem, amigo? — eu perguntei atônito, apalpando-lhe delicadamente as costas, as pernas e o pescoço. Johnny arreganhou os dentes, fitou-me, sentou-se e pôs a cabeça para fora da janela. Suas madeixas de *wookie* esvoaçaram, fazendo-o parecer um filhote de lobo.

— *Ruff* — ganiu ele de súbito, num tom agudo. Viu então a bola de tênis no suporte de copo e agarrou-a.

Resolvi levá-lo para casa e deixá-lo em observação por algumas horas. Talvez houvesse apenas torcido alguma coisa ou estirado algum nervo ao cair.

— Você é indestrutível, meu camarada.

Instalei-o em sua gaiola e deixei-o descansar até a hora do almoço. Lou apareceu, farejou-lhe o traseiro e afastou-se, indo olhar pela janela dos fundos. Johnny finalmente sossegou e dormiu um pouco.

Pelo resto do dia, pareceu estar bem. Comeu e saltitou por ali como o palhaço que fora antes de tomar jeito.

— Hoje você dormirá na gaiola, meu pequeno. Teve uma queda feia e quero que descanse.

Quando acordei no dia seguinte, Lou já não estava mais debaixo da cama. Ele só saía de lá antes de eu me levantar quando escutava algo estranho ou se sentia solitário. Ao chegar à sala, eu o vi deitado junto à gaiola de Johnny.

Johnny arquejava e gemia. Quando abri a gaiola, apoiou-se nas patas dianteiras, arrastou-se para fora e caiu sobre Lou, que lambeu carinhosamente a barriga do amigo. Johnny estava em maus lençóis.

Mandei Lou ao quintal para fazer xixi. Um jardineiro acenou-lhe. Chamei-o de volta, coloquei Johnny sobre uma almofada e fui apanhar as chaves.

— Vigie a casa, Lou. Johnny está machucado. — Lou ergueu os olhos para mim, aqueles grandes olhos cor de âmbar, então aflitos, perguntando-se por que eu estava levando Johnny embora numa almofada.

— Deve ter quebrado ao menos uma vértebra na parte inferior da espinha — sentenciou o veterinário. — O exame neurológico não mostra nenhuma atividade nessa área. Veja — continuou, mostrando que Johnny sequer conseguia ficar em pé ou estender a pata quando o veterinário a dobrava.

— Está paralisado?

— Temo que sim. E não há resposta à dor na parte de trás. Belisquei-o com força e ele não reage. Está vendo?

Johnny me olhou. Arquejava, deixando pender a pequena língua de gato — rosada — retorcida.

— Que podemos fazer?

— Posso pedir outro exame para confirmar o diagnóstico, mas é muito caro e, a esta altura, dispensável. Se você o tivesse levado logo a um neurocirurgião veterinário, ele poderia ter removido a secreção da vértebra para aliviar a pressão sobre a medula espinhal. Mas, agora, acho que o dano é irreversível.

— Prednisona?

— Tarde demais.

— Ele está sentindo dor?

— Sim, embora eu tenha lhe dado um sedativo. Mas está paralisado e, sem dúvida, com incontinência.

— Só tem 4 anos de idade...

— Sei disso, Steve.

Dei uns passos pela sala. Não desejava aquilo. Queria ir para casa. Queria acordar. Gostaria de ter salvado o pobrezinho.

Uma vez, sacrifiquei um filhote de gaio que fora atacado por algum animal. Eu estava no mato com Lou, que o descobriu entre as folhas, de boca escancarada em busca de ar, comida, misericórdia. Gemia de dor em minhas mãos. Fiquei com pena e pus fim à sua vida. Era só o que podia fazer por ele.

— Então, nada mais resta... — concluí.

— Deveríamos pensar em ajudá-lo.

— Ok, doutor.

Em *Lawrence da Arábia*, Lawrence volta para salvar Gasim, um beduíno *harith* que caíra do camelo e se perdera no deserto de Nefud. Todos achavam que ele havia morrido. "Estava escrito", sentencia outro *harith*. "Nada está escrito", grita Lawrence, dando de rédea e cavalgando a noite inteira para resgatar Gasim. Assim, arranca-o das garras da morte, mostrando piedade em meio à indiferença geral.

Na semana seguinte, Gasim mata um membro da tribo rival *howeitat*, ameaçando suscitar uma rixa sangrenta.

"Deve ser executado", decreta Auda, o chefe *howeitat*, como se discutisse as condições do tempo.

Com um aceno de cabeça, Lawrence empunha a pistola e descarrega-a no corpo do homem cuja vida ele havia salvado dias antes.

— Steve?

— Só um instante — pedi.

— É claro.

Afastei com os dedos o pelo de Johnny de seus olhos, toquei-lhe o focinho e acariciei-lhe o corpo ferido. Queria impor as mãos sobre o corpo dele, levá-lo a um quiroprático, a um feiticeiro, a um sacerdote. Ele ergueu os olhos para mim. *E agora podemos ir para casa, por favor?*

— Sinto muito, Johnny. Eu não devia ter jogado a bola com tanta força.

Eu não devia ter pulado tão alto.

— Não posso fazer nada por você. Lamento. Já não pareço tão poderoso, hein? Aquilo era pura encenação. Mas uma vez nós o salvamos, lembra-se?

Ele me lambeu e olhou à volta.

— E sinto muito por tê-lo aborrecido o tempo todo falando em Chief.

Johnny estava sonolento por causa dos sedativos. Esforcei-me para conter as lágrimas, que sempre pioram tudo. O veterinário voltou.

— Temos de ajudá-lo agora.

— Está bem. Façamos isso.

Dei-lhe um beijo de adeus, agradeci-lhe por tudo e assegurei-lhe que fora um bom cão; que compensara generosamente a mordida na menina, episódio ocorrido havia tanto tempo que já não precisava se preocupar com aquilo; que Lou sentiria sua falta e cuidaria bem de sua bola de tênis; e que eu estava muito satisfeito por ele ter, como Lou, entrado em minha vida.

Nós então o fizemos dormir para sempre. Não podíamos fazer mais nada por Johnny.

Uma semana depois, a doce Shyanne, de Nicki, com 13 anos de idade e magra como uma vassoura, caiu e não se levantou mais. Precisou também de nossa ajuda, e nós a ajudamos.

Deitei-me no tapete e comecei a massagear as patas de Lou. Ele gostava disso. A gaiola de Johnny continuava em um canto, sob uma pequena mesa branca, com a porta aberta, a bola e o cobertor mastigado lá dentro. Eu ainda podia sentir seu cheiro, e Lou também, sem dúvida. Sonhava com uma morte heroica para Lou — com ele me tirando de um edifício em chamas, escorraçando uma matilha de *pit bulls* ou dando o último suspiro em pleno sono, como um rei.

— Não posso fazer aquilo com você.

15

O mistério do coiote na noite fria

Eu tinha persianas de plástico, piso de linóleo, ímãs de geladeira e grandes utensílios de pau para salada. Fui o último adulto que conheço a adquirir um telefone celular. Conservava minhas roupas até elas parecerem trapos informes na secadora ou encolherem até atingirem o tamanho de vestidos de boneca. Meu terno tinha sido comprado em 1993 e minha jaqueta ainda tinha ombreiras. Acrescentem a isso o fato de eu ser ligeiramente daltônico e terão uma boa medida de meu *savoir-faire*.

Sempre duvidoso em matéria de estilo, as pias e os azulejos verde--vômito não me incomodavam. Na verdade, se a opção pelo verde sempre me valesse descontos de até 20%, eu pintaria com essa cor berrante minha casa, meu carro, meu cachorro e meu rosto.

Mas, quando de repente meu aluguel subiu 20%, comecei de imediato a cultivar um senso de estilo mais sofisticado e a desprezar todo aquele espalhafato. Mesmo Lou, totalmente daltônico que era, exibia seu descontentamento recusando-se até a passar pela pia da cozinha.

— Você só passa aqui metade do tempo — ponderou Nicki. — Venha morar conosco.

— E os meninos?

— Toda vez que você aparece, para eles é como uma viagem a Nova York.

— Sim, mas depois volto para minha própria casa.

— Onde é mais sossegado.

— Correto.

— Então, não podemos ajudá-lo.

Eu morava sozinho, com um cachorro, havia bastante tempo. Tinha minha rotina de escritor e gostava daquilo. Lou também. Ele gostava de me ver sempre por perto e não parecia ligar para o fato de seu trabalho voluntário na academia ter chegado ao fim.

Com quase 11 anos, embora ainda fosse forte e saudável, Lou estava se acostumando à aposentadoria. Apreciava sonos mais longos, cochilos à tarde e demonstrações gratuitas de atenção. Demorava a acordar e já se espreguiçava com mais frequência. Seu famoso físico bem definido começava a perder a nitidez de contornos — agora lembrava um labrador de meia-idade, com a diferença do peito mais amplo e arqueado, e dos antebraços mais musculosos. Era, até certo ponto, o que acontecia comigo. Lou começava também a ficar grisalho à volta do focinho e a adquirir aquela cara mais delgada característica dos cachorros velhos. Ambos íamos envelhecendo graciosamente.

Nicki tinha a custódia dos meninos em semanas alternadas. Nessas ocasiões, a pequena casa da zona norte de Seattle se transformava em uma mistura de filme da Disney, vestiário de ginásio e bufê de Las Vegas. Pura animação.

— Você decide — riu ela, levando para a lavanderia um cesto de roupas fedorentas de crianças. — Ambos economizaremos dinheiro e Lou terá seu quintal.

— Isso aí cheira a cocô de macaco.

— Você é que cheira a cocô de macaco.

Mudei-me para lá.

Lou se acostumou mais depressa que eu às novas acomodações. Um grande quintal com um cercado coberto, uma bela casinha e, de sete em sete dias, dois garotos tipicamente americanos aprontando sem parar o dia inteiro. Que mais um cachorro poderia querer?

Zac e Jake foram para o grande sótão, deixando seu pequeno quarto para que eu montasse meu escritório nele. Em uma semana, eu era uma mescla de amigo, pai e companheiro de brincadeiras dos filhos de Nicki — o que, para um quarentão solteiro, parecia mais assustador do que tratar as hemorroidas de um *pit bull*. Na semana seguinte, éramos somente nós dois e Lou; a casa vibrava com a energia dos garotos por alguns dias e depois se acalmava. Essa alegre montanha-russa periódica acabou por se tornar rotina.

Lou levava aquilo numa boa. Era ótimo para ele conviver com crianças, que o mantinham jovem. Agradecia as atenções de Jake ou Zac fazendo truques mesmo quando estava cansado ou à espera de seu querido jantar. Depois de residir num apartamento em Los Angeles, numa casa alugada em Castle Heights (que ele quase destruíra), num apartamento em Seattle, numa casa em Bothell, num abrigo fedorento em um gueto e num condomínio verde-limão ao lado de um rio, havia encontrado sua última e melhor residência.

Um lado de mim se perguntava: não estarei pondo Lou para escanteio prematuramente? Vinha-me à lembrança um grande atleta que, depois da aposentadoria, engordara e ficara preguiçoso; eu não queria isso para Lou. Ele sempre fora dinâmico e prestativo — e eu não podia negar-lhe a oportunidade de continuar a sê-lo só porque completara 11 anos de idade.

A resposta veio de meu pai e de Nicki.

— Stevie, querido! — Ele era a única pessoa que podia me chamar assim.

— Olá, papai! Como tem passado?

— Muito, muito bem!

Afora não dormir nunca, beber vinte xícaras de café por dia e estar brigando há durante dez anos com uma dor nas costas e uma sinusite, meu pai, com 76 anos, estava em melhor forma que qualquer pessoa de sua idade. Contemporâneo da Depressão, ex-combatente da Segunda Guerra Mundial, ex-pugilista da marinha, motorista de ônibus e coletor de lixo, o viúvo nascido no Bronx morava sozinho em Nova York no mesmo apartamento onde cresci e onde Sabino, o proprietário, se recusara a aceitar propina em troca do bicho de estimação que eu desejava ter quando criança. Meu pai era da velha escola, com um amor por seu país que só quem passou pelo inferno poderia entender. Engraxara sapatos na rua quando menino, abandonara a escola para construir aviões militares, alistara-se no dia seguinte a Pearl Harbor e perdera um irmão para a guerra e a esposa para a doença, na casa dos 40. De certo modo, ele me lembrava Lou.

— Quais as novidades, papai?

— Stevie, deram-me uma nova linha de ônibus, e isso é um *sonho*.

Entediado com a aposentadoria, arranjara um emprego de meio expediente como motorista de ônibus escolar em Westchester e amava aquilo.

— Deixe-me lhe dizer uma coisa, Stevie, é negócio grande. *Grande*. A segunda maior empresa de ônibus do país. Peguei também uma linha de garotos do primário. Eles são ótimos.

— Consegue controlá-los?

— Está brincando? Os garotos me adoram. E os pais até me dão presentes! Ganhei doces japoneses um dia desses; não sei bem do que são feitos, mas, caramba, o gosto é bom!

— Por que continua trabalhando?

— Ora, nem pense nisso, Stevie. Quem não trabalha morre. Continuo trabalhando, é isso aí.

Lou estava ao lado de minha poltrona, mastigando um osso. Trocamos um olhar.

— Então, o trabalho mantém você vivo — disse eu.

— Trabalho é vida, Stevie. Pare de trabalhar e morrerá.

— Susan disse que, se quiser, poderá levar Lou à pré-escola.

— Ele sente saudades disso, acho eu.

Nicki trabalhava em período integral em uma empresa de promoções e colaborava como professora da língua americana de sinais, para pré-escolares, na New Discovery School, em Seattle, cuja dona e diretora era Susan Gorman, grande fã de cachorros.

— O que Lou poderá fazer pelas crianças? — perguntei.

— Bem, ajudá-las a aprender a língua dos sinais — disse ela. — Lou conhece muitos sinais de mão; estimularia meus alunos a dominar essa língua mostrando-lhes que, se um cachorro pode aprendê-la, eles também podem.

— Perfeito! — concordei. Lou se aproximou de Nicki, balançando a cauda. Sempre se sentira atraído pelo otimismo.

Como meu velho e entusiasmado pai, Lou voltaria ao trabalho aceitando um emprego de meio expediente para ajudar crianças.

Para Lou, ir até a New Discovery em seu primeiro dia foi como deixar que uma máquina do tempo o reconduzisse à época da academia, em que garotinhos do jardim da infância ficavam empolgados tanto com ele quanto com os outros cães. Agora, contemplando 25 crianças sentadas em círculo no carpete, esperando pacientemente, Lou ria e agitava o rabo como um filhote. Eu podia até ouvir seu coração pulsando de ansiedade. Ele gostava *muito* de crianças. E estava de volta.

Após as apresentações, mandei que Lou se sentasse no meio da sala, afastei-me um pouco para o lado e falei-lhes a respeito daquele cão, que permanecia quieto, sorridente, varrendo o carpete com a cauda. Era um verdadeiro artista, aquele Lou.

— Eu tenho um cachorro! — gritou um pirralho sardento, de cabelos ruivos.

— Eu tenho dois cachorros e um monte de peixes!

— Por que ele fica aí parado?

— Está esperando para lhes mostrar o que sabe.

— Parece gente — observou um duendezinho louro, pouco mais alto do que Lou sentado.

Cheias de excitação por ver um cachorro na escola, as crianças fizeram dezenas de perguntas, às quais respondi como pude. Muitas pareciam intrigadas com o fato de um cão simplesmente se sentar e ficar olhando para elas. Nicki se acomodou ao lado, sorrindo.

— Quem sabe por que eu trouxe Lou aqui hoje? — perguntei.

— Porque ele é mais esperto que nós! — disse uma garotinha hispânica de trancinhas.

— Como assim?

— Sabe a língua dos sinais e consegue ficar sentado quieto.

Joguei um biscoito para Lou e ele o apanhou com um simples movimento de cabeça. Alguns garotos aplaudiram. Lou me dirigiu um olhar de esguelha. *Vamos começar logo esse show, patrão.*

— Está bem, quem quer vê-lo acenar sem que eu peça?

— Eu, eu!

Dei a Lou o sinal para acenar com a pata direita — com um leve soerguimento da mão direita. A pata de Lou se levantou acima de sua cabeça. As crianças bateram palmas. Então, estando ele com a pata ainda erguida, dei o sinal para acenar com a esquerda. Lou baixou a pata direita e levantou simultaneamente a esquerda. Mais aplausos. Fiz com que repetisse as manobras várias vezes, um verdadeiro cancã canino para alegria das crianças.

Reproduzimos a velha rotina de Lou — rolar para um lado e outro, girar nos dois sentidos, fingir-se de morto, deitar-se, levantar a cabeça, limpar a cara, latir ao meu comando, marcar um território, agarrar uma presa, recomeçar e parar — e tudo sem que eu ordenasse nada verbalmente.

Depois de algum tempo, a paz voltou à sala. As crianças se convenceram de que aquele cão *realmente* dominava a língua dos sinais.

— Quem quer conhecer Lou mais de perto? — perguntei, colocando-lhe a guia.

— Eu, eu, eu! — Um coro de "eus" explodiu, enquanto os garotos pulavam.

— Então, fiquem aí mesmo que eu vou passar com Lou diante de cada um. Poderão acariciá-lo, se quiserem.

Quase todas as crianças passaram a mãozinha pelo corpo de Lou. Tocaram os pelos eriçados sobre a espinha, sentiram a maciez das orelhas, beijaram-no e abraçaram-no, cutucaram-lhe os flancos, foram beijadas e riram quando Lou espanou-lhes o rosto com a cauda. Confiança total num cachorro de grande porte que eles nunca tinham visto. Alguns garotos, receosos a princípio, sucumbiram à coragem dos outros e estenderam também as mãozinhas para o amigão, cuja bela cara brilhava de afeto por aqueles pequeninos — que pareciam filhotes, alguns com um terço da idade de Lou, inexperientes e sem saber das coisas que ele fizera. Olhei para Nicki, que — como sempre — havia lido meus pensamentos. Derramamos algumas lágrimas e sorrimos.

Lou se virou para mim, radiante de felicidade e orgulho.

Trabalho é vida. Pare de trabalhar e morrerá.

Inverno em Seattle — quase um pleonasmo. Na Costa Oeste, inverno significa geralmente meses de temperaturas abaixo de zero, neve até o peito e a Cúpula do Trovão nas estradas cobertas de gelo. Os invernos em Seattle, porém, às vezes pressupõem chuva fria, nuvens, mais chuva, escuridão perpétua, deficiência de vitamina D, notícias sobre casos de depressão e suicídio, vento, mais chuva e curtas nevascas que paralisam toda a região durante vários dias.

Não naquele inverno. Nós nos sentíamos mal. Neve e uma temperatura inusitadamente baixa em dezembro, depois um pouco mais elevada e em seguida a volta do frio rigoroso, congelando a neve derretida e transformando a cidade inteira num ringue de patinação. E, para coroar tudo, nova tempestade de neve.

A vizinhança estava em silêncio. Nenhuma atividade, exceto por um solitário carrinho limpador de neve, alguns garotos com trenós e uma motoneve passeando pelas imediações. Meu carro dormia à entrada, a neve cobria-o como um fez branco. Sem escola nem trabalho, as pessoas se apinhavam dentro de casa com o aquecedor ligado, enquanto alegres crianças de 10 anos arremessavam bolas de neve umas nas outras no meio daquilo que antes era uma rua.

Uma boa camada de neve transforma o lugar, faz com que ele volte no tempo, silencia tudo e nos faz evocar sinos e presentes de Natal. Seattle estava assim no dia em que Lou desapareceu.

Os filhos de Nicki brincavam na neve. Jake tinha aberto o portão lateral para que pudessem correr entre o jardim e o pátio dos fundos. O mero prazer de contemplar crianças brincando na neve significaria, para Lou, uma de suas aventuras mais estranhas.

Na manhã seguinte, soltei Lou no quintal coberto de neve. Embora ele ainda fosse capaz de saltar a cerca, eu sabia que não faria isso; era caseiro demais para tanto. Continuava, porém, gostando de neve, de modo que brincamos durante algum tempo; eu lhe atirava bolas de neve e ele rebatia, corria à volta, derrubando montículos, sempre em atitude brincalhona, o rabo parecendo um enfeite de natal e os olhos brilhando na claridade mortiça.

Entrei para preparar um chá. Deixei-o lá fora à vontade, para se divertir mais um pouco. Às vezes, um cachorro precisa de alguns momentos a sós.

Abri a porta dos fundos e chamei-o, mas ele não entrou. Como já estava dando sinais de deficiência auditiva, achei que não tinha me ouvido.

Saí. O termômetro, lá fora, marcava 18 graus abaixo de zero. Eu estava de roupão e tênis sem amarrar.

— Lou!

Nada de Lou. Nem na pista, nem ao lado da casa, nem nos quintais vizinhos. Quando vi o portão lateral aberto, a adrenalina fluiu para o meu coração como bile.

Corri para o jardim. Nem sinal de Lou. Vi suas pegadas na neve recente. Não havia dúvida: uma unha da pata esquerda traseira encurvada, as patas dianteiras maiores que as traseiras. As marcas indicavam que ele havia corrido, e não andado, para a rua, descendo o quarteirão atrás de alguma coisa. Depois, as pegadas se confundiam com as de crianças e os sulcos da lâmina de uma limpadora de neve. Meu cão havia partido.

Aquilo não era como havia sido dez anos antes, quando Lou saiu à caça de pavões. Tratava-se agora de um cão maduro, caseiro, de inteligência e lealdade excepcionais. Ele não fugia, pura e simplesmente. No máximo, ia até o jardim fronteiro e sentava-se na escada a fim de observar as crianças e o trânsito; ou então se esgueirava para a casa do vizinho, Dave, em busca de seu novo amor, a adorável e pequena Scamp, mestiça de angorá, a quem namorava na cerca. Agora era diferente. Não se encontrava mais na vizinhança. Alguma coisa incomum atraíra-o para longe.

— Jake não tem culpa. É apenas um menino — disse Nicki.

— Sei disso. Eu estava apenas procurando um bode expiatório.

— Lou não costuma fazer essas coisas.

— Algo de estranho aconteceu. Ele *correu* para fora do quintal, atraído por alguma coisa.

— Crianças?

— Acho que não. Lou adora crianças, mas não iria atrás delas. Deve ter sido algo que achou importante.

— O sisudo Lou?

— Sim. O soldado Lou.

— Velho soldado.

Saímos à sua procura. Por toda parte. Nicki e eu batemos à porta das casas de nossa rua, uma por uma, vinte quarteirões numa direção e cinco na outra. Gritei-lhe o nome até ficar rouco, até esse nome se tornar um mantra hipnótico.

Lá fora, 18 graus abaixo de zero; mãos e pés congelados. Os filhos de Nicki e seus amiguinhos patrulharam a vizinhança e os parques próximos. Percorri — de carro — ruas desertas, longas fitas brancas solitárias serpenteando pelo bairro, cheias de carros cobertos de neve estacionados como pedras caídas de dominó, até onde a vista alcançava.

Aquilo parecia uma paisagem hibernal de Dakota do Norte. Não seria difícil avistar um grande cão preto e marrom perambulando por ali. Mas meu *alter ego* estava onde não podia ser visto nem tocado por mim, admirando o mundo como um viajante marciano a milhões de quilômetros de distância.

Eu não tinha filhos. Não tinha cachorro. O melhor dos cachorros, de 11 anos, vagueava no frio e só podia contar consigo mesmo. Meu coração estava enfermo, assustado.

— Lou é um sobrevivente — ponderou Nicki. — Ficará bem até o encontrarmos.

Tinha razão. Em se tratando de qualquer outro cachorro, eu não teria tanta esperança; mas Lou era cachorro, dono e espírito numa embalagem só, uma máquina pensante coberta de pelos, cheia de energia e firmeza de ânimo, com uma vontade de viver tão forte quanto a do lobo que rói a própria pata e a deixa na armadilha para escapar e continuar vivo. Permaneceria aquecido pelo tempo necessário, resolveria o problema em que havia se metido e voltaria para casa. Comeria neve, lixo e esquilos, se precisasse. Eu sabia disso; mas Lou era meu cachorro, eu o amava como a um irmão, e quem ama não tolera a perda.

Procuramos, voltamos para nos aquecer, procuramos de novo, voltamos para comer e tomar chá, procuramos novamente. Era como se eu estivesse assistindo ao filme de Zapruder várias vezes, em câmera lenta. Sentia-me um Lindbergh.

Jake estava desesperado. Nicki e Zac tentavam nos consolar.

— A culpa não é sua, Jake — eu disse, lamentando ter perdido a cabeça antes. — Ele nunca foge. Você sabe disso. Algo estranho aconteceu para que desaparecesse.

— O que, por exemplo?

— Não sei. Mas, conhecendo Lou como conheço, esta tem tudo para ser uma grande história.

A cerca de um quilômetro de nossa casa, estendia-se o parque Hamlin, 80 acres cobertos de abetos, cedros, amieiros e cicutas, que se alteavam sobre uma vegetação rasteira composta de amoreiras, heras, giestas, samambaias e azevinhos. Pelo meio, corria o riacho Hamlin, afluente do Thornton. Estavam ali à vontade gamos, esquilos, guaxinins, gambás, lagartos e ratos, bem como pássaros, lesmas e até pequenas rãs e alguns peixes. Lou e eu havíamos passeado várias vezes por aquele parque. Ele gostava do lugar porque lhe trazia lembranças. Era realmente um belo parque e, se eu fosse cachorro, ia querer ir até lá. Infelizmente, o lugar tinha sido ocupado por cães de outra espécie.

A pequena população de coiotes de Hamlin engordava à custa dos ratos que se escondiam nas moitas. Eles se viravam sozinhos. Muita gente não sabe que esses grandes predadores conseguem prosperar até em um pequeno ecossistema encravado no meio de uma cidade movimentada. Mas conseguem. Como Lou, os de Hamlin eram sobreviventes. Às vezes, penso que ele tinha mais coisas em comum com os coiotes do que com os membros de sua própria espécie.

As recentes condições do tempo haviam dificultado muito para os coiotes a tarefa da sobrevivência. Alguns faziam o possível para conseguir comida dentro dos limites do parque; mas outros, incapazes disso, arriscavam-se para fora de Hamlin. Encorajados pelo pouco movimento das ruas e pelo tapete de neve que transformara a cidade numa taiga, esgueiraram-se pelos becos desertos à procura de presa fácil — gatos, cachorros pequenos, restos de ração para cães, lixo, gambás, qualquer coisa que pudessem apanhar.

Lou havia desaparecido no começo da manhã. À meia-noite, resolvemos dormir um pouco para reiniciar a busca bem cedo, percorrer abrigos, clínicas veterinárias e centros de controle de animais, além de espalhar cartazes — tudo o que geralmente se faz para encontrar um cachorro perdido.

Não sei bem por que, mas aproximadamente às duas horas da madrugada decidi dar uma última volta pelos arredores, devagarzinho — quem sabe, apenas para estar lá fora, mais perto do meu cachorro. Sabia que no escuro da noite acontecem certas coisas que durante o dia não aconteceriam, coisas do mundo dos sonhos, inversões da natureza. De pé na varanda de casa, sentia o frio se intensificar, a noite tornar-se densa; ele também poderia sentir o mesmo.

— Só mais uma voltinha por aí — expliquei a Nicki. — Mas você fica. Está gelado lá fora.

— Não, eu vou.

Dirigi em marcha lenta. Pouco tempo antes, havia substituído o velho Civic por uma caminhonete nova com tração nas quatro rodas, que se saía bem na neve e no gelo. Vistoriamos pátios, quadras de esportes, parquinhos, becos, estacionamentos e ruas. Nada de Lou. Ao dobrar cada esquina, esperávamos vê-lo trotando pela calçada, focinho no chão, cauda erguida, a caminho de casa. Por ali, não estava; mas tinha de estar em alguma parte.

— Que droga! — desabafei. — E que raiva! A culpa é mais dele do que de Jake, porque Lou tem mais experiência.

— Acalme-se. Lou é um cachorro.

— Na maioria das vezes.

— Talvez alguém o tenha recolhido.

— Não... Está sozinho... Eu o conheço.

— Vamos dormir um pouco. De manhã, recomeçamos a busca.

Chegamos a uma esquina coberta de gelo a dois quarteirões de nossa casa; nem carros nem pessoas à vista, apenas o semáforo passando do verde para o amarelo e para o vermelho.

— Não chore. Vamos encontrá-lo.

— Mas é *Lou*. O meu melhor amigo. Eu...

— Sei. E é por isso que o acharemos.

Depois do cruzamento, começamos a descer nossa rua.

— Quando se perdia de mim no mato, sempre me encontrava. Sempre.

— Ele tem faro.

— Nunca desiste.

— Nunca.

O maior coiote que eu já tinha visto estava postado no meio da pista, a um quarteirão de nossa casa, os olhos avermelhados pela luz do farol, o pelo eriçado. Olhou para nós com a boca escancarada, lançando um bafo quente no ar frio da noite.

— Macho dos grandes — disse eu. — Vinte e cinco quilos, no mínimo.

— É enorme.

— Aí está o motivo, Nicki.

— Sim. Você tem razão.

Ele escapara de Hamlin na noite anterior e rumara para oeste, descendo a grande encosta à procura de qualquer coisa para comer. Aproximando-se de nossa vizinhança, deparara com o Northcrest Park, perto de onde morávamos, quatro quarteirões de densa vegetação com uma trilha no meio e casas de ambos os lados. Perfeito para um coiote faminto usar como base de operações. Poderia sair, capturar um gato ou outro bicho qualquer e voltar ao parque para comer em paz. Dominaria o pedaço e, quando quisesse ir um ou dois quarteirões mais longe, a ausência de pessoas facilitaria tudo. Mas não tinha pensado em Lou.

— Precisamos segui-lo — disse eu. — Ele está envolvido no caso. Se matou Lou, encontraremos seu esconderijo.

— Lá vai ele.

— Northcrest. Está entocado em Northcrest.

— Siga-o.

Fomos atrás do coiote até a entrada norte do parque. Ele estava bem à vontade, não corria e passou tranquilo pelo portão; usou uma das pernas dianteiras para abri-lo ou saltou de um montículo de gelo — não sei dizer.

— Sente-se ao volante — disse eu, pegando a lanterna e a trava da direção no banco de trás.

— Para que isto? — estranhou Nicki, mudando de lugar.
— Não vou atrás de um coiote com as mãos vazias.
— Tome cuidado.
— Encontre-me no outro lado.

A trilha do Northcrest corria pelo parque numa extensão de cinco quarteirões e terminava no lado sul, perto do estacionamento de uma igreja. Trilhas laterais mergulhavam no mato e iam até os muros dos quintais das casas.

O coiote havia seguido pela trilha principal. Percebeu a minha presença e pouco se importava.

Mantive o olho nele enquanto iluminava com a lanterna as trilhas laterais e as moitas, à procura de Lou, rezando para que ele não estivesse aos pedaços ou sangrando até a morte. Temia que o coiote tivesse voltado para se alimentar ou concluir a tarefa. Lou estava velho, mas ainda pesava seus 35 quilos; mesmo um coiote daquele tamanho, só com muita dificuldade o derrotaria. No entanto, talvez tivesse machucado Lou ou dilacerado o tendão de sua perna.

Eu gostava de coiotes. Lou e eu ouvíramos seus uivos várias vezes. Apreciávamos sua música, composta há milhões de anos — a canção-tema de nosso convívio, nosso guia espiritual. Mas, se aquele desgraçado tivesse matado meu doce Lou, eu esmigalharia a sua cabeça com a trava e incineraria seu imundo cadáver.

O coiote farejava a trilha, esquecido de mim, mas agora preocupado com alguma coisa. Distanciou-se. Tomou o rumo da entrada sul, de modo que atravessei correndo o mato até o estacionamento da igreja. Meu carro estava lá, com os faróis apagados, à espera.

Nicki se deslocou para o assento do passageiro. Entrei.

— Cruzou a cerca e desceu a colina — informou ela. — Estava procurando algo.

Fomos atrás dele.

— Desça seu vidro — pedi. — Parece que ouvi um cão latir.
— Há muitos cães por aqui.
— Conheço o latido de Lou.

Um quarteirão adiante, o coiote saiu da trilha e desapareceu atrás de uma RV estacionada. Nós o perdemos de vista.

— Não ouviu um cão latir enquanto esperava por mim? — perguntei, agarrando-me a qualquer farrapo de esperança.

— Não.

Encostamos o carro e ficamos de ouvidos atentos.

— Ele deve estar por aí, machucado, sangrando. *Sei* que esse coiote tem algo a ver com a história.

— Você não acha que um coiote venceria Lou, acha? — perguntou Nicki, lançando-me um olhar em que não pairava nenhuma dúvida. — Acha?

— Um não. Nem mesmo do tamanho deste aí. Mas dois, sim.

— Vimos um, não dois. Se fossem dois, estariam juntos, macho e fêmea ou mãe e filho.

— É verdade.

— Vamos para casa. Recomeçaremos amanhã cedo.

Dirigi devagar. De certa forma, tinha recobrado o ânimo. A visão do coiote me deixara ligado a Lou de uma maneira nova. O coiote se tornara um objeto de recriminação, um alvo para minha cólera. Fazia sentido: somente a magia de um bicho enorme passando por nossa casa poderia ter provocado aquele teatro todo. Mas nesse momento ele também havia sumido.

— Estou cansado — gemi, quase sem forças.

— Vamos dormir. Amanhã, saímos de novo.

— Obrigado pela ajuda.

— Não seja bobo.

Chegamos. E lá estava Lou, na encruzilhada do céu e do inferno, ombros erguidos, meio homem, meio animal, tremendo de frio, determinado, inabalável.

— Meu Deus! — exclamou Nicki.

Corri para ele. Emitiu seu velho *rour* e fixou em mim os olhos escuros, imunes ao medo, pronto a lutar de novo, o sangue fervendo na ânsia de sobreviver e proteger.

Estava tomado. Não estava ali. Por um instante, sequer me reconheceu. Eu era simplesmente uma extensão da batalha que ele pensava ter terminado ao ir para casa, depois de obrigar o coiote a devolver a rua a seu legítimo dono.

— Calma, amigão — tranquilizei-o, agachando-me à sua frente. Tinha os pelos eriçados, emaranhados e gordurosos, os cantos dos olhos cheios de cristais de gelo, o corpo coberto de sujeira e neve. Parecia ter caído do alto de uma montanha.

A luz voltou pouco a pouco aos seus olhos. Descontraiu-se como uma criança que logo esquece a dor de um ferimento. Abracei-o e senti a tensão de seus músculos desaparecendo enquanto ele chorava como um bebê, agitava-se, lambia minha orelha e pressionava o corpo contra o meu, tremendo incontrolavelmente, gemendo, soluçando, desculpando-se, tentando contar-me o que havia acontecido. *Ah, que felicidade!*

Nicki se aproximou e ambos o estreitamos nos braços — chorando os três à entrada da casa, não mais cão nem seres humanos, mas uma família, apenas uma família.

— Ele está com um cheiro *terrível* — observou Nicki, com o rosto banhado em lágrimas.

— Afrouxou as glândulas anais há pouco, penso eu — aventei, limpando-lhe a cara e examinando-lhe o corpo todo. Estava sujo aqui e ali, mas sem sinais de sangue ou ferimentos, exceto um fio de baba avermelhada nos beiços.

— Ele brigou bem com o coiote. Nenhuma outra coisa faria *este* cão afrouxar as glândulas anais. E cheira a urina, também; cheiro forte e azedo, como de xixi de lobo.

— Ah, Lou — disse Nicki, acariciando-lhe a cabeça e chorando de novo. — Você está fedendo!

— Bem-vindo ao lar, amigão.

— Rour.

Nós o limpamos, cuidamos dele, não economizamos carícias, demos-lhe comida. Remoemos o mistério do coiote na noite fria, a tentação e a libertação de Lou. Gostaríamos muito de saber o que ele havia enfrentado. Os meninos riam, gritavam e dançavam em volta — enquanto, aos poucos, o bom e velho Lou ia se recuperando de sua visita aos mortos.

O coiote queria algo para comer — lixo, ração de gato congelada, qualquer coisa que não reagisse. Tivera também sua aventura e sabia onde o velho cão enraivecido o machucara. Com a astúcia do caçador, atraíra Lou para fora e quase partira nossos corações; perdera a briga, mas expiara seu pecado trazendo Lou de volta para casa e devolvendo ao velho guerreiro seu orgulho.

16

Salvando Flavio e urinando num comercial de televisão

Numa manhã de verão, em 2001, ele apareceu em nosso quintal. Marrom e amarelo, focinho preto, olheiras escuras, pelo desbotado — comprido e magro, manso, e com medo dos movimentos de seu próprio rabo, das sombras, dos ruídos, das lembranças cruéis que atormentavam seu bom coração. Mas apareceu em *nosso* quintal — saltou a cerca para rastrear o cheiro de outro cão, um cão agora velho, que havia passado metade da vida salvando pervertidos, canalhas, malandros, patifes e inocentes da injeção letal. Lou tinha se aposentado; mas era como um velho bombeiro saudoso das correrias para arrancar pobres coitados das chamas e cheio de orgulho por ter feito seu trabalho melhor do que ninguém na Terra. Assim, quando aquele saltador de muros, fugido de uma câmara de torturas, revelou seu bom senso ao escolher *nosso* quintal, o último salvamento de Lou teve início.

Exibia o improvável pelo grosso de um *chow-chow*, a envergadura e o andar de um pastor, a cabeça e o coração de um cão de caça. Se algum cachorro poderia competir com Lou em termos de aparência, era ele: espantosamente bonito, com mais ou menos 2 anos de idade, capaz de saltar uma cerca de 2 metros de altura com tanta desenvoltura quanto um gamo na época do cio.

Eu estava em um canto do jardim com Nicki, limpando um canteiro de manjericão. Lou cochilava dentro de casa, pois o sol estava quente demais para seu gosto. De repente, com minha visão periférica, percebi um cachorro enorme pular a cerca de arame do vizinho num movimento gracioso e vir cair em nosso quintal. O pelo castanho brilhava e os dentes muito brancos reluziam ao sol.

— Nicki...?

— Sim?

— Dê uma olhada.

— Céus!

Caminhei na direção dele. Embora tivesse percebido que estava agitado e impaciente, notei que desejava interagir; por isso, quando se encaminhou para o cercado, onde havia um balde de água, afastei-me e fechei o portão.

— É bonito — disse Nicki, aproximando-se. — Deixe-o sair.

— Ainda não. Quero me certificar de que não é louco, irritadiço ou agressivo. E será melhor checar sua identidade aqui dentro do que lá fora.

Lou estava agora meio surdo (felizmente, eu lhe ensinara a comunicação por gestos), mas de algum modo sentiu a presença do recém-chegado e foi latir junto à porta dos fundos. Quando a abri, ele saiu correndo na direção do cercado, onde o magnífico cão bebia sua água. Ganiu um pouco e se pôs a farejar o estranho através da cerca; e o estranho correspondeu, farejando-o e lambendo-o, por sua vez.

Lou ergueu os olhos para mim. *Você deve estar brincando!*

— Ele se perdeu, Lou. Sabe bem o que significa isso, não é?

— *Arugla* — confirmou ele, sentando-se à porta do cercado. O cão, lá dentro, agitava a cauda e resfolegava, arreganhando a boca como um filhote de passarinho na hora do almoço.

— Que tal seu convidado, Lou? — perguntei, passando por ele a fim de abrir a porta. Lou quis entrar comigo. — Ainda não. Deixe-me examiná-lo primeiro.

Lou emitiu seu *rour* e estendeu a pata para a porta.

— Espere — insisti, empregando dessa vez um gesto, um aceno curto de mão.

— Não o deixe atacar você, Stevie — recomendou Nicki.

— É mais provável que saia mijado do que trucidado.

O cão queria se relacionar, mas tinha medo. Percebi isso imediatamente por sua postura servil. Estava escrito em sua cara: aquele cachorro crescera sendo surrado e chutado tantas vezes que só esperava isso, identificava-se com isso.

— É a síndrome do "onde está o porrete?" — expliquei a Nicki.

O cão me deixou acariciá-lo e inspecionar-lhe a coleira.

— Como assim?

— Se eu a golpear na cabeça com um porrete a cada 25 segundos, durante a vida inteira, e de repente interromper os golpes, sua reação será: "Ei, onde está o maldito porrete?".

— Fale por si mesmo.

Mas era verdade. Cães maltratados acostumam-se tanto à situação que saem atrás dos golpes e até os provocam, sabendo bem como agir para irritar o agressor. Vê-se isso o tempo todo nos lobos ômega. Na mente do cão maltratado, é melhor receber atenção negativa do que nenhuma.

Quando um cachorro em tais condições é resgatado por pessoas bondosas, continua aguardando o mau tratamento e só com dificuldade renuncia a esse roteiro disfuncional. A interrupção da violência confunde-o até ele aprender que a vida não se limita a pontapés no traseiro.

Ele era afável, submisso e acostumado a sentir medo. Quando tentou pular em mim, levantei-me e, com um "não", obriguei-o a deitar-se, rolar e emitir um jato de urina.

— Ótimo — disse Nicki.

— É castrado. E não há identidade em sua coleira.

— Ótimo! Mais um projeto.

Deixei que Lou entrasse e ele logo se pôs a farejar o cão. Para minha grande surpresa, o estranho acolheu bem a companhia de Lou — que o repeliu algumas vezes e pegou-o pelo cangote, mas, afora isso, entenderam-se. Mesmo quando Lou lhe deu um "chega pra lá" por causa da excessiva intimidade, seu rabo continuou abanando.

— Vou deixar os dois aqui juntos — disse eu. — Lou o impedirá de fugir. Esse aí é uma espécie de Steve McQueen.

— Como assim?

— Um artista da fuga.

— Já cavou algum túnel?

— Tecnicamente.

— Então, está bem.

Muita gente já se viu às voltas com o mesmo problema: um cachorro sem identificação, tatuagem, microchip ou qualquer outra coisa que ajude a encontrar o dono. Numa situação dessas, telefonamos para abrigos e clínicas veterinárias, espalhamos cartazes, percorremos a vizinhança com o cão, batemos às portas, colocamos anúncios nos jornais. Às vezes, temos sorte; outras, não.

Passamos três meses procurando os donos. Ele não tinha tatuagem nem chip e ninguém anunciara seu desaparecimento. Cartazes, anúncios, idas de porta em porta... Nada funcionou.

— Mas como é possível ninguém reconhecê-lo? — perguntou Nicki, olhando para o cão que agora chamávamos de Flavio em homenagem a Flavio Briatore, o diretor do programa de corridas da Renault na F1. Meu amigo Jeff Daniels, grande fã de Fórmula 1, foi quem sugeriu esse nome depois de constatar o quanto o nosso novo cão era veloz e ágil.

— Talvez o reconheçam, mas não o queiram de volta — disse eu.

— Isso é cruel.

— Pode ser a melhor coisa que já fizeram por ele.

Flavio era um problema. Terrivelmente medroso, espantadiço, preocupante e obviamente acostumado a maus-tratos. Quando se sentia pressionado ou desafiado o mínimo que fosse, perdia completamente a cabeça, rolava pelo chão, fazia xixi ou tentava saltar a cerca e fugir. Mas, ao mesmo tempo, ansiava por amizade e não era de modo algum agressivo. Em suma, um ótimo cão com transtorno do stress pós-traumático.

Adestrá-lo exigia paciência e abandono das técnicas convencionais. Eu não podia aplicar corretivos, nem mesmo falar muito alto. Se o contato visual se estendia, o agora famoso Flavio começava a rolar e a urinar, como se eu detivesse o controle telecinético de sua bexiga.

Tudo tinha de ser bem feito e pensado com antecedência. Por exemplo, se queria que ele aguardasse à porta por um instante, precisava atentar para minha postura e não olhá-lo demoradamente nos olhos; aproximar-me muito ou usar o corpo e a guia para detê-lo era sempre garantia de mais urina e susto. Bastante complicado.

O adestramento tinha de ser conduzido bem devagar: se eu lhe desse muita coisa para refletir, ele entrava num estado de perplexidade e pânico — e se fechava todo. Com Flavio, a coisa tinha de ser aos poucos: constatar o bom comportamento e dar-lhe recompensas que não o ameaçassem, algo não tão fácil quanto possa parecer. Qualquer coisa, a qualquer tempo, podia assustar Flavio: até um prato de comida colocado meio abruptamente no chão ou um tapinha na cabeça quando ele não estava olhando o deixavam fora de si.

A arma secreta era, sem dúvida, Lou. Flavio o adorava, seguia-o por toda parte e não tinha nenhum medo dele. Lou podia repreendê-lo, controlá-lo, empurrá-lo, mostrar-se durão, aproximar-se demais — nada que o velho amigo fizesse assustava-o. Só quando Lou precisava ditar regras sobre comida, pertences ou hierarquia é que Flavio dava sinais de apreensão.

Lou era agora o "canal de confiança". Encontre um ídolo para seu cão assustado e terá os meios de salvá-lo. Foi isso que o velhinho de 12 anos se tornou para Flavio. E tudo o que esse ídolo fazia estava muito bem. Assim começou meu programa "O que faria Lou neste caso?".

Ficamos com ele. Em nossos corações, Flavio deixara de ser um cachorro com *status* de adoção provisória para se transformar num membro permanente, embora disfuncional, da família. Mas tivemos de reajustar nossa mentalidade e convencer os filhos de Nicki a fazer o mesmo a fim de evitar poças de urina e jatos de diarreia. Demos-lhe espaço ao mesmo tempo em que desenvolvíamos nele bons modos e confiança, criando assim uma rotina eficaz para o bichinho assustado. Não bastasse isso, deixávamos que passasse o maior tempo possível na companhia de Lou.

Adestrei Flavio por intermédio de Lou. Fiz com que este trabalhasse os comportamentos básicos e, aos poucos, comecei a ensinar-lhe as mesmas coisas. Com Lou ao seu lado, receber o comando de deitar-se não era amedrontador; era um ato social e seguro.

Quando trabalhava com ele sozinho, eu sempre tinha de rememorar o que estava fazendo. Boa parte do adestramento acontecia no quintal, pois se ele percebesse qualquer pressão recomeçaria com suas "manhas". Cuidados, massagens e manipulações semelhantes tinham de acontecer ao ar livre. Flavio parecia o pombo eternamente em busca do céu para fugir do falcão inevitável.

Ele não era burro, mas os medos o bloqueavam. Percebi isso imediatamente e reformulei minhas expectativas. No momento, ele só sabia o bastante para permanecer lúcido e feliz. Sua grande vantagem foi esquecer os medos e ser um cão normal. Não fugir e nem vagar pela vizinhança foram outros truques que ele demorou para aprender. E pelo caminho mais difícil: quatro tentativas.

— Lou pode fazer xixi quando lhe ordenam, não é? — perguntou Anne.
— Sim. E cocô também, se quer saber.
— Qual é a palavra de comando para o xixi?
— Massa.
— Como?
— Quando digo "massa", ele mija.
— Onde?
— O lugar? Depende da distância a que eu esteja dele e do momento em que o comando for dado. Se determino um local, posso levá-lo para fazer xixi ali. Por quê?
— Um comercial da loteria do Estado de Washington será rodado em Everett nos próximos dias, num campo de golfe. Precisam de um cachorro para fazer xixi num sujeito vestido de armadura.
— Que ótimo!
— Poderá levá-lo para um teste amanhã?

— Você já conseguiu quantos outros cachorros com essa habilidade?

— Até agora, só Lou.

— Ele tem 12 anos, você sabe.

— Mas ainda está saudável.

— Um pouco surdo e com artrite, mas bem-disposto.

— Vai tentar?

— Sem dúvida. Dou-lhe uma canja de galinha antes de ir.

— Esse é o espírito da coisa. Mas... Por que "massa"?

— Eu estava comendo um resto de macarrão no dia em que lhe ensinei isso. Foi o que me veio à cabeça naquele momento.

— Certo. Vejo você amanhã.

No dia seguinte, Lou e eu encontramos Anne no centro de Seattle, onde o diretor de elenco havia se instalado. Queriam conhecer Lou, ver como ele se comportava para depois decidir se servia. Louco para ficar longe do novo maluco instalado em casa, ele sorvera uma enorme tigela de canja rala de galinha no café da manhã e agora exibia nos olhos aquele ar de "pressa para sair".

— Segure-se, amigão — recomendei-lhe, atrelando-o e descendo do carro.

— Steverino! — saudou Anne à porta. — Olá, Lou, seu garoto!

— *Arugla* — disse Lou, encostando-se nela.

— Ele parece que vai explodir.

— Se ele pudesse cruzar as pernas traseiras e caminhar, faria isso.

— Deu-lhe canja?

— Sim.

— Então vamos lá.

Há alguma coisa num hidrante que atrai o xixi dos cachorros. Quando um deles o usa, todos os outros fazem o mesmo. É um contágio viral. Como havia hidrantes por toda parte na cidade, trabalhei Lou com antecedência, encaminhando-o para um deles e ordenando-lhe que urinasse. E, de fato, bem em frente ao escritório, erguia-se um hidrante verde e amarelo, rodeado de dentes-de-leão e lixo.

— Ei, Steve — disse o diretor de elenco, um jovem incrivelmente magro com uma camisa azul e branca de listras horizontais que me deixavam tonto. — Este é o Lou?

— Em carne e osso, pronto para mijar.

— Que sujeito bonito! — exclamou ele, agachando-se ao lado de Lou, que fez um aceno e emitiu seu *rour* para depois me encarar em desespero. *Posso mijar agora?*

— Espere um pouquinho, amigo.

— Precisamos que ele faça xixi num homem de armadura. Acha que conseguirá?

— Dê-me alguns dias e ele fará xixi até num copo — garanti, enquanto Lou marcava passo e observava o hidrante próximo, aquele magnífico hidrante com cheiro de dezenas de cães satisfeitos.

— Podemos vê-lo em ação?

— Que tal aquele hidrante? — perguntei. Lou, ouvindo essa palavra mágica, sorriu.

— Ponha-o na esquina e faça com que se dirija até lá.

— Certo.

— Vejamos, então.

Mandei que meu amigo se sentasse a uns seis metros de distância e esperasse; em seguida, fui até o hidrante, toquei-o e voltei-me para Lou, encarando-o.

— *Rour!* — gemeu ele, de olhos arregalados.

Veio então a palavra que ele tanto esperava ouvir:

— Lou, massa!

Correu desabalado para o hidrante, levantou a perna tão alto quanto pode um cão e liberou uma torrente de urina que, ricocheteando, lavou o para-lama de um Volvo estacionado na rua em lugar proibido.

— É o meu carro... — murmurou o assistente do diretor.

— Sinto muito — disse eu. O fluxo de Lou parecia não ter fim; urinou por tanto tempo que teve de baixar um pouco a perna para descansar.

— Já chega. Está contratado — declarou o diretor. — Só espero que a armadura não enferruje.

Anne se aproximou.

— Isso é um filme de Austin Powers?

— Ele tomou muita canja.

— A filmagem será daqui a uma semana no Legion Memorial Golf Course, em Everett — informou ela, enquanto Lou voltava para junto de nós com um sorriso de orelha a orelha.

— Horário?

— Às sete. Não esqueça a canja.

Um cachorro acostumado a levar chutes todos os dias acaba sentindo saudade do chutador. Isso está além da lógica e até do instinto de sobrevivência. Coisa de cachorro.

Era assim com Flavio.

— Ele se foi — anunciei a Nicki, pegando minhas chaves e acordando Lou.

— Flavio?

— Sim. Levantou a maçaneta da porta e pulou a cerca dos fundos.

— Darei uma volta pelo quarteirão. Vai sair de carro?

— Vou. Leve o celular.

Lou tinha sido o rei da velocidade em sua juventude. Mas Flavio corria como o vento e saltava qualquer obstáculo. Isso lhe garantia espaço ilimitado e, a mim, uma gastrite.

Uma semana antes, ele fugira durante uma sessão de adestramento sem guia. Tomara a direção oeste, subindo a colina atrás do Northcrest Park. Consegui trazê-lo de volta usando Lou como chamariz. Esperando que houvesse escolhido o mesmo trajeto, Lou e eu ganhamos a colina e nos pusemos a ziguezaguear pelas ruas locais, checando pátios, jardins e casas em que eu sabia que havia cães presos — e prestando atenção a latidos. Para descobrir o paradeiro de um cachorro, você deve pensar como ele. O que estava querendo? O que procurava? No caso de Flavio, minha esperança era que tivesse ido atrás do antigo dono, aquele miserável. O tal homem (se merecia esse título) sem dúvida tinha outros cachorros, pois Flavio gostava de cães e era muito sociável com eles. Isso significava uma casa com quintal desleixado e cachorros latindo sem parar, presos ali durante a maior parte do dia. Flavio talvez estivesse procurando sua antiga matilha insana, pois era um cão e ainda não havia se acostumado conosco. Mostrava-se leal.

— Novidades? — perguntou Nicki pelo celular.

— Ainda não.

— Vou checar o Ridgecrest, depois o Northcrest.

— E eu, o Crest Theater. Espere... Lá está ele! Vou desligar.

O Crest é um pequeno conjunto residencial a menos de um quilômetro de nossa casa. As residências são pequenas, com quintal, e não há muito trânsito. Avistei Flavio do outro lado da rua, no estacionamento de um salão de bingo, correndo como uma gazela.

Lou, pela janela, o viu passando por nós.

— Vamos pegá-lo, Lou.

Acelerei atrás dele, que descia a rua sem diminuir a velocidade, como para desafiar Lou a pegá-lo. Se meu amigo tivesse 5 ou 6 anos, eu o deixaria sair ali mesmo do carro e completar o serviço, mas agora Lou estava idoso demais para semelhante façanha.

Consultei o velocímetro. Sessenta e cinco quilômetros por hora.

Flavio irrompeu num quintal. Agia como se estivesse perto de casa. Eu não queria discutir nem perder a paciência com o troglodita cercado de irrequietos *pit bulls*, *chow-chows*, pastores, *rottweilers* e o que mais houvesse aprisionado em seu quintal imundo, semeado de garrafas vazias e lixo podre, com três carros velhos à entrada. Se Flavio reencontrasse seu circo de horrores, não iria querer voltar. Eu precisava agir rápido.

Manobrei para a direita e depois para a esquerda a fim de emparelhar com Flavio e impedir-lhe a passagem. Quando ele deixou para trás uma moita de rododendros, freei e abri a porta para Lou.

— Pegue-o! Pegue-o!

Lou ganiu alto e correu para um quintal adjacente. Perdi Flavio de vista e depois Lou, que desapareceu atrás de um cedro enorme. Fiquei esperando.

Lou saiu de um quintal duas portas à frente, coberto de poeira e folhas secas de cedro. Olhou para mim e dobrou à esquerda. Flavio, resfolegante, estava imóvel dentro de um jardim cercado.

— *Arugla!*

Flavio saltou a grade, espiou para a rua e voltou-se para Lou. Era a minha chance.

— Lou, venha cá!

Ele veio, com um ar entediado. Flavio fez menção de lamber a cara de Lou. Sacudi no ar um pedaço de carne e, quando Flavio se aproximou para farejar o petisco, lacei-o com a guia — e foi tudo.

— Seu idiota — desabafei, olhando-o bem nos olhos —, eles o odeiam! Nós o amamos! Faça as contas.

Nos dois anos seguintes, ele fugiu mais três vezes — duas vezes enquanto Nicki e eu estávamos de férias e ele aos cuidados de caseiros. Em ambas as ocasiões, quem fez o resgate foram os filhos de Nicki, que tinham vindo da casa do pai para visitar o patife. E nas duas vezes Flavio correu para o mesmo lugar, provando assim que era lá a sua antiga morada. Eu lhes ensinara onde procurar e eles o avistaram passando pelo Crest com aquele riso idiota na cara, rumo à velha mansão do terror em obediência a algum código canino insensato. Zac, agora no final da adolescência, teve de persegui-lo numa das ocasiões e subjugá-lo, ficando todo molhado de urina no processo. Se você quer mesmo achar um cão perdido, confie a tarefa a rapazes.

Depois de descobrir que Flavio podia levantar o trinco do portão, travei-o com uma haste para impedir que o fizesse. Mas então percebi que, caso ele arremessasse seus 30 quilos contra o portão, a própria fechadura voaria pelos ares e ele cairia fora. Assim, recorri a um expediente de castelo medieval, uma tranca encaixada em ranhuras nos portais, que certamente o deteria. Depois que Flavio se tornou confiável o bastante para permanecer em casa durante longos períodos de tempo, a segurança deixou de ser problema, exceto quando ele precisava ir até o cercado, ou porque as caseiras estivessem presentes, ou porque um surto de diarreia o obrigasse a buscar o ar livre.

A última vez em que ele escapou, Lou e eu fomos até o Crest e esperamos. Ele apareceu, veio até nós e sentou-se ao nosso lado.

— Esqueça-os, Flavio. Eles não prestam. Você mora com um adestrador, uma família que o ama e o melhor cão do mundo.

Ele me lambeu e emitiu aquele som estranho com o qual às vezes tentava vocalizar alguma coisa, conseguindo apenas, pela fricção das mandíbulas, produzir um ruído resfolegante, asmático. Era bondoso, amável e muito tolo.

— Certo. Agora, vamos para casa.

Lou empurrou Flavio com a cabeça e saltou para o banco de trás do carro. Notei que se arrastava um pouco. O cão que outrora subia em árvores, levava *weimaraners* à exaustão e vencia corridas de velocidade estava encontrando dificuldade para entrar no carro. Meu amigão envelhecia.

Manhã de verão ensolarada, tempo maravilhoso. O campo de golfe inteiro fora alugado para as filmagens do comercial, de produção cara e com profissionais vindos da Califórnia, alojados no estacionamento. Meia dúzia de *trailers*, bufê completo, técnicos, guindastes, fotógrafos, atores, quilômetros de fios serpenteando por toda parte, cheiro de madressilvas e de café flutuando no ar.

— Preciso dar mais canja a Lou — disse eu.

Obter a tomada certa se revelou uma tarefa um tanto difícil. Lou, de início, retraíra-se com a ideia de mijar numa pessoa, a qual, a despeito da armadura, era indubitavelmente um ser humano. Mas, depois que o enchemos de canja e pedimos para o ator ficar o mais imóvel possível, começamos a obter resultados.

O diretor, porém, era perfeccionista e exigia novas tomadas. "A perna dele escondeu o jato" ou "velocidade insuficiente" ou ainda "ele parece meio desanimado". *Seu idiota, você também ia parecer meio desanimado se eu o abarrotasse de canja de galinha e lhe pedisse para fazer xixi sem parar num camarada decente, todo suado, dentro de uma armadura pesada.*

— Hora do almoço — disse Anne, preocupada com a filmagem e com Lou, para quem a novidade da situação já havia se dissipado.

— Vou passear um pouco com ele pelo gramado e lhe dar água. O sal da canja deixou-o sedento, como se houvesse bebido água do mar.

— Não queremos que vomite no pobre coitado.

— Na verdade, isso daria uma tomada bem melhor.

— Vá, Steve.

Caminhamos para lá e para cá no gramado. Um coelho escondeu-se sob uma moita e ficou observando Lou, que nem sequer o percebeu, pois estava cansado e com sal demais na barriga para pensar em pernil.

Começou a lamber a água de um esguicho quebrado.

— Eu sei, eu sei, amigo — confidenciei-lhe, acariciando seu pescoço e brincando um pouco com ele de cachorro doido.

Justamente quando pensávamos estar longe de Hollywood, eis-nos de volta! — resmunguei. Ele me olhou. "Pacino, Lou... Pacino."

Não pareceu muito impressionado, mas mesmo assim me lambeu o rosto. Seu focinho, agora grisalho, afilava-se cada vez mais com o passar dos meses. Também o pelo havia endurecido e ficado mais áspero, mas Lou ainda era um cachorro bonito.

Esvaziei uma lata de ração num pote de água e dei-lhe. Ele engoliu tudo.

— Vai ter uma bela diarreia mais tarde — sentenciou Anne, coçando a cabeça de Lou.

— O show não pode parar, certo, amigão?

— *Aru*.

— Ao trabalho — disse Anne.

— Vamos lá, Lou, vamos mijar naquele bastardo e ir para casa.

Instalamos Lou a três metros de distância do palco à esquerda. O ator tomou posição no banco, a armadura de aço recém-polida e pronta para outro banho.

Lou queria voltar para casa, mas tinha um trabalho a fazer, embora bizarro, de modo que, quando o diretor gritou "Ação!", dei-lhe o sinal e ele correu para o cavaleiro de armadura, levantou a perna e soltou um arco resplandecente de líquido amarelo bem na perna do sujeito. Em seguida, passou para o palco da direita, conforme o combinado. Perfeito!

— Corta! Acabou.

E desse modo teve fim mais um estranho capítulo na vida de Lou, que ele escreveu passando o dia inteiro a urinar num campo de golfe sob o sol tépido e com um homem suado de armadura substituindo o indefectível hidrante — tudo no afã de convencer as pessoas a comprar bilhetes de loteria.

Como sucedera com a foto de capa estrelada por Timber, o lobo, algum idiota avesso a correr riscos decidiu que a visão de um cachorro mijando numa pessoa não era exatamente a cena apropriada para os telespectadores verem nos intervalos da programação do horário nobre. Assim, cortaram a cena do comercial e substituíram-na pela de um aeromodelo atingindo o ator na cabeça. Nunca fomos indenizados pelo galão de canja de galinha nem pela máquina de lavar tapetes que precisei alugar no dia seguinte. A curta carreira de Lou nos comerciais terminara melancolicamente, mas não tão depressa quanto ele gostaria.

17

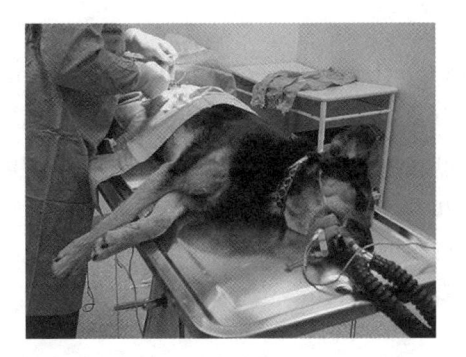

Mesmo os heróis têm o direito de sangrar

Brincávamos de "cachorro doido" no quintal. Ele estava com 13 anos, surdo como uma porta, cara grisalha. Mas parecia bem — um pouco encorpado talvez, mas bem. A artrite dos ombros fora tratada com doses diárias de Rimadyl, um anti-inflamatório para cães. Muitos cachorros que eu conhecia já tinham ido embora; Lou, porém, era como Bilbo e seu anel — os outros partiam, ele ficava. Era assombroso.

Estávamos juntos havia muito tempo. Tempo suficiente para esquecer que não éramos da mesma espécie. Tempo bastante para ignorar o inevitável. Parecíamos muito um com o outro, e era isso o que importava.

Histórias, lembranças, brincadeiras só nossas. Rotinas que iam ficando cada vez mais sagradas — passeios, refeições, piqueniques no campo, jogos, pessoas e cães. Éramos os Gêmeos, um imortal aos olhos do outro, o outro — embora parecido em tudo o mais — definhando.

Apalpei-lhe o traseiro e ele se virou para atacar.

— Que é isto? — espantei-me, percebendo ali uma protuberância do tamanho de um olho. No mesmo local, eu já havia notado um nódulo sob a pele algumas semanas antes, mas não tinha dado importância. Agora estava bem maior.

— *Aru*.

— Fique quieto, por favor — pedi. Ele queria continuar brincando, mas eu precisava examinar o caroço. Lembrava centenas de outros pequenos tumores sebáceos que eu apalpara ao longo dos anos em outros cães, especialmente *weimaraners*, *boxers* e *shar-peis*.

Examinei-lhe o corpo todo. Ele me olhava.

— Você não vai tomar banho nem cortar as unhas.

— *Rouuu*.

Sua voz se tornara rouca e sumida desde que a surdez se instalara, como se não poder ouvir a si mesmo fosse para ele um aborrecimento. Mas, de qualquer modo, sempre preferira sinais de mão a palavras, de sorte que não perdíamos muita coisa.

— É só um carocinho. Vamos chamar o doutor Phillips para examiná-lo.

O doutor Phillips tinha uma clínica ali perto. Eu passei a procurá-lo desde que Johnny se fora. Lembrava um pouco James Herriot, assim como o primeiro veterinário de Lou, o doutor Smith. Um sujeito magro, grisalho, que não cobrava caro.

— Subcutâneo. Pode ser apenas um cisto sebáceo benigno ou coisa pior — disse ele, segurando a cabeça de Lou entre as mãos. Sabia das aventuras de meu amigo e conhecia meus livros, que agora chegavam a dois dígitos.

— Como fazer o diagnóstico?

— Aspiraremos com uma agulha fina um fragmento de material e o levaremos ao microscópio. Talvez não vejamos nada, mas talvez encontremos indícios de sarcoma, um tumor de células fusiformes ou mastócitos.

— Isso é grave.

— Pode ser — concordou ele, limpando os óculos embaçados pela língua e pelo focinho de Lou. Não lhe pediu para ficar sobre a mesa de aço escorregadia, que todos os cães detestam. — Depende da fase de desenvolvimento do tumor. Felizmente, para o velho Lou aqui, o problema está localizado no melhor lugar possível: as nádegas, onde há muita carne.

— O suficiente?

— Sim. Para extirpar o tumor, terei de cortar também uns bons dois ou três centímetros de tecido sadio em volta dele, por uma questão de segurança. E, provavelmente, será necessário fazer a punção do nódulo linfático mais próximo, para averiguar se não houve metástase. Mas não nos precipitemos. Um passo de cada vez.

Tirou de um vidro um desses biscoitos que os veterinários sempre têm à mão, macio, fresco e incrivelmente saudável.

— Vamos, pegue! — disse ele, atirando-o para Lou, que o apanhou agilmente no ar. — A maioria dos biscoitos que jogo ricocheteia na cabeça dos cães, mas isso não acontece com o nosso Lou!

Ele sabia quantos cães Lou ajudara a salvar.

Já havíamos conversado sobre a eutanásia de Johnny.

— Sei que estou fazendo a coisa certa quando um cachorro ou gato, sofrendo muito, precisa que eu ponha fim a seu drama. Eles não têm energia mental suficiente para lidar com uma dor que não acaba nunca. Nunca perco o sono por isso — disse ele, sentando-se e jogando seu estetoscópio por cima do ombro. — Os muito novos, porém, os mordedores medrosos e os adolescentes... Acabar com eles corta o coração. Foram *ensinados* a agir daquela maneira. Quem faria isso com um cachorro?

Olhou para Lou e sorriu.

— Além de você mesmo, Steve, ninguém valoriza tanto o que este aí já fez quanto eu. Ninguém.

Em seguida, o doutor Phillips preparou a agulha de aspirar.

— Ele não liga para picadas, se me lembro bem.

A agulha muito fina, inserida diretamente na massa, retiraria uma amostra do material suspeito, que seria depois examinada para sabermos se havia sinais de câncer.

— Realmente, ele não liga. Só não gosta que lhe aparem os pelos do nariz. Acaba invocando com quem faz isso.

— Sem problemas.

Na manhã seguinte, ele ligou.

— Precisamos marcar a cirurgia o mais rápido possível.

— O que ele tem? — perguntei.

— Indícios de um sarcoma de células fusiformes, que são muito agressivas. Sabe algo a respeito delas?

— Sei que dividem os cromossomos durante a reprodução celular.

— Correto. E eles morrem. Às vezes, porém, sofrem mutação e se reproduzem assim mesmo, formando um tumor no tecido conetivo. Lou tem um, e eu não quero tratar levianamente de um cachorro como ele.

— Quando?

— Vou ver se consigo encaixá-lo para amanhã de manhã. Você já trabalhou como técnico veterinário, não é?

— Trabalhei para um veterinário itinerante, há muito tempo. Por quê?

— Não se importará de ficar ao meu lado?

— Diabos, não!

— Traga sua câmera. Vejo você às nove. Nada de comida para ele hoje à noite e absolutamente nada de manhã, nem mesmo água.

Na volta para casa, comprei um pedaço de lombo de vaca e dei-o a Lou. Fiquei olhando-o comer.

Certa vez, assisti à amputação de uma perna traseira de um enorme labrador macho que tinha sido atropelado por um carro. Os cirurgiões arregaçaram todos os músculos da coxa como se fossem uma casca de banana, serraram o osso e puxaram-nos de volta costurando-os em forma de botão de flor bem esticado. Um negócio sangrento, um trabalho de açougueiro. Durante a cirurgia, o veterinário e sua assistente falaram o tempo todo na pizza de *pepperoni* que estavam com vontade de comer. Quanto a mim, só queria vomitar; eles perceberam isso e riram, mas ainda assim não abri mão de meu almoço.

Agora o procedimento seria mais simples, a remoção de uma massa do tamanho de uma bola de golfe logo abaixo da pele, no traseiro, e um pouco de tecido saudável à sua volta. Ao todo, um naco do tamanho de uma ameixa iria ser extirpado de Lou.

Não vi problema em assistir àquela operação. Se o doutor me houvesse pedido, eu próprio arrancaria aquela maldita coisa com os dentes. Tratava-se de Lou, e eu estaria lá, a postos.

De manhã, levei Lou para um passeio até a colina onde se situa o parque Northcrest, o mesmo que o coiote me fizera atravessar naquela noite fria, fantasmagórica. Perto da extremidade sul da trilha há uma pequena clareira rodeada de amieiros e pinheiros, tendo bem no centro um arbusto delgado. O local estava silencioso. Muitas vezes, após uma corrida, descansáramos ali, ele farejando ou mastigando a grama, eu ouvindo os pássaros pousados nas árvores. Batizei o lugar de Clareira do Lou e ainda o chamo assim.

Caminhamos naquela direção. Sentei-me na grama úmida, com Lou à minha frente alegre como um garoto, sem saber o que o aguardava.

Toquei de leve o tumor e ele se voltou para mim. *Chega dessa coisa aí!*

— Você estará com a bunda escanhoada e lisa em poucas horas, meu amigo. Além disso, sua cabeça ficará doendo e coberta por um abajur durante dez dias.

— *Ruu.*

Esfreguei-lhe o pescoço e abracei-o.

— Vai ser mamão com açúcar — murmurei. Dali a pouco, aquele mamão iria quase me fazer sufocar.

— Lave as mãos — disse-me ele, empunhando o barbeador. — Darei a Lou um sedativo para deixá-lo bem calminho e rasparei a área. E então, meu caro Lou, quer ter a bondade de permitir que eu deixe seu traseiro bem lisinho?

— Ele vai se comportar, embora não goste de humilhações. Ficará amuado depois.

— Eu também.

Lavei as mãos, coloquei luvas e um jaleco limpo, pus a máscara e fui para junto de Lou e do doutor Phillips. Cerca de vinte centímetros quadrados haviam sido limpos. Lou parecia confuso. O tumor estufava-lhe a pele como um diabrete de ficção científica.

Eu nunca vira um pedaço nu da pele de Lou; ela era mais alva que a minha. Friccionei-a, sorrindo, e prometi a mim mesmo gozar da cara dele por causa daquilo mais tarde.

Lou parecia um garotinho que fizera xixi nas calças.

— Ele cuida muito da sua imagem — observei.

— Claro, é uma figura pública! — exclamou o doutor Phillips. — Você também deve achá-lo parecido com Maximilian Schell.

— É, acho.

Estendemos Lou na mesa.

— Fique de lado, Lou — recomendei-lhe. — Não deste, do outro.

— *Raaauuu*.

Mal e mal ele obedeceu. *Por que você está vestido como um idiota...?*

O doutor Phillips injetou-lhe um barbiturato e, pela segunda vez em sua vida, Lou perdeu a consciência. Olhou para mim, balançou de leve a cabeça, lambeu os beiços e dormiu — dormiu não, *ficou mole*. Era assim que se sentia.

Eu já tinha visto pessoas e animais morrerem. Eles apenas... entregavam os pontos, permanecendo frouxos e sem consistência, como se os seus ossos tivessem abandonado o corpo. Ver Lou mole daquele jeito era doloroso.

O doutor Phillips entubou-o para permitir a saída do gás isoflurano, um anestésico usado em procedimentos veterinários. Depois, ajustou um sensor de pulsações e oxigênio em sua língua, de onde ficou pendendo como uma biruta.

— Assim mediremos a pulsação e a saturação de oxigênio na hemoglobina. Você pode acompanhar as variações nestes dois mostradores.

— E quais são os valores ideais?

— O ritmo cardíaco está agora em 98, o que é ótimo. Quanto à taxa de oxigênio, deverá ficar o mais perto possível de 100%. Temos agora 96%, o que não é ruim. Quero que você monitore esses dados e ajuste a liberação do isoflurano do jeito que eu lhe disser, para mantermos a leitura estável. A saturação de oxigênio é particularmente importante, pois assegura que corpo e cérebro sejam nutridos durante a cirurgia.

— Obrigado, doutor.

— Achei que você preferia participar. De qualquer maneira, não ia ter paz na sala de espera.

O doutor Phillips fez a incisão, bem mais complicada do que eu calculara. Como o pedaço de pele que cobria o tumor, quando o retirasse, seria redondo, precisou seccionar uma nova aba que pudesse deslocar para baixo ao término da operação, a fim de cobrir a carne exposta. Se bem me lembro, chamou essa aba de "orla bilobular". Acima do círculo de pele retirado, cortou uma tira arredondada com mais ou menos o mesmo tamanho; e, acima dessa tira, removeu uma faixa mais comprida e mais fina, de formato oblongo, o que permitiria à tira embaixo ser posta no lugar, sobre o círculo de pele retirada. Em seguida, o espaço oblongo seria costurado. Complexo, mas inteligente.

— Gire o botão da anestesia um ponto para a direita — recomendou ele.

— Feito.

— Aqui está o bandidinho — disse o doutor Phillips, mostrando-me o tumor, uma pequena bola gordurosa e avermelhada cheia de capilares em volta. — Quem vê não diz que exigiu tanto trabalho para ser removido. Quer tirar uma foto?

— Sem dúvida — disparei, quase sem pensar. Bati dois instantâneos e voltei ao monitor.

— É bem definido? — perguntei, na esperança de que o tumor não houvesse se espalhado.

— Oh, sim. Não houve infiltrações na musculatura. Acho que nosso amigo ficará bem.

— Esse negócio aí parece um *uni* sangrento.

— *Uni*?

— Ovas de ouriço-do-mar.

— Ah, eu prefiro comida cozida.

Trabalhou rápido. O tumor já estava devidamente acondicionado numa bandeja, entre seus espécimes. Um bife de Lou. Pensei num prato de favas acompanhado por um bom Chianti.

— Gire o botão para baixo dois pontos.

— Certo.

— Sim, tudo parece em ordem. Pulsação e oxigênio?

— Cento e um e noventa e seis.

— Ótimo. Então, já vou fechar. Hoje mesmo mandarei isso aí ao laboratório para a biópsia. Mas acho que não haverá problema. As margens parecem bem delineadas.

O aparelho de medição agitou-se como um detector de fumaça.

— Leituras?

— Zero e zero.

Trocamos um olhar. Lou acabara de morrer na mesa.

Ficamos a contemplá-lo pelo que me pareceu uma eternidade. Súbito, quase imperceptivelmente, percebemos seu peito subir e descer.

— Que é isto?

— O sensor — explicou ele. — Deve ter se deslocado ligeiramente na língua. Ajuste-o um pouco mais para dentro.

Reajustei-o numa parte mais grossa da língua de Lou. Minhas mãos tremiam. *Vamos lá, sua bola de pelos*, pensei, já com a ideia de recorrer à ressuscitação cardiopulmonar.

O alarme silenciou.

— Aí está — disse o doutor Phillips. — Cento e dezessete e noventa e sete. Ele passa bem.

— Santo Deus!

— De fato.

Repus o estômago no lugar e dei uma última olhada nas carnes vivas de Lou antes que o doutor Phillips suturasse as abas de pele.

— Você está bem, filho?

— Sim. Mas não foi fácil.

— Sim, desculpe-me. Às vezes, esses aparelhinhos se desprendem ou mudam de lugar.

Respirei fundo. Lou também.

— O senhor é muito bom de costura, doutor.

— Faço as barras de todas as minhas calças.

Terminou a sutura e aplicou um curativo por cima.

— Ele terá de ficar aqui em observação até amanhã.

— É mesmo?

— Sempre me asseguro de que acordem bem da anestesia. Não se preocupe, minha assistente noturna é ótima. Lou precisará trocar o curativo duas vezes por dia, durante algum tempo. E tenho certeza de que vai adorar o cone na cabeça.

— Ele gosta de festas.

— Vou lhe dar ataduras, analgésicos e prednisona. Acho que ele não precisará de quimioterapia nem de radioterapia; mas, enquanto não volta a si, vou aspirar um fragmento do nódulo linfático mais próximo, só por garantia.

— O senhor mesmo fará isso, não?

— Sim, mas o tumor irá para o laboratório. Terei os resultados dentro de um ou dois dias.

Retirou o tubo e limpou a boca de Lou — que continuava tão mole quanto um boneco de borracha.

— Obrigado, doutor.

— Obrigado *você*. E desculpe-me pelo susto.

— Nada é fácil neste mundo.

Lou ainda precisou de algumas inalações de oxigênio para se livrar completamente dos efeitos do isoflurano, mas, afora isso, recuperou-se bem. A biópsia do nódulo foi rápida.

Os resultados sobre o tumor chegaram.

— Foi bom tê-lo extraído — disse o veterinário. Ele estava comendo alguma coisa e se comportava como uma criança travessa.

— É mesmo?

— Apesar das margens bem definidas, ele era mais agressivo do que eu pensava. Sim, foi bom tê-lo extraído logo.

— Uau!

— É isso aí. Trata-se realmente de um cachorro de sorte.

— Obrigado, doutor Phillips. Por isso e pela encenação também.

— O objetivo da encenação foi prepará-lo para a próxima vez.

— Próxima vez?

— Brincadeirinha.

Minha mãe faleceu em consequência de um aneurisma cerebral quando eu tinha 14 anos. Isso cortou o coração da família. Eu a vi na véspera, no hospital, sob o efeito da morfina, mal se dando conta das pessoas à sua volta. No dia seguinte, ela morreu.

De manhã, aproximei-me do caixão para prestar-lhe as últimas homenagens. Ela estava deitada ali como uma pequena boneca de porcelana, fria e rígida.

Eu a vi estremecer e pensei em chamar o médico. Mas ela estava morta. Eu não passava de uma criança, e ficamos sentados no velório, em cadeiras reclináveis, durante quatro dias, enquanto os conhecidos vinham se despedir dela. Homenageamos devidamente aquela mulher pequenina e bem-humorada que viera da Itália quando tinha 5 anos de idade. Sua cidadezinha pobre e empoeirada no sul do país, Craco, fora destruída por um deslizamento de terra logo depois que a família se mudara, mas ainda está lá em sua colina, meio escondida pelo vale rochoso que a ladeia, como uma escultura de gelo derretendo-se ao sol.

Eu pensei que Lou tivesse morrido bem diante de meus olhos. Pensei que jamais se mexeria de novo, que tinha ficado gelado e vazio para sempre, cortando-me o coração.

Quando percebi seu peito levantar-se e abaixar-se, lembrei-me da miragem ao lado do esquife. Pensei que havia perdido Lou, mas não perdera; tratava-se apenas de um deslize, de um mal-entendido. Ele estava bem.

Era um velho pássaro obstinado, mas eu não podia retardar-lhe os anos de cachorro. Se fosse possível transferir para ele anos de homem de minhas próprias veias, eu o faria. Valeria a pena; mas não era possível.

Na noite seguinte, ficamos deitados juntos no assoalho. Dei-lhe um bom naco de lombo assado. Ele sorriu. Lembrávamo-nos de tudo.

Todo mês de agosto, íamos para Bandon, no Oregon. Corríamos com os cachorros na praia, fazíamos fogueiras, construíamos fortes com pedaços de madeira que as ondas rejeitavam e ficávamos contemplando as rochas da altura de arranha-céus que se projetavam do mar. As gaivotas gritavam e defecavam, enquanto o vento salgava óculos e rostos, tornando as pessoas saborosas para o paladar dos cães. Neblina de manhã, baleias cinzentas corcoveando ao longe, carros, caras e barracas à mercê da ventania carregada de areia. Esta ia para casa com a pessoa, permanecia grudada em seu cachorro, em seu carro e em suas roupas, lembrando-a sempre do mar.

A costa do Oregon é um excelente lugar para cães. Ali, eles podem correr à vontade. Saltam na água, bebem-na, vomitam, brincam de pega-pega com as ondas, perseguem aves, são mordidos por caranguejos e adormecem na areia úmida, saudosos de um bom fogo. Correm atrás de outros cães, tentam ouvir o sussurro da névoa e, de volta a casa, bebem tanta água potável que precisam se deitar para não cansar.

Flavio finalmente aprendeu algo de bom ali na praia. Era magro e rápido, uns oito centímetros mais alto que Lou à altura dos ombros e mais comprido também, embora tivesse o mesmo peso (talvez fosse um pouquinho mais leve). Parecia uma ave, como se os seus ossos fossem ocos e ele pudesse alçar voo nas asas do vento propício. Não tinha a solidez de Lou. Lou era de aço. Flavio era de pedra-pomes.

Lou: uma barra de aço temperado, forte, confiável, inquebrável.

Naquele primeiro dia em Bandon, os filhos de Nicki brincaram de pega-pega na praia com os cães. Deles, Lou absorvia juventude, vida.

— Olhe para ele — disse eu a Nicki, enquanto o vento amainava. — Tem 14 anos.

— Shyanne era um saco de ossos aos 13. Ele ainda está firme.

— Meio magro e surdo.

— Veja.

Lou brincava com Zac, que aos 17 anos era esbelto e veloz graças à prática do futebol. Disparavam pela linha da arrebentação, perseguindo-se, girando, rolando na areia.

Jake alinhou-os para uma corrida e recuou uns cinquenta metros, vindo postar-se ao nosso lado. Mesmo no início de sua segunda década de vida, Lou fora mais rápido que os garotos, mas fazia tempo que não competiam.

Quando Jake gritou "Venham!", ambos largaram. Pelos cinco primeiros passos, ficaram emparelhados. Depois, Zac se distanciou. Lou deu o máximo de si, mas perdeu a corrida por dez metros.

Nunca perdera uma disputa dessas antes, sobretudo para criaturas de apenas duas pernas.

— Ganhei de você! — festejou Zac, esfregando o pescoço do concorrente e dando-lhe tapinhas no traseiro. Lou sorriu, arquejante, e afastou-se. Tinha uma expressão estranha na cara.

— Percebeu? — perguntei a Nicki.

— O quê?

— Está com problema em uma perna traseira.

— Mancando?

— Não exatamente. Parece alguma coisa no tendão. Manteve a perna no ar por um instante e baixou-a de um modo esquisito.

— Talvez seja uma distensão.

— Vamos deixá-lo descansar hoje à noite.

Pareceu bem durante o resto da viagem, mas eu o conhecia até pelo avesso. Conhecia-o como Scottie conhecia a *Enterprise*. Lou não estava nada bem.

— Mielopatia degenerativa?

— Um convidado discreto. Problema comum em pastores — explicou o doutor Phillips. — Um distúrbio autoimune que afeta o revestimento de mielina da medula espinhal e às vezes até as fibras nervosas. Nenhuma dor, apenas a perda gradual de controle sobre a extremidade traseira. Os trajetos neuronais ficam comprometidos. Os cães arrastam-se sobre as patas, sentem fraqueza na parte de trás do corpo, acham difícil levantar-se. Cambaleiam e cruzam as pernas ao andar, tropeçando nelas. Depois vêm a incontinência e a imobilidade.

— Não poderia ser outra coisa?

— Caso houvesse uma vértebra quebrada, haveria também dor e sintomas mais evidentes. Outras possibilidades seriam estenose e aquilo que chamamos de *cauda equina*, um estreitamento do canal da espinha. Ele comprime a medula e afeta a mobilidade. Quando ocorre na área sacro-lombar, os sintomas são parecidos aos que você vê aqui. Posso estar errado, é claro, mas não creio que seja *cauda equina*. Cães com esse problema sentem muita dor quando levantam o rabo. E ele não parece sentir dor alguma.

— Não que eu perceba.

— O mesmo digo eu. Mas é Lou. *Rottweilers* são famosos por não dar o braço a torcer.

— De qualquer forma, ele não balança muito o rabo.

— Outro sintoma. E olhe isto — disse o doutor Phillips, mostrando-me as unhas da pata traseira esquerda de Lou. — Bem gastas nas pontas. Ouviu-o arranhando alguma coisa?

— Agora que falou nisso... Sim. Eu não quis cortar suas unhas, embora estivessem muito compridas.

— Cachorros com mielopatia degenerativa se arrastam sobre as patas.

— Diabos!

— Veja — continuou o doutor Phillips, encurvando a perna esquerda de Lou e pousando-a no assoalho. Lou precisou de alguns segundos para endireitá-la. — Eu apostaria que se trata de mielopatia degenerativa.

— Então, o que faremos?

— Antes de dar um passo maior que as pernas, vou encaminhá-lo ao doutor Sanders, em Lynnwood. É o melhor neurologista veterinário das redondezas. Ele dará uma olhada.

— As coisas não estão nada bem, certo?

— Não, mas Lou é duro na queda. Às vezes, a mielopatia demora a derrubar um cachorro. E ele não é nenhum *poodle*, se me permite a comparação humilhante.

— Sanders é bom mesmo?

— O melhor.

Combinada com o agravamento da artrite no ombro, a fraqueza na extremidade das costas começava a apossar-se de Lou. Ele ainda conseguia trotar, mas não escavar ou fazer movimentos complicados. Também já não tinha a mesma força de antes: o Super-Homem estava ficando velho.

Os cães não envelhecem como os homens. Nós atingimos o auge aos 25 anos e a partir daí entramos num processo gradual de declínio. Eles amadurecem rápido, alcançando um patamar em que permanecem por muito tempo. Depois, no último quartel de suas vidas, mostram sinais claros de envelhecimento rápido — artrite, surdez, pelos brancos, lentidão.

O processo se acelerava, como acontecera com Shyanne. Os distúrbios apareceram todos ao mesmo tempo e a derrubaram. Estava acontecendo agora com Lou.

O doutor Sanders confirmou o diagnóstico de mielopatia degenerativa. Não havia o que fazer a respeito, exceto aumentar a dose de Rimadyl. Nenhuma operação poderia corrigir o que estava errado com o meu valente irmãozinho.

Lou era corajoso. Lutou. E foi em frente.

— Mantenha-o ativo — recomendou o doutor Sanders. — Um pouco de exercício irá conservar aquelas fibras nervosas em melhor condição do que conservaria se ele só permanecesse em casa.

— Quanto tempo ainda nos resta?

— De quatro a seis meses antes que Lou não consiga mais andar. Enquanto isso, passeie com ele. Divirta-o.

Foi o que fiz. Um ano depois, aquele magnífico bastardo fazia 15 anos e ainda andava.

18

O cão que podia voar

Lou olhava para os pedaços de carne de carneiro e de vaca e os bolinhos de cereal besuntados de manteiga de amendoim, cobertos por quinze velas. Firmava-se nas pernas trêmulas, desfrutando o espetáculo. Por um momento, pensei que ele iria apagar as velas, mas não o fez, apenas olhou para elas. Lembro-me de ter pensado que talvez pudesse ensinar-lhe essa façanha.

Púnhamos sua comida e sua água em um lugar alto, para facilitar-lhe o acesso, e havíamos instalado uma rampa coberta de carpete que conduzia, dois degraus abaixo, a seu refeitório/gaiola, um pequeno "santuário" encravado num cômodo anexo à cozinha, usado por Nicki como escritório. Ele subia e descia a rampa atrás de petiscos ou para tirar um cochilo na gaiola ao meio-dia.

Eu o cercava de mimos. Festas, comida, atenção, conversas sobre tudo e nada — essas coisas. Elas não iriam mudá-lo nem torná-lo exigente — Lou não cabia mais nessas definições fáceis havia muito tempo.

Todas as manhãs, caminhávamos até a Clareira do Lou, atravessávamos o parque e voltávamos para casa seguindo por ruas asfaltadas — um trajeto de pouco menos de um quilômetro. Subir a colina íngreme até a entrada do parque era um desafio para ele, mas conseguíamos.

— O doutor Sanders disse que você precisa de exercício.

— *Arugla*.

— Sim, sim, eu sei, *arugla*. O exercício ajuda a manter essas células nervosas em ordem, amigão.

Era difícil vê-lo daquele jeito. Como Ali na decadência. Quando alguém o encontrava, eu sempre queria acrescentar as palavras: "Você precisava vê-lo dez anos atrás". Mas nunca o fiz.

Lou descobriu uma moita cheia de esquilos muito ativos, na orla de sua clareira. Metia o focinho na moita e ria como um avô admirando os netos a brincar de esconde-esconde no quintal. Parecia invisível aos esquilos, parte da paisagem. Só faltava algum deles morder-lhe o focinho, o que felizmente nunca aconteceu.

Via-os brincar por algum tempo, mas logo estava ao meu lado de novo, sorrindo aquele largo sorriso de Lou e caminhando como um velho leão cansado. Eu me encostava num pinheiro e ele se inclinava sobre mim com todo o seu peso, olhando para cima com um ar de Madre Teresa. Seu peso me comprimia contra o tronco delgado e o fazia dobrar-se. Eu lhe passava um braço à volta do corpo, beijava-lhe o nariz e correspondia ao seu olhar, agora projetado por olhos que pareciam maiores naquela cara encolhida pela idade. Olhos do Renascimento, tristes e atemporais.

— Vamos, Matusalém, vamos completar a caminhada.

— Você precisa levá-lo ao Pico Vermelho — sugeriu Nicki.

— Eu sei.

— Antes que fique muito frio — acrescentou ela. — E antes...

— Antes que ele esteja velho demais para essa aventura.

— É.

Assim, no final de setembro de 2004, Lou e eu fizemos nossa última viagem juntos. Pegamos a rodovia Interestadual 90 pelo desfiladeiro Snoqualmie, em meio a uma fria chuva de montanha que ameaçava desandar em nevasca — nuvens escuras, intumescidas de água gelada, automóveis e caminhões trafegando pelo desfiladeiro sem pneus especiais nem correntes, embora o inverno se aproximasse. Lou ia atrás, sobre uma boa camada de cobertores velhos, observando o tráfego pelo vidro traseiro. Quando a chuva caiu, o vidro ficou embaçado e ele começou a lambê-lo, então desliguei o desembaçador traseiro só para contemplá-lo, pelo retrovisor, saboreando em vagarosas lambidas o frescor da janela.

A chuva logo se transformou em neve úmida. Lou empertigou-se.

— *Rour.*

— Sim, Lou, está nevando.

— *Ruu.*

— Não, não podemos parar aqui. Espere até cruzarmos o desfiladeiro.

Lou gostava de ver a neve caindo. Selecionava alguns flocos, aproximava-se deles e sentia-os com o nariz ou a língua, como uma criança. Agora, via-os cair sobre o asfalto molhado. Olhava para cima, para baixo, para cima, para baixo. Meu bom e velho cão acompanhando a queda da neve.

Depois de Easton, a neve parou de cair. Clareiras se abriram no céu à nossa frente enquanto descíamos a montanha rumo aos desertos do leste.

Ultrapassei Cle Elum e a entrada para a Rodovia 97, que conduz ao Pico Vermelho. Queria antes levar Lou a Vantage, onde cavalos selvagens galopam colina abaixo até o rio Columbia. Pode-se avistá-los a quilômetros de distância, de cima da elevação perto da ponte, correndo livremente, soltos no mundo. Estivéramos juntos lá no alto várias vezes e agora iríamos de novo, para contemplar das alturas a corrida, o voo dos cavalos.

No estacionamento, abri a porta e deixei Lou sair. Ele ainda conseguia andar bem, mas não saltar para dentro e para fora do carro. Ficou embaraçado e tentou pular de qualquer maneira, mas eu o detive com uma mão no focinho. Evitar humilhações diminuía o sofrimento daquele coração viril.

Eu não lhe punha mais a guia, embora sempre a levasse comigo para não perder o respeito. Comprara-a na academia em 1991, no primeiro dia em que ali estive, quando Lou era jovem, forte e ousado; com ela adestrei um número incontável de cães e levei Lou a passeio milhares de vezes. Aquele grampo metálico desgastado e aqueles dois metros de couro distendido refrearam os impulsos de muitas almas perdidas — cada centímetro dela representava um passo rumo à sua salvação. Eu a levava comigo aonde fôssemos como uma lembrança do muito que havíamos feito juntos.

Subimos pela trilha íngreme até o topo, onde os cavalos corriam. O que levaria cinco minutos uma década antes agora exigia trinta. Mas Lou continuava andando.

Sabia aonde estávamos indo e queria estar lá no alto para ver os cavalos de novo, ver o rio Columbia lá embaixo, serpenteando na direção leste, ver as encostas e a ponte, sentir o vento que chicoteava as pernas rudes dos cavalos, empurrando-as, fazendo-as vibrar sobre a colina despida de árvores. Queria estar lá e olhar para baixo como fizera quinze anos antes em Mendocino, quando sentira algo que me escapara, algo de muito especial. Eu queria ficar lá em cima com ele junto dos cavalos porque, ao lado daquele cão, as coisas ganhavam outro significado.

A meio caminho da estrada para o Pico Vermelho, Lou ficou com diarreia. Tentara me advertir rindo de mansinho e olhando-me pelo retrovisor, mas eu pensei que ele estava apenas excitado e feliz; não notei seu aperto.

Quando senti o cheiro, parei o carro e levantei-o. O cocô escorria por seu bumbum e por suas pernas traseiras. Lou estava embaraçado. A coisa tinha atravessado dois dos três cobertores, mas não em grande quantidade; e quando o recoloquei no banco, ele imediatamente soltou o resto, um dilúvio de fezes líquidas. Estava com dificuldade para manter o equilíbrio enquanto defecava e já não conseguia erguer a perna para urinar sem cair. Portanto eu, gentilmente, segurei-o pela coleira a fim de ajudá-lo a terminar.

— Desculpe-me, amigo, a culpa foi minha. Não percebi os sinais.

Ele se desviou para o lado e quase caiu; depois, erguendo a cabeça, olhou-me com um ar tímido. Queria ficar limpo. Então eu umedeci um pedaço de pano e algumas toalhas de papel e limpei-o o melhor que pude.

Coloquei os cobertores sujos, o pano e as toalhas em um saco plástico de lixo.

Lavei-o e deixei-o descansar um pouco. O amontoado de nuvens começara a deslocar-se e já se viam as montanhas. O ar, lavado pela chuva, estava limpo e fresco. A noite seria fria e calma, perfeita para as andanças dos coiotes e das corujas. Pouco importava que Lou não pudesse ouvi-los.

Perguntei-me o que ele pensava de sua surdez. Saberia que a perdera ou concluíra que o mundo inteiro simplesmente se tornara silencioso?

Começamos a subir a trilha. Eu não comprara um bilhete de acesso noturno, de modo que, após explorar os caminhos, tivemos de recuar cerca de meio quilômetro e acampar fora da estrada principal, numa área densamente arborizada que eu conhecia, perto de onde as reses desgarradas pastavam. Estacionei o carro no meio dos pinheiros, onde ficou tão escondido que um guarda, passando a poucos metros de distância, não o veria.

Saímos do carro fedorento e passeamos pelas imediações. O lugar era todo nosso. O vento havia diminuído e não estava frio. Lou caminhava como se fosse dono do pedaço e fazia o melhor que podia para marcar suas árvores favoritas, agora se agachando como se fosse um filhote.

— Ninguém perceberá a diferença, amigo.

— *Ru-ru*.

— Sim, dane-se.

A 1.500 metros acima do nível do mar, um cão de 15 anos de idade não consegue subir colinas com muito desembaraço. Se quiséssemos alcançar o Pico Vermelho, deveríamos fazê-lo enquanto lhe restava alguma energia.

— Vamos lá, amigão.

Começamos a subir a trilha para o Pico Vermelho, passando pelo desvio que levava aos campos de ágata. Lembrei-me de Telluride, em como ele subira voando até o Lago Azul. Lou rosnava e bufava, arrastando-se atrás de mim pela primeira vez numa trilha em pleno mato. Quando, porém, ultrapassamos as últimas árvores e a torre surgiu à nossa frente, ele se empertigou, emitiu seu *rower* e prosseguiu impávido.

— Aí está ela, Lou.

A torre se alteava como uma sentinela sobre as montanhas Teaneway. Um exército de pinheiros se perfilhava em posição de sentido, enquanto uma fileira de abetos, cedros e lariços apontava o caminho.

Por causa da estação, o alçapão da torre estaria sem dúvida fechado com cadeado. Sentamo-nos para descansar na base da colina, ainda a uns 800 metros de distância.

Lou olhou para seus pés e deitou-se ali mesmo, na poeira. Dei-lhe água, que ele bebeu sem muita vontade, entre uma respiração e outra. Olhou para mim e depois para o caminho que conduzia à torre, antes, bem curto para o jovem Lou, longo demais agora.

— Compreendo.

Ele havia perdido massa muscular, mas ainda pesava uns 30 quilos. Tomei-o nos braços e carreguei-o pelo resto do trajeto.

Lou lambeu as lentes de meus óculos e olhou à volta, distraído. Não lhe era de todo desagradável ser carregado.

— Você não está facilitando as coisas — eu o adverti. Meu rosto estava a poucos centímetros de seu focinho. — Pare de se mexer tanto. — E coloquei-o de volta no chão antes de chegar a um trecho difícil, um campo semeado de pedras e buracos. Acomodei-o sobre a superfície plana de uma rocha e ele lá ficou, resfolegando um pouco menos e procurando até balançar ligeiramente a ponta do rabo caído.

— *Ruu?*

— Estou bem.

Apertei os cordões dos sapatos e peguei-o de novo, com o cotovelo esquerdo por baixo de seu peito, o braço direito por baixo de sua virilha, vindo do outro lado, como se ele fosse uma metralhadora M60, e fui subindo devagar, passo a passo, pela senda pedregosa.

Lou arquejava. Meu suor caía em bagas sobre suas costas. Passos curtos, descanso a cada vinte metros.

— Você está quase no Pico Vermelho.

Aproximamo-nos.

— Acho que não o limpei direito — disse eu, o cheiro de cocô bem no meu nariz.

Ele me deixou falar. Fitou minha boca, não meus olhos, como se tentasse fazer leitura labial. Pensei que, se ele podia interpretar um ligeiro aceno de mão como "faça um giro completo para a esquerda", por que não interpretaria uma expressão facial óbvia? Os cães sabem muito bem que o sorriso humano significa "alegria", e talvez isso pudesse ser aproveitado.

— Não houve tempo, Lou... Não houve tempo suficiente — brinquei, em minha péssima interpretação de Marlon Brando e quase tropeçando numa toca de rato. Ele vira comigo *O Poderoso Chefão* uma centena de vezes. Gostava de assistir a filmes antigos em minha companhia.

O caminho se aplainava a uns vinte metros do topo, de modo que o coloquei no chão. Mesmo assim, precisava continuar vigiando-o, para que não caísse pela borda. Avancei para a base da torre e sentei-me encostado a um grosso poste de madeira. Meus braços e minhas costas doíam e eu não conseguia respirar direito. Transportara um cão de 30 quilos por 800 metros encosta acima e talvez devesse transportá-lo de novo na volta.

Lou caminhava com cuidado. Suas patas traseiras se dobraram algumas vezes. Eu podia notar sua frustração e seu empenho em andar com dignidade. Olhando-o, perguntei-me se ele costumava se lembrar dos dias em que havia derrotado na corrida os cães do parque, batido o *collie*, dançado com lobos, derrubado o monstro no asfalto do estacionamento da ACM, e o imobilizado e punido pelo que fizera. Será que se recordava do duelo no estacionamento do 7-Eleven? De seus dentes contra uma pistola .357?

Foi andando cuidadosamente por entre as pedras do Pico Vermelho, parando de vez em quando para admirar as montanhas. Os cães se tornam nostálgicos? As lembranças os tranquilizam ou entristecem? Dão-lhes forças, como espero que deem?

Os outros cachorros se pareciam com ele ou Lou era único no mundo?

Eu sentia muito orgulho de Lou, e também alegria e medo por estarmos juntos no Pico Vermelho. Quando finalmente me alcançou, pôs-se a lamber meu rosto e a se encostar em mim, pois era o que sempre fazia quando me via chorando.

Salli ficou com Lou e Flavio em sua casa enquanto tirávamos uma semana de folga em Nova York, antes do Natal de 2004. Quando voltamos, fui lá buscá-los.

— Você não me disse que ele estava tão mal — observou ela.

— Ah, disse, sim!

— Esteve com incontinência metade do tempo. Além disso, tropeçava nas pernas e caía como um bêbado. Não conseguia brincar, correr ou sequer me ouvir.

Ela derramou algumas lágrimas. Salli conhecera Lou em seus melhores anos e não o reencontrava havia muito tempo, de modo que agora se sentia triste ao vê-lo naquela situação, pior do que quando o confiáramos aos seus cuidados, uma semana antes.

— Incontinência?

— Fez xixi em si mesmo algumas vezes, enquanto dormia, e não saiu para fazer cocô ontem.

— Em casa, será melhor para ele. Não tem costume de ficar fora, junto de um monte de cachorros mais novos. Quer correr e ensinar coisas a eles, mas não consegue e desiste. Em casa, fica comigo no escritório ou vai descansar em seu pequeno santuário.

— Ele está sofrendo, Stevie.

— Não, não está. Sanders e Phillips deixaram isso bem claro. Ocorre justamente o contrário: os trajetos nervosos vão perdendo a sensibilidade. Ele não sente nenhuma dor. Só nos ombros, por causa da artrite. Eu também tenho artrite. Você tem seu quadril dolorido. Devo matá-la por isso?

— Mas é... humilhante — murmurou Salli, agora chorando de verdade. Eu não imaginava quanto Lou significava para ela.

— Lamento. Mas ainda não chegou a hora.

— E quando será isso?

— Ele mesmo me dirá.

Lou começou a arrastar os pés a ponto de eu precisar calçá-los, como medida de proteção. Os veterinários não aprovaram, explicando que o calçado poderia dificultar a correta colocação das patas no solo; mas a pele delas tinha sido esfolada e, como sangrava, Lou queria lambê-la, então eu preferi colocar-lhe as botinhas.

— Ele cai quando o levo para fazer xixi e cocô lá fora, de manhã — contou Nicki.

— Eu sei disso. Vou dar um jeito.

Coloquei em Lou uma faixa em volta da barriga, azul brilhante e acolchoada, com uma alça em cima. Agora, quando saíamos, podíamos segurar a alça com força suficiente para lhe garantir estabilidade.

— Ele parece uma mala — disse Nicki.

— Gosto disso. Ei, Lou, que tal um novo apelido?

Ele pousou a cabeça em meu colo. Insinuei um joelho por baixo de sua barriga, para suspendê-lo. A faixa azul brilhante estava em ordem.

— Oi, Mala!

— *Rrrruuu.*

— Ei, olhe esse tom!

E foi assim que começou.

— Não matamos paraplégicos, matamos?

— Ele não é humano, Stevie — ponderou Salli. A ligação pelo celular estava ruim.

— E daí?

— Lou quer correr por aí e ser um cachorro — disse ela, com o som de cachorrinhos latindo ao fundo.

— Quando o seu cão é atropelado e perde uma perna, você dá um fim nele?

— Não.

— Por que não?

— Porque ele ainda pode levar uma boa vida com três pernas.

— E com duas? Se o cachorro não sofre muita dor e continua sendo um ótimo cachorro, mesmo sem poder andar como andava, por que matá-lo?

— Porque não é mais um cachorro.

— Não sei o que isso significa. Minhas costas me atormentam cinco dias em sete. Preciso urinar a cada vinte minutos. Meus joelhos não colaboram e minha próstata está do tamanho de uma bola de beisebol. Não sou mais o antigo Duno. Será que Nicki deve me liquidar?

— Talvez ela já tenha pensado nisso.

— Conheço tetraplégicos e pessoas que padecem dores horríveis, mas mesmo assim amam suas famílias e desejam estar com elas. Aguentam o tranco. Lou quer permanecer ao nosso lado e não sente dor nenhuma. E, mesmo que sentisse, quem somos nós para lhe negar o direito de lidar com o problema à sua maneira?

— Ele não tem capacidade para escolher.

— Stephen Hawking também não tem.

— Oh, Stevie!

— Não é um cachorro comum. É Lou! Diabos!

Seria ótimo dar uns sopapos em alguém. Eu não iria matar o melhor cão do mundo só porque ele estava com dificuldades para andar.

O inverno veio e se foi. Agora já fazia mais de um ano que o doutor Sanders lhe dera seis meses de vida. Lou ainda se movimentava, com uma pequena ajuda da faixa.

— Mala!

Não gostava nada desse apelido.

— Lou, vamos dar um passeio.

Subimos a colina de Northcrest na chuva. A faixa tornava a caminhada bem mais fácil; assim, ele não arrastava muito os pés, não trançava as pernas nem perdia o equilíbrio. Eu suportava um quinto de seu peso, o que não era tão mau. Trocava de mão de cinquenta em cinquenta metros, para não me cansar.

Um esquilo atravessou a trilha. Lou emitiu seu latido surdo e puxou a faixa.

— Velhos gostos são difíceis de esquecer — disse eu, dando-lhe uns tapinhas na cabeça e fazendo-lhe com a mão direita o sinal de "tudo bem".

No final da Clareira do Lou, apontei rapidamente para o chão com um dedo, o que significava "massa". Ele se agachou e fez xixi. Agora, sempre que urinava ou defecava, eu tinha de segurar-lhe toda a parte traseira do corpo, mas ele gostava de ficar na antiga posição para fazer suas necessidades sem cair.

Nós nos deitamos junto à árvore alta. Dei-lhe biscoitos e massageei-lhe o traseiro, enquanto ele fixava o olhar no arbusto dos esquilos.

— Sob quais condições você mataria seu melhor amigo? — perguntei-lhe. — Quais são os parâmetros?

Ele me olhou.

— *Rour*.

— Você é o meu melhor amigo.

Tentou adivinhar o que eu queria dizer, mas não dispunha de precedentes, pontos de referência.

Em se tratando de conhecê-lo, não havia começo nem fim. Como o garotinho que pergunta "o que existia antes?", "o que haverá depois" ou "para onde vão os cachorros?".

— Você merece viver. A decisão é sua. Sem arbitrariedade. Quando estiver pronto, comunique-me ou simplesmente vá embora dormindo. É assim que deve ir, como os humanos. Seja como for, a decisão cabe a você. Se achar isso muito difícil, eu decidirei, mas saiba que ser incapaz de dançar a tarantela não é motivo para alguém partir.

Lou gostava de me ver falar, ainda que não pudesse mais me ouvir. Sorriu e concordou com um ligeiro aceno de cabeça.

Quando ficamos velhos e fracos, perdemos a vontade de comer. Tudo é muito sofisticado. Tudo é muito elegante, digno e lisonjeiro.

Meu avô morreu de leucemia e problemas cardíacos. Veio da Itália muito jovem, trazendo consigo seu apetite como se fosse o brasão da família. Trabalhou duro e prosperou.

Nossa cultura italiana se inspirava na comida. A comida era o vínculo que nos mantinha unidos. Mas, em seus últimos anos, meu avô perdeu o apetite. As refeições, outrora verdadeiras contas de rosário, já nada significavam para ele. Parou de comer, de rezar, de esperar. Meu avô, nascido em outro século, sobrevivente de terremotos, deslizamentos, Mussolini, guerras mundiais, Depressão e viagens solitárias por mar, tornou-se um espectro e morreu em sua cama no Queens, em Nova York, sem pensar em *tagliatelli*, *calzone* ou *braccioli*.

O gosto pela comida nos precede. Somos seus escravos antes de dominá-la. Para um cachorro, o alimento é sagrado. Representa o poder, a vida. Nunca vi um cachorro que jejuasse e, se visse, não acreditaria nele.

Nós imploramos por salvação; eles correm atrás do que comer. É a mesma coisa. Mas, enquanto molhamos nossos leitos de morte e pedimos perdão, os cães mijam dormindo e sonham com esquilos. Para um cachorro, o alimento é o que conta.

A comida era agora a grande paixão de Lou. E por que não? Ele estava surdo e não podia andar por aí sem alguém que o segurasse por um pedaço de pano. O horário das refeições, especialmente nessa fase, havia se tornado mágico.

Uma hora antes do almoço, ele começava a ficar animado e loquaz, rindo a valer em seu santuário contíguo à cozinha, onde agora passava a maior parte do dia. Mas, a despeito de seu apetite, vinha perdendo peso, passando de um máximo de 35 quilos para não mais de 27. Seu traseiro tinha ficado ossudo; mesmo seu peito largo e cavo e seus ombros poderosos haviam perdido massa. Comia como um esfomeado, mas não conseguia processar bem o alimento.

Nós lhe dávamos biscoitos vitaminados, lombo fresco de porco, bifes de vaca, pescoços de galinha, ovos, miúdos — o melhor do melhor. Como podia comer quase tudo sem adoecer, eu alterava o cardápio praticamente todo dia. Ele nunca sabia o que o aguardava, e isso lhe aumentava a expectativa.

A comida nunca teve o mesmo significado para Flavio. Ele era do tipo de cão que "fareja antes"; se algo lhe era desconhecido ou não lhe parecia bom, Flavio "enrolava" e por fim desistia. A essa altura, Lou, que normalmente já havia terminado sua refeição, procurava ensinar-lhe a primeira regra da etiqueta alimentar canina: *Velocidade total à frente, cara!*

— Suas sobrancelhas estão crescendo — observou Nicki.
— Parece um bruxo.
— E os pelos de seu corpo estão sujos — continuou ela. — Você o lavou ultimamente?
— Preciso fazer isso de novo. Suas glândulas sebáceas já não têm a mesma produtividade. Ele não consegue mais limpar-se como antes. Sempre se limpava como um gato.
— E solta gases. Em grande quantidade.
— Como você.
— Vocês dois é que poderiam disputar.

Lutamos um pouco e nos estendemos no chão com Lou, tentando brincar de "cachorro louco" com ele, o que o deixou feliz.

— Viu? Acaba de soltar pum!
— Ah, isso é mau! — exclamei, abanando o ar acima de Lou. Ele riu e emitiu seu *rour*.
— Notou que ele faz de propósito? Está rindo como Jake quando solta seus gases.
— Talvez eu possa ensiná-lo a fazer pum ao meu comando. Os viciados em apostas adorariam isso.

Eu gostava dos velhos filmes cafonas de ficção científica. *A Mulher de Quinze Metros de Altura*; *Robot Monster*; *O Monstro da Lagoa Negra*; *O Monstro*

Veio do Espaço — gostava por serem tão ruins e terem me aterrorizado quando eu era garoto.

Assisti a *O Cérebro que Não Queria Morrer* com Lou numa noite. Ele se deitou ao meu lado, respirando com dificuldade, com os olhos fixos na tela e perguntando-se que diabo a cabeça de uma mulher estava fazendo naquela enorme panela de aço.

— Ela ficou sem seu corpo, mas não sem seu cérebro ruim! — expliquei, cutucando-o com o pé. Ele me olhou e concordou com um aceno de cabeça.

No filme, um renomado cirurgião fica louco depois que sua noiva é decapitada num acidente de carro. Ele tinha desenvolvido um método para manter partes do corpo vivas e aplica-o à cabeça da noiva, que durante todo o filme permanece dentro de uma panela esmaltada, dizendo besteiras.

Quando o maluco planeja matar uma mulher e encaixar a cabeça da amada em seu corpo sensual, a cabeça falante coloca objeções de dentro da panela e começa a comunicar-se telepaticamente com um horrível mutante que o doutor trancara a chave num quartinho ao lado. Ordena-lhe que assassine o doutor para que ela possa morrer em paz e escapar da maldita panela esmaltada.

O mutante concorda e, no fim do filme, a cabeça falante solta uma gargalhada em meio às chamas, proclamando: "Eu o avisei para me deixar morrer!".

— Que filme! — exclamei, acabando minha cerveja e estendendo-me no chão ao seu lado. Ele pousou uma pata em meu colo e eu lhe pus a mão por cima. Lou retirou a pata e colocou-a por cima de minha mão. Continuamos esse joguinho de *rottweiler* por algum tempo e finalmente eu o deixei ganhar.

— *Arugla*.

— Eu deveria cortar a cabeça de Flavio e pôr a sua no corpo dele. Isso lhe daria mais dez anos. Mais dez anos para nós dois.

Ele me olhou.

— Brincadeirinha. Ou quase.

Perguntei-me se ele gostaria de ser uma cabeça numa panela.

— Ele não vai nada bem — disse eu.

— Vejo que já não consegue se levantar sozinho — observou o doutor Phillips. Agachei-me ao lado de Lou com meu joelho direito por baixo de seu corpo e uma das mãos segurando a faixa. O doutor Phillips auscultou-lhe o coração e os pulmões.

— Dá sinais de incontinência. E está com menos de 30 quilos.

O doutor Phillips apalpou-lhe os ombros. Lou estremeceu e endireitou-se. — Tem suportado todo o peso nas patas dianteiras — disse ele, dando palmadinhas na cabeça de Lou. — Isso começa a prejudicá-lo. Está com dor.

— Que tal aumentar a dose de Rimadyl?

— Podemos fazer isso, mas não será bom para o fígado dele. Como está o apetite?

— Melhor do que nunca.

— Mas continua perdendo peso.

— É verdade.

O doutor Phillips nunca me dizia palavras duras. Ele me conhecia e conhecia Lou. Sabia que era um caso especial, como medalhista de ouro aguardando o transplante de fígado. Para ele, a delicadeza ainda contava neste mundo.

— Posso fazer um exame de sangue, mas só de vê-lo sou capaz de dizer que sua saúde está se deteriorando depressa. Respiração irregular, pelo horrível, peso diminuindo...

— Eu não consigo. Ainda não. Não estamos prontos.

— Entendo. Tem 15 anos?

— Fará 16 daqui a três semanas. Pelo menos, é o aniversário que fixamos para ele: 6 de junho.

— O Dia D.

— É!

— Para um cachorro de seu tamanho e de sua raça, viver tanto é... realmente um milagre.

— A vida dele tem sido uma série de milagres.

— Então esperaremos até o momento em que você decidir.

As pessoas citam mestres zen, negam a busca pessoal, pairam acima de tudo, renunciam ao eu. Sempre achei isso uma porcaria. A essência do zen é justamente *não* falar a respeito dele. Se você fala, diz besteira e sabe muito bem disso.

Eu não queria dizer nada sobre o assunto. Isso era zen.

Os leões matam porque precisam comer e não querem morrer. Não há aí nada de bonito ou nobre, nem espiritualmente elevado. Se eu aplicasse minha ética aos atos de um leão, seria um idiota.

Você talvez decida salvar a vida de seus filhos em vez da minha. Certo. Dou-lhe permissão. O interesse pessoal é coisa antiga e eu o respeito.

É egoísmo conservar um cão que mudou sua vida e fez tantas coisas bem feitas que arriscou o pescoço inúmeras vezes porque esse era o seu ofício, porque isso era importante. É egoísmo. Mas não me importo.

As costas de meu pai o estão matando todos os dias, mas, aos 85 anos, ele ainda se levanta cedo e vai trabalhar, pois *tem* de trabalhar. Diz ele: "Que mais, com os diabos, eu faria?" Dorme duas horas por noite e bebe vinte xícaras de café por dia; conta as mesmas histórias várias vezes porque são histórias boas — sobre seu irmão morto por um tigre durante a Segunda Guerra Mundial, seu amigo roubando as árvores do meio da via Robert Moses, caindo quatro vezes em aviões militares, combatendo na marinha ou frequentando a mesma escola de Castro no Bronx. Ele conta essas histórias, eu as repito e todos as espalham. É assim que funciona. Suas costas são um filme de terror, mas que se pode fazer? As histórias devem terminar quando a dor começa ou a dor é o seu sinal de partida?

Lou era um cachorro e não podia dar esse sinal. Eu não era bobo, era egoísta. E sabia que ele era diferente. Como Da Vinci, como DiMaggio. Sabia que nunca haveria outro como Lou. As regras normais não se aplicavam a seu caso.

Eu tinha 48 anos. Lou, quase 16. Conhecia-o pelo tempo equivalente a um terço de minha vida. Quando ele estacou no alto daquela colina e olhou para baixo, eu tinha mais de 30, sem rumo definido na vida, sem orientação, sem orientador. Lou me pôs no caminho certo. Foi ele que me deu estas palavras. Foi ele que escreveu esta história.

As quatro semanas seguintes foram difíceis. Lou já não conseguia andar sem ajuda, mas eu não aceitava aquilo como motivo. Estava incontinente, mas eu não aceitava aquilo como motivo.

Seus ombros doíam. Ele tremia muito. Parecia triste por mim.

Zac, com 19 anos, já morava fora de casa.

— Você deveria passar algum tempo com ele.

— Virei amanhã.

— Ótimo.

Jake era como eu. Remoía a ideia, mas não conseguia aceitar.

Nicki era uma mãe.

Nossas caminhadas de meio quilômetro pelo parque chegaram ao fim. Ele sentia falta delas e as pedia, pela manhã.

Um castanheiro anão, no meio do caminho, descia um ramo nu para a calçada justamente numa altura em que Lou conseguia passar por baixo sem arranhar a cabeça. Para ele, era um jogo esgueirar-se sob o ramo todos os dias. Estivesse à minha direita ou à minha esquerda, posicionava-se para a travessia, como uma criança brincando de rastejar. Farejava o galho e passava por baixo ou, às vezes, levantava-se o suficiente para encostar a cabeça nele. Gostava da tradição. Sentia falta das caminhadas.

Um dia, levei-o até a base da colina. Lou respirava com dificuldade e olhava para mim. *Cansado demais.*

Carreguei-o então até o parque e enveredamos pela trilha. Ele pesava menos que da última vez que o carregara, no Pico Vermelho. Na verdade, parecia leve como o ar.

A folhagem de junho estendia-se, espessa, ao longo da trilha. Esquilos saltitavam como em desenhos animados. Um gaio pousou perto de nós, grasnando; Lou riu e cumprimentou-o com um *rour*. Não ouvira o pássaro, mas vira-o muito bem, com aquela crista azul-escura e aquele corpo azul-claro, brilhante.

A ave parou e olhou-nos. Tínhamos visto centenas delas em caminhadas pelo Oeste; suas maneiras elegantes provavam-nos que estávamos num bom lugar, como na região montanhosa onde tudo começara.

Lou gostava de observar os pássaros. Sabia que eles eram capazes de ensinar coisas e sentiam-se muito felizes por poder voar. Leve e livremente.

Chegamos à Clareira do Lou. Coloquei-o no chão, junto à árvore, como se fosse um bebê cansado. Eu levei a câmera de vídeo. Lamento não ter feito mais filmes ao longo dos anos. Lamento não possuir imagens de Lou quando ele estava com 2 ou 3 anos, quando podia correr como o vento e saltar como uma pulga.

Conversamos. Filmei-o. Uma velha alma forcejando por ficar em pé e sair do meio das chamas que consomem os cães antes que partam, antes que tenham a oportunidade de nos contar tudo.

Ele me fitou bem nos olhos. Não era de seu feitio abandonar-se. Eu podia perceber isso agora. Parar de comer, sonhar e amar, como meu avô fizera — tais coisas não tinham sentido para ele. Lou não era dos que se deitam. Não conseguiria. Não se entregaria. Continuaria avançando até que nada mais restasse, até que desaparecesse como as montanhas desaparecem, até que sua vontade de viver não tivesse mais um lugar para chamar de lar.

Eu acordava de manhã e já o via desperto, à espera de que fosse passear com ele. Agora com mais frequência, encontrava-o sobre uma poça de urina ou coisa pior.

Ele não iria embora dormindo. Suas correrias, em sonhos, prosseguiram. Coiotes não o apanhariam enquanto dormisse. Só eu.

— Não posso fazer isso.
— Sozinho, ele não fará — ponderou ela.
— Não consigo me imaginar sem Lou por perto.
— Eu sei.
— Ele é apenas um cachorro, pelo amor de Deus!
— Não, não é. E você sabe disso.
— Não sei e nunca soube o que ele é.
— Ele é Lou. Seu melhor amigo. Salvou-lhe a vida e agora você precisa ajudá-lo.
— Ele *fez* a minha vida.
— Você não é uma pessoa de sorte?

Todas as noites, quando íamos dormir, Lou ia também; tinha um sono profundo, mas acordava no meio da noite e me chamava por causa de sua perturbadora incontinência. Se eu o socorria a tempo, levando-o para fora, ele preservava sua dignidade; às vezes, porém, eu era um pouco lento e ele me olhava como se houvesse perdido o lance do jogo. No quintal, depois de limpar tudo, eu ficava algum tempo com ele, segurando-o pela faixa, contemplando a lua e ouvindo o gambá que morava na garagem do vizinho. Lou não podia ouvi-lo, mas sentia seu cheiro e me olhava como se dissesse: *Se eu fosse mais novo, pegaria facilmente esse idiota.* Depois entrávamos, ele se deitava em sua almofada de espuma e eu encostava a cabeça em seu peito, para lhe ouvir as batidas do coração. Este sempre apresentara um ruído estranho, o que nunca fez diferença; era um coração robusto e se comportava muito bem.

O peito de Lou se levantava e se abaixava. Eu me levantava e me abaixava. Para cima, para baixo. Em seguida, eu lhe dava uma beijoca ou um tapinha no traseiro e voltava para a cama.

Ele preenchera um espaço, sem dúvida. Durante algum tempo, tentei ignorar esse espaço, contorná-lo. Esteve comigo por muito tempo, esse espaço — acompanhando-me como um coxo, um gago.

Então, um cão o preencheu. Não uma mulher, um emprego ou uma causa nobre, mas um *cão*. Ele era aquilo com que eu sonhara no apartamento de Nova York após conhecer Old Yeller, Lassie e Rin Tin Tin, aquilo que todo garoto deve ter — um protetor absolutamente confiável e seguro, puro de coração, invencível como um super-herói, como o Super-Homem. Ele era a minha rocha.

Old Yeller lutou com porcos, um lobo, uma vaca, um urso e vários guaxinins. Travis o amava. Um menino e seu cão. Yeller era o melhor. Mas, durante todo o filme, podíamos pressentir seu destino e nossa garganta se contraía muito antes de o lobo raivoso mordê-lo. E, embora cientes de que após duas semanas fechado no celeiro o herói reapareceria curado e saudável, sabíamos qual era o plano de Disney e odiávamos o bastardo por isso, odiávamos o que o rapaz teria de passar na escuridão do celeiro enquanto seu salvador rosnasse para ele como uma besta selvagem, com todo o amor por Travis apagado de seu cérebro enfermo. Gritávamos quando Travis saía do celeiro, a porta ocultando seu rosto da câmera e escondendo o pânico em seu coração partido.

No fim, Old Yeller não pôde fazer nada por si mesmo. Só Travis foi capaz disso.

Na manhã seguinte, marquei uma consulta para a tarde a fim de resolver o problema de Lou. Ninguém poderia fazer isso a não ser eu. Mas perdi a coragem uma hora depois e cancelei tudo.

O doutor Phillips aconselhou-me a esperar até que as coisas se acalmassem.

— Ele não quer ir — disse eu, orgulhoso, o orgulho disfarçando o terror.

— Já viveu mais do que gatos, chihuahuas, cães grandes e até alguns cavalos que conheci. Mas chegou sua hora e ele sabe disso. Você também sabe, não é, filho?

— Eu soube na noite passada.

— Ótimo. Só precisa então me dizer quando. Também gosto dele, você sabe. Já fiz isso milhares de vezes, mas em se tratando de Lou... Bem, será mais ou menos como se fosse a primeira vez, é isso.

— Obrigado, doutor.

6 de junho. Lou fez 16 anos. Não podia andar, mas devorou seu bolo de carne de aniversário. Flavio pagou caro por chegar perto. *Você o tinha avisado, Lou.* Dezesseis anos de idade ali em seu pequeno santuário, em seu celeiro.

Aquela noite foi ruim. Ele choramingou, eu o carreguei para fora, ele fez xixi e eu o carreguei de volta. Fiquei junto à almofada, vendo-o respirar com dificuldade, assustado. Pensei que iria morrer ali mesmo, mas isso não aconteceu. Dormiu e eu continuei a seu lado. Queria que morresse com a cabeça em meus braços; mas ele não estava disposto a isso. Golpeava o ar com a pata, caçando um esquilo, e corria em sonho.

Outra noite ruim. De novo, respirava com dificuldade. Falência geral dos órgãos. Parecia um garoto contendo a respiração debaixo da água. Eu o amava. Deixara que as coisas fossem longe demais. Perguntava-me como seria, para um pai, ver seu filho morrer e ainda ter forças para continuar trabalhando, comendo, contando piadas, fazendo amor, indo ao cinema. As coisas seriam assim mesmo?

Marquei nova consulta para o dia 9 de junho.

A última noite de Lou na Terra. Ele estava quase sem fôlego. Todos haviam ido para a cama. Nós dois queríamos ficar a sós.

Dei-lhe biscoitos, que ele comeu entre uma respiração e outra. Pensei em quantas respirações tomamos ao longo da vida, sem nunca nos lembrarmos delas — rotina. Fiquei lá, ao lado dele, acompanhando cada respiração, memorizando-a.

Lou se aconchegou a mim. Minha mão, em seu peito, sentia o esforço, o estertor interno. Então adormeci e sonhei que corria pelas trilhas das montanhas de Santa Monica, Lou saltando sobre a cascavel para o céu azul, o cheiro de mar, de *manzanita*, de salva, de poeira, de cinzas — o cheiro amargo de cinzas em minha boca enquanto eu descia correndo a trilha e me escondia de Lou atrás de uma moita, rindo, sabendo que ele me encontraria, esperando por ele, pelo ruído que fazia ao farejar o caminho. Ouvindo e esperando naquele espaço aberto.

Acordei de meu sonho agitado e senti-o lambendo minha mão. Lambidas lentas de uma língua seca, um toque de absolvição.

— Caí no sono.

— *Ruu.*

— Sonhei com a aventura da cobra. Lembra-se dela?

— *Row-row.*

— Eu te amo muito, Lou.

— *Rour.*

— Lamento ter esperado tanto. Pensei que você daria a dica.

Ele me fitou, os olhos maiores que nunca por causa da magreza extrema da cara. Era seu olhar penetrante, como que para atravessar a superfície de uma pintura em 3-D e captar a verdadeira imagem escondida embaixo.

Cocei-lhe a barriga, contei suas respirações e pensei no padre Flynn, um dos sacerdotes da Igreja da Santíssima Trindade aonde eu ia todos os domingos de manhã quando era muito novo. Meu irmão e eu assistíamos à missa das nove horas, que na época era justamente para os jovens. Risos e estouros de goma de mascar em todos os bancos, a irmã Ignacious patrulhando as alas como um dragão-de-komodo atrás de ovos de andorinha-do-mar.

No fim da missa, o padre Flynn mandava que levantássemos a mão e perguntássemos sobre Deus, a Bíblia ou qualquer outro assunto, o que fazíamos apenas para aparecer, para provocar risadas. Ele se mostrava tolerante, ao contrário daquele *pit bull* que percorria as alas puxando orelhas.

Eu tive as minhas puxadas algumas vezes por fazer perguntas como "que número Jesus calçava?" ou "ele pertencia ao sindicato dos carpinteiros?". Eu era um palhaço, mas na semana em que assisti a *Old Yeller* perguntei-lhe algo bastante sério, algo que eu queria mesmo saber.

— Padre, os cachorros vão para o céu?

A irmã Ignacious voou para beliscar-me a orelha, mas o padre Flynn deteve-a com um gesto.

— Pode deixar, madre superiora. Acho que ele agora não está brincando.

Ela se sentou ao meu lado e não tirou os olhos de mim, mas eu estava sério e queria saber por que diabos um cão que arrisca a vida várias vezes para nos proteger, nos faz rir e sempre nos anima não iria para o céu. Eu queria saber como ficariam as pessoas lá em cima sem cachorros, cavalos, gatos, árvores e águias, sem peixes nadando no mar, sem mares, trilhas ou ventos. Quem se disporia a ir para o céu sabendo que lá não encontraria essas coisas? Não perguntei tudo isso, mas estava implícito, e o padre sabia.

— A Bíblia afirma que apenas as criaturas dotadas de alma vão para o céu. Você acha que os cães têm alma, Steven?

— Acho. E o senhor?

Ele sorriu. A irmã Ignacious pegou minha orelha.

— Bem, minha pequena *schnauzer* pensa certamente que tem. E em Isaías está escrito que o lobo morará com o cordeiro e o leopardo se deitará ao lado da criança; o bezerro, o leão e o porco ficarão juntos, todos conduzidos por um menino. Não estragarão nem destruirão a montanha santa, pois a terra será banhada pelo conhecimento de Deus como pelas águas do mar. Isso parece promissor, a meu ver.

— Então, os cães vão para o céu?

— Não posso imaginar o céu sem eles, Steven.

9 de junho, manhã. O resto da noite se passara sem incidentes. *Lou, bom menino.*

Nicki tirou o dia de folga e passamos algum tempo com Lou. Nós o levamos para o quintal e o deixamos farejar à vontade. Não podia pôr muito peso nas patas traseiras e seus ombros doíam pra valer. Urinou demoradamente e depositou na grama uma única bolinha de cocô sólido. Parecia orgulhoso.

— Bom menino. Vamos entrar, agora. Quer comer? — perguntei-lhe por gestos.

Ele conhecia essa palavra como uma criança conhece *doce*, *pizza* ou *Disneylândia*.

Levantou as orelhas e lambeu os beiços. Uma luz se acendeu em seus olhos. A santidade do alimento: comer em plena dor, eis a lei dos cães.

Tirei um bife do refrigerador e coloquei-o numa frigideira para aquecê-lo e extrair-lhe os sucos. Em seu pequeno santuário, Lou tentou erguer-se, mas não conseguiu. Os músculos de seus ombros se distenderam. Levantou as orelhas, lambeu os beiços e ficou me observando enquanto eu preparava sua última ceia.

O cheiro do bife frito inundou o recinto. Nicki entrou.

— Alho?

— Sem dúvida. Ele gosta de alho.

Jogamos um dente de alho na frigideira e eu sacudi bem o bife; ele emitiu seu *rour* e bateu com as patas na rampa à sua frente, na qual não podia mais subir; a santidade do alimento: mesmo perto do fim, ele queria comer.

Um minuto de cada lado para que a carne ficasse quente, mas ainda macia e sangrenta.

— Olhe! — disse eu.

O cheiro da carne o fez ficar em pé. O milagre do alimento, aquilo que unia pessoas e cães no passado remoto. Lobos se aproximavam para remexer o lixo do acampamento enquanto um garoto, fitando as trevas, abrigado ao lado da fogueira, avistava olhos brilhando na noite, indo e vindo como vaga-lumes, desesperados por alguma coisa, qualquer coisa, prontos a assinar um acordo caso esse acordo significasse comida fácil. *Trabalhar em troca de alimento, para sempre.*

O garoto mergulhava na escuridão empunhando um pedaço de carne e aproximava-se das luzes. Para o lobo, o atrativo da carne era mais forte que o medo — o atrativo do desconhecido. O lobo magro arriscava-se a chegar mais perto do cheiro do tesouro nas mãos do garoto. Este lhe arremessava a carne; e o lobo, reunindo toda a sua coragem, devorava-a na escuridão, ouvindo os gritos distantes da mãe do menino. Viam-se um ao outro claramente. E podiam sentir, ambos, a santidade daquilo.

Tirei o bife da frigideira, deixei que o suco escorresse por alguns segundos e levei-o para Lou, que se sentara com as pernas trêmulas sob seu peso ainda avantajado, lambendo os beiços, pronto para comer.

— Aí está, amigo — disse eu, oferecendo-lhe a carne. Nicki olhava e chorava. Lou abriu a boca, aceitou delicadamente o petisco e saboreou-o por um momento. O bife pendia de suas mandíbulas, deixando cair gotas de sangue no chão. Em seguida, Lou se deitou, fez a carne em pedaços e comeu-a toda.

— É mórbido, da minha parte, estar com fome agora? — perguntou Nicki.

— Um pouquinho.

— Ele gosta tanto disso!

Lou devorou o bife e ainda lambeu o chão até deixá-lo limpo. Nicki deu-lhe as migalhas da frigideira e ele sumiu com elas também. Tinha suas prioridades. Sabia o que era importante.

— Parece até que quem vai sou eu, e não ele — murmurei. — Já nem sei bem o que digo ou o que faço.

— Tenho medo de desmaiar — disse Nicki. — É como um pesadelo.

— Desta vez, precisamos ir em frente.

— Eu sei. Mas não posso crer que tudo vai terminar.

— Passamos o último ano enrolando. Agora vamos deixá-lo ir.

Sentamo-nos no chão e brincamos com ele. Lou lambeu meu rosto, deixando ali um gostinho de carne e alho. Tentou enlaçar-me com a perna dianteira, conforme costumava fazer, mas não conseguiu; então eu mesmo o abracei, sentindo o cheiro de seu hálito, de seu pelo, de suas orelhas. Olhei-o bem nos olhos, ainda animados pelo gosto da carne, ainda esquecidos da dor.

— Temos de ir — disse ela.

— Espere um momento.

Peguei uma tesoura e cortei punhados de seus pelos, alguns pretos, do alto, outros marrons e ainda penugens de sua barriga. Ele me olhou, suspeitando de que talvez eu logo viesse com um cortador de unhas. Guardei os pelos em um saco plástico.

— Está bem, agora vamos.

Coloquei-o no banco traseiro do carro, sobre um cobertor. Ele reclamou do desconforto, mas logo se acalmou diante da perspectiva de um passeio.

— Esperem — gritei, correndo para dentro de casa e voltando imediatamente.

— O que você esqueceu?

— Ele passará por aquela porta na guia, por vontade própria.

Saímos para a rua. Vi Lou erguer a cabeça e contemplar a casa pelo vidro traseiro.

Às vezes, acontecem coisas que nos fazem rir nas horas mais tristes.

Observei pelo retrovisor sua cabeça revolta, suas orelhas espetadas, enquanto ele olhava a rua. Eu precisava estar atento ao volante, de modo que desviei os olhos. Achei que um pouco de música talvez ajudasse e liguei o rádio.

— Você deve estar brincando — disse Nicki.

— Sou um filho da puta.

Segundos depois, ouvíamos pelo rádio a abertura sonora que todos já tentaram tocar ao menos uma vez na vida. Juro por Deus que era *Stairway to Heaven* [Uma escada para o céu].

Olhamos um para o outro e sorrimos. Lou balançou a cabeça.

— *Aruu*.

Desse modo, a caminho do sacrifício de meu cão, ouvimos do começo ao fim os oito minutos de *Stairway to Heaven*.

— Uau! — exclamou Nicki.

— Só Lou mesmo.

Tirei-o do carro e o coloquei no asfalto; segurei a faixa até ele se firmar e se equilibrar nos últimos instantes de sua vida. Larguei então a faixa e coloquei-lhe a guia.

— Vamos, garoto.

Pusemo-nos a caminho. Suas pernas traseiras, amortecidas, não pareciam ter ligação com o maravilhoso cérebro. De algum modo, ele ouviu. E entendeu.

Segurei a faixa duas vezes para lhe dar equilíbrio. Mas quando chegamos à porta, quando Nicki a abriu e entramos, ele se empertigou.

Fiz o sinal de "aproxime-se".

Ele ficou à minha esquerda, como sempre. A guia cerimonial afrouxou-se. Lou cruzou a porta; as pernas traseiras sem vida obedeceram à sua vontade. Entrou no consultório e inclinou-se para mim; minha mão livre susteve a faixa para preservar-lhe o orgulho. Lá estavam o doutor Phillips e seu assistente acenando com os biscoitos suculentos e crocantes de que Lou tanto gostava.

— Isso o deixará relaxado. Muito bem, Steve, agora poderá colocá-lo na mesa.
— Eu te amo, Lou.
— Foi uma honra ter conhecido este cachorro — disse o doutor Phillips.
— Você é o meu herói, Lou.
Abracei-o.
— Agora, Steve, vou injetar.
— Amo você demais. Seja um bom menino. Bom menino, Lou. Está melhor agora? Você é o meu herói. Amo você, Lou. Amo você.
A vida abandonou seu corpo. Eu a vi partir. Foram-se a fraqueza, a rendição, a alma. Em meus braços ficou apenas o peso dos cães que ele salvara. A vida que ele nos dera a todos o deixou como um pássaro. Ele voou para longe de mim e de seu lugar ao meu lado. Desapareceu entre as árvores da colina.

Epílogo

Caro Lou

Foi difícil escrever sobre você. Mas a escrita trouxe tudo de volta.

Viver a seu lado foi como coestrelar uma série de Indiana Jones. Eu ignorava o que você faria em seguida, mas sabia que ia ser algo notável.

Perdoe-me por quase tê-lo deixado no acostamento aquele dia. Um passo em falso. Como McQueen recusando o papel de Sundance Kid. Eu acabaria arranjando um cão qualquer de cabeça oca e você morreria ou iria embora com aquele caminhoneiro fumante. Você nunca soube o quanto estive perto de abandoná-lo, soube? Felizmente, Nancy estava ao meu lado.

Você foi tudo o que eu gostaria de ser. Atleta, herói, bom aluno. Você transformava o mal em bem. Eu não era tão hábil assim.

Você me incentivou a levantar a cabeça, a ser corajoso, a não desistir nunca. Mostrou-me como parar, olhar, ouvir, cheirar. Ensinou-me quando andar e quando correr; quando ceder e quando agir. Aprendi com você a suportar a dor nas horas difíceis, a alegrar-me no trabalho. Você fez tudo isso.

Eu me orgulhava de você. Muito.

Houve pessoas decentes em sua vida antes de mim ou viu apenas armas, maconha e carne de esquilo? Gosto de pensar que houve alguém.

O que você viu em mim? Eu o inspirava ou você matou a charada e me amou apesar de tudo?

Fomos abençoados, meu amigo.

Cinco anos depois, eu ainda acordava ouvindo-o rastejar debaixo de minha cama, rindo, bocejando e querendo que o dia começasse logo.

Não o fotografei ou filmei suficientemente. Nossa vida era cheia demais para que pensássemos no futuro. Gostaria que o mundo o visse correr do modo como corria quando ninguém podia alcançá-lo. Que pena não haver câmeras rodando no dia em que você encarou a pistola .357 ou na noite em que deu uma lição no estuprador!

Gostaria muito que seu *rour* fosse o toque do meu celular.

Sinto falta de você, Lou.

Quando eu era garoto, morava num apartamento de um quarto em Nova York com minha mãe, meu pai, meu irmão e pilhas de livros e revistas sobre cães, além do televisor e de minha imaginação. Sonhava com o que os garotos do Wyoming tinham — a magia das fazendas, os cachorros, os pinheiros, os predadores, as presas e a natureza, natureza de verdade, não o terreno sujo nas vizinhanças que eu chamava de parquinho. Minhas ideias eram grandes, muito grandes.

Você deu vida nova a essas ideias. Você parecia do tamanho de uma montanha. Eu sabia quão especial você era, e isso me impressionava. Aos 34 anos, voltei a ser um menino. Aos 34 anos, consegui ter um cachorro.

Lembra-se do gato de rua que ficava tomando sol no topo de uma garagem em Castle Heights? Você não podia saltar tão alto, e o gato sabia disso, de modo que ambos ficavam olhando um para o outro todas as manhãs. Era um gato esperto.

Lembra-se do rapazinho maluco que andava de skate pela calçada de Venice e tocava aquela guitarra colorida dependurada do ombro, ao som de *Invading Aliens*? Ele era maluco, mas você gostava do cheiro de sua roupa — açafrão e desodorante, talvez. Ele deslizava de skate com você ao lado, você com a cabeça enfiada em seu casaco cheiroso.

Lembra-se do bar no caminho para Big Bear? Lá me propuseram trocá-lo por uma velha bicicleta Sportster — que nem sequer funcionava.

E que tal nós dois brincando de atirar e pegar uma pinha diante do túmulo de Hemingway?

Melhor suportar uma fila interminável de doces idiotas a balançar o rabo do que sepultar você de novo. Coitados dos cães antecedidos por uma lenda! Desisti de encontrar seu *doppelgänger*.

Tenho passado maus bocados desde que você partiu. Muitas pessoas não entendem isso; mas outras sabem bem o que significa perder um grande cão.

Meu pai às vezes nos levava para pescar nos grandes barcos a diesel que ficavam ancorados em Sheepshead Bay, no Brooklyn. Saíamos à procura de anchovas, bacalhaus, albacoras — não raro em mar alto, de onde já não se avistava a terra, com ondas do tamanho de montanhas entre as quais o barco quase desaparecia, deixando-nos ver apenas paredes de água de ambos os lados, castelos de água viva que nos erguiam, passavam por baixo de nós e deslizavam para longe. Você teria gostado de estar lá.

Por essa época, meu irmão lia muito — *A Ilha do Tesouro, A Guerra dos Mundos, A Insígnia Rubra da Coragem* — livros ótimos que estavam sempre à mão. Eu também os lia. Na sexta série, devorei *O Velho e o Mar* por achar que era uma boa história de pescaria. Era algo mais, porém, e minha cabeça começou a trabalhar, a trabalhar... Decidi ser escritor e pelos trinta anos seguintes sonhei em escrever o grande romance americano.

Você ficou deitado comigo muitas noites enquanto eu tentava escrever, Lou. Lembra-se de me implorar para que eu fosse dormir?

A história, contudo, estava bem diante de mim o tempo todo. *Você* era meu maltrapilho dickensoniano, minha história de ascensão da miséria à riqueza. Você era o meu grande romance. Quando estava por perto, coisas importantes aconteciam. Depois que se foi... Bem, perdi o pique, se é que me entende.

Esta é a minha tentativa de ressurreição. Você me tirou do fogo muitas vezes; agora lhe peço para fazer isso novamente. Está pronto? Venha então, amigo. Eu o espero. Desça de sua colina.

Agradecimentos

Agradeço muito aos profissionais da St. Martin's Press, especialmente a minha editora, Daniela Rapp, apaixonada por Lou, e Elizabeth Beier, amiga querida cuja inspiração tornou este livro possível. Ambas são pessoas belas e talentosas.

Agradeço também a Jeff Kleinman, da Folio, que me conduziu em meio aos baixios até o porto. Sem seus cutucões e empurrões, nada aconteceria.

Sinceros agradecimentos a Jack e Colleen McDaniel, da Academy of Canine Behavior em Bothell, Washington. Vocês acreditaram num espertinho da cidade e ensinaram-lhe o que significa realmente ser um adestrador de cães. Agradecimentos igualmente a Nancy Baer, ex-diretora da academia, que me mostrou os pontos delicados e ajudou-me na publicação dos dois primeiros livros. Sua gentileza e seu bom humor jamais serão esquecidos. Jamais esquecerei também de todos os adestradores talentosos da academia, sempre à disposição quando eu precisava deles. Ao longo dos anos, salvaram a vida de milhares de cães perturbados e devem sentir-se orgulhosos por isso.

Obrigado a Nancy Banks, que me convenceu, naquele dia de dezembro, em Mendocino, a colocar dentro do meu carro o pulguento Lou. Não fosse ela, nenhuma das grandes aventuras que vivi com Lou teria ocorrido. Sou grato também à mãe de Nancy por ter ensinado Lou a cumprimentar.

Meus amigos Dean, Billy e Jeff conheceram e amaram Lou. Que os amava também. Até Billy.

O doutor Myron Phillips foi o veterinário de Lou pela última metade de seu 16º ano de vida. Era da velha escola; um homem sábio, paciente, amável. Obrigado, doutor, por ajudar Lou a viver uma vida mais longa e proveitosa.

Agradeço ao coiote que me ajudou a trazer Lou de volta para mim. Lamento que tenha levado umas chicotadas no traseiro.

Obrigado a Megan e Curt Anderson, donos de Solo, um dos primeiros cães que Lou salvou. Hoje, Megan ajuda a reabilitar cachorros machucados; fico feliz por ter-lhe influenciado — juntamente com Lou — a seguir esse caminho. Solo era um bom camarada. Não valeu a pena salvá-lo?

Sempre amiga de Lou, Anne Gordon é uma competente adestradora de animais em Hollywood. Aprendi muito com ela, principalmente a respeito de gatos. Até escrevemos juntos um livro de dicas sobre eles. Anne ama os bichos e pode ensiná-los a fazer qualquer coisa. Obrigado, Anne.

É ótimo ter um vizinho que entende bem de Photoshop. Dave Misner é esse cara. Muito obrigado por sua ajuda, Dave.

Agradeço a meu pai, Tom Duno Sr. Ele tentou passar a lábia em Sabino, o proprietário, para nos deixar ter um cão, mas o velho malandro não foi na dele.

Meu irmão Tom deixava bons livros e revistas espalhados pelo apartamento, quando eu era menino. Li todos. Obrigado, especialmente, por *Old Yeller* e *Green Lantern*.

Minha tia Grace ajudaria o próprio diabo se ele precisasse e depois ainda lhe daria uma xícara de chá com mel. Agradeço-lhe muito, tia Grace. Como tem passado?

Nicki Mason proporcionou a Lou sua última e melhor residência. Seus filhos, Zac e Jake, rejuvenesceram o velhinho, prolongando-lhe a vida. Obrigado a vocês três pelo amor e pela dedicação a Lou, sobretudo em seus últimos dias; ele também os amava muito.

Acima de tudo, obrigado a você, Lou. Devo-lhe minha vida e minha carreira. Você foi o melhor amigo que já tive. Voltaremos a nos encontrar.